1. SÉMIOTIQUE LITTÉRAIRE.

SÉMIOTIQUE LITTÉRAIRE

contribution à l'analyse sémantique du discours

JEAN-CLAUDE COQUET

SÉMIOTIQUE LITTÉRAIRE

contribution
à l'analyse sémantique du discours

UNIVERS SÉMIOTIQUES
collection dirigée par A.-J. Greimas

Le chapitre « Poétique et Linguistique » est extrait de *Essais de sémiotique poétique,* Larousse, 1972.

PRINTED IN FRANCE.

ISBN 2-250-00502-8

SOMMAIRE

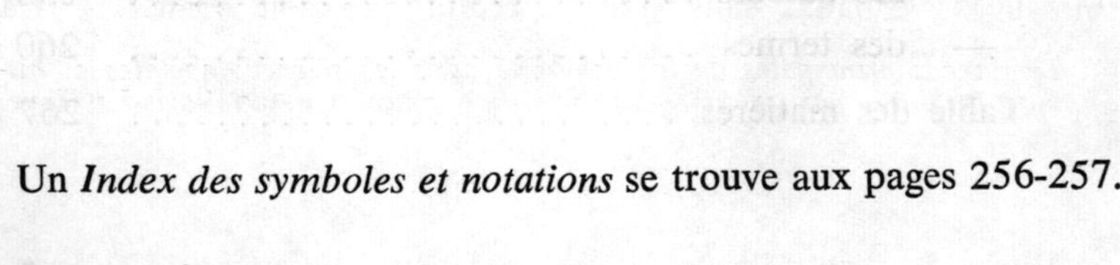

Un *Index des symboles et notations* se trouve aux pages 256-257.

1 SÉMIOTIQUE ET LINGUISTIQUE

Dire que nous avons embrassé le point de vue linguistique serait mal informer le lecteur. Il serait fondé à poser aussitôt ces questions : à quelle linguistique vous référez-vous ? De quelle sémiotique parlez-vous ? Si le chercheur pouvait encore croire au début du XXe siècle que les sciences devaient être construites sur des concepts clairs et distincts, son assurance est maintenant bien moindre. Face à la diversification des champs du savoir, il ne peut que multiplier les hypothèses de travail. En tout état de cause, il admet que sa connaissance ne sera que partielle et que les explications qu'il fournit, pour satisfaisantes qu'elles lui paraissent, seront rapidement remplacées par d'autres explications plus satisfaisantes encore. Nous ne devons pas nous étonner par conséquent de voir pratiquer concurremment plusieurs linguistiques et plusieurs sémiotiques.

Sémiotique linguistique

Pour clarifier les idées, il nous a paru opportun de partir de cette double définition de R. Jakobson : « La sémiotique étudie la communication des messages quels qu'ils soient, alors que la linguistique se limite à la communication des messages verbaux. De ces deux sciences de l'homme, la seconde a donc un champ plus limité, mais en revanche toute communication humaine de messages non verbaux présuppose un circuit de messages verbaux, sans que la réciproque soit vraie[1]. » La

1. *Tendances principales de la recherche dans les sciences sociales et humaines. Première partie : Sciences sociales,* Mouton/Unesco, Paris-La Haye, 1970, p. 511.

répartition est apparemment satisfaisante, mais sur de nombreux points, la discussion est ouverte. Qu'est-ce que nous entendons par la « communication des messages » ? Est-ce que nous voulons dire qu'elle présuppose un code universel et des partenaires de compétence linguistique égale ? Pourtant, nous le savons bien, « l'uniformité du code [...] n'est qu'une fiction ; en règle générale, tout individu appartient simultanément à plusieurs communautés linguistiques de rayons et de capacités différents ; tout code général est multiforme et comprend une hiérarchie de sous-codes divers librement choisis par le sujet parlant, compte tenu de la fonction du message, de l'individu auquel il s'adresse et de la relation entre les interlocuteurs [2] ». Mais nous voici devant de nouvelles difficultés. Comment saisir ce libre choix du sujet parlant ? En particulier dans un message verbal *écrit ?* La stylistique traditionnelle s'est épuisée vainement dans la recherche des procédés mis en place par l'écrivain travaillant mystérieusement son texte comme le boulanger la pâte. Elle ne réussissait que dans l'analyse atomisante de tours élus pour leur curiosité. Dans l'analyse des textes dits « littéraires » que nous proposons ici, il y a bien entendu un « je », mais ce « je » ne peut être qu'une *forme linguistique.* Nous dirions volontiers que nous avons cherché à rendre compte du fonctionnement d'un discours écrit, où « personne » ne parle, et que nous avons laissé à d'autres le soin de faire apparaître d'une manière démonstrative, si c'est possible, les rapports de l'homme à l'œuvre. N'y aurait-il que la *distance* séparant l'énonciateur de son énoncé qu'elle imposerait sans doute une révision de la notion de communication ; en particulier, la référence à un « réel » quelconque devient vite illusoire ; locuteur et destinataire s'estompent ; le « message » lui-même échappe à l'empire de signes référentiels.

Sémiotique analytique

L'objet de la sémiotique, nous dit de son côté J. Kristeva, sera de construire « une théorie générale *des* modes de signi-

2. *Ibid.,* p. 550.

fier ». Sous cette forme, cette seconde définition ne contredit pas celle de R. Jakobson ; elle procède cependant, comme nous le verrons, d'une critique du signe et de la notion qui lui est habituellement liée, la communication, précisément. Elle entraîne aussi, en fait, un nouvel examen du discours scientifique et de son emploi. C'est ainsi que pour rendre compte de la « pratique signifiante » que notre société appelle « littérature », il faudra établir, selon J. Kristeva, « les règles logiques et topologiques » qui en expliquent le fonctionnement[3]. On voit donc se dessiner un partage entre une sémiotique traitant de l'information et une autre dite « sémiotique analytique » qui, tout en ne niant pas la nécessité de la première, tient compte de « l'impact déterminant, en dernière instance, de la psychanalyse qui spécifie la position du sujet dans une pratique sémiotique donnée[4] ». Le refus d'un « ego-cogito », ou, plus exactement, d'un sujet uniquement cartésien et, corollairement, d'un seul sens, univoque et plein, sera donc sans conteste l'une des bases de la sémanalyse de J. Kristeva.

R. Jakobson y est d'ailleurs partie prenante. Ce n'est pas un hasard si J. Lacan rend hommage à ses travaux ; un psychanalyste, déclare-t-il, y trouve « à tout instant » l'occasion de « structurer son expérience[5] ». De ce point de vue, le deuxième chapitre des *Essais de Linguistique générale* de R. Jakobson est privilégié. C'est dans ce chapitre, intitulé « Deux aspects du langage et deux types d'aphasie », que sont présentés les modes d'arrangement du signe linguistique : la combinaison (le pôle métonymique) et la sélection (le pôle métaphorique). Ainsi se préparent les conditions théoriques d'un démembrement du signe. La réflexion linguistique de R. Jakobson fournit encore le moyen de modifier le statut même du sujet quand il met en évidence le rôle des embrayeurs (les pronoms personnels, par exemple), c'est-à-dire de « ces mots du code qui ne prennent sens que des coordonnées (attribution, datation, lieu d'émission) du message[6] ».

3. « Sémanalyse : Conditions d'une sémiotique scientifique », *Semiotica,* 4 (1972), p. 341.
4. *Ibid.,* p. 338.
5. *Ecrits,* Seuil, Paris, 1966, p. 506, note 1.
6. *Ibid.,* p. 535.

Il faut rappeler ici comment J. Lacan traite de la linguistique. Il a recours généralement aux pères fondateurs : R. Jakobson, on l'a vu, mais aussi, bien entendu, Saussure. Mieux, il se dit uni à Freud comme Jakobson à Saussure : « Et pourquoi Saussure se serait-il rendu compte [...] mieux que Freud lui-même de ce que Freud anticipait, notamment la métaphore et la métonymie lacaniennes, lieux où Saussure *genuit* Jakobson [7]. » Il nous laisserait même parfois penser que lorsqu'il parle du signe chez Saussure, il le cite. En fait, par un de ces « passez-muscade » dont il est familier, il glisse du « signifiant », unité phonologique *abstraite* pour le linguiste [8], à l'unité phonique (un *observable* de la parole), puis au mot et, finalement, au discours. Il en va ainsi de l'évocation de l'homme à tête de *virgule*, figure *concrète* renvoyant à un signe écrit où Lacan voit une façon d' « épeler », dit-il, le « proverbe » proposé par le rébus du rêve [9]. Que le lecteur se rappelle encore le brillant développement des *Ecrits* sur la représentation de l'*arbre*, l'une des images didactiques du *Cours de Linguistique générale*. Pour illustrer « la dominance de la lettre » sur le « signifié [10] », J. Lacan propose de « décomposer » le signifiant *arbre* « dans le double spectre de ses voyelles et de ses consonnes ». La décomposition, voilà peut-être une manière de vérifier cette propriété que Lacan accorde au signifiant « de

7. J. LACAN, « Radiophonie », *Scilicet,* 2/3, Seuil, Paris, 1970, p. 58. La vogue de certains mots du vocabulaire rhétorique est d'autant plus grande que leurs définitions sont imprécises. Sur les emplois de la métaphore et de la métonymie par R. Jakobson et J. Lacan, voir les remarques suggestives de N. RUWET in *Essais de linguistique générale,* Les Editions de Minuit, Paris, 1963, p. 66, note 1, et de G. GENETTE, in *Figures III,* Seuil, Paris, 1972, p. 32, note 4.
8. C'est dans le *Mémoire sur le système primitif des voyelles dans les langues indo-européennes,* publié par Saussure en 1879, que, pour la première fois, note B. MALMBERG, « the term phoneme was used with a reference to an abstract linguistic unit which is not a sound (nor has any other physical substance) but which can be manifested or represented by a sound ». *Structural Linguistics and Human Communication ; An Introduction into the Mechanism of Language and the Methodology of Linguistics,* Berlin-Göttingen-Heidelberg, Springer Verlag, 1963, p. 12-13.
9. *Ecrits,* p. 510.
10. Abusivement assimilé à la signification lexicale, alors que pour Saussure, « le signifié n'est que le résumé de la valeur linguistique supposant le jeu des termes entre eux ». R. GODEL, *Les sources manuscrites du Cours de linguistique générale de F. de Saussure,* Droz-Minard, Genève-Paris, 1957, p. 237 et 242.

se composer selon les lois d'un ordre fermé [11] ». Décomposé, le mot *arbre* « appelle avec le robre et le platane les significations dont il se charge sous notre flore, de force et de majesté. Drainant tous les contextes symboliques où il est pris dans l'hébreu de la Bible, il dresse sur une butte sans frondaison l'ombre de la croix... [12] ». Le lecteur reconnaît aussitôt dans cet article les rubriques à peine transposées d'un grand dictionnaire, du Littré, par exemple, ou du Quillet dont il est fait mention un peu plus loin. Une exégète de Lacan y lit « toutes les décompositions » du mot *arbre*. Elle voit dans *platane* la décomposition en voyelles ; dans *robre* la décomposition en consonnes ; dans *arbre de la croix* la décomposition en symboles chrétiens, etc. [13]. La décomposition est-elle du même type lorsqu'il s'agit de voyelles et de consonnes et lorsqu'il s'agit de symboles ? Et de quelle décomposition, de quelle voyelle, de quelle consonne peut-il bien s'agir ? Il est vrai que nous sommes invités à assister à la naissance d'une autre rationalité.

Pour apprécier de nouveau cette « coupure épistémologique » qui nous libérerait en même temps du discours démonstratif conventionnel, nous présenterons deux illustrations extraites d'études sur Mallarmé. L'auteur est privilégié de notre point de vue, puisque, nous dit J. Kristeva, il a su faire « la pratique d'une analyse rigoureuse de la logique du signifiant [14] ».

Nous emprunterons un premier exemple à un article de Michèle Montrelay, au titre prometteur, *Métrique de l'inconscient*, où l'auteur s'efforce de montrer que « la prosodie ou mesure poétique [...] détermine le choix de chacun des éléments du texte [15] ». Nous retrouvons ici la notion de détermination ou de hiérarchie à l'œuvre chez J. Lacan ou J. Kristeva. Soit les deux premiers mots d'un vers : *la chevelure ;* pour *obtenir* le troisième, il suffit de décomposer le second en ses neuf lettres che vel ure. Dans le segment central (vel) « le *e* est muet, par conséquent pour l'oreille il ne vaut rien. Restent *v-l*. Comment compter avec ces deux lettres?

11. *Ecrits,* p. 501-502.
12. *Ibid.*, p. 504.
13. C. Backès, « La stratégie du langage », *Littérature* 3, 1971, p. 21.
14. « Sémanalyse et production de sens », in *Essais de sémiotique poétique*, Larousse, Paris, 1972, p. 234.
15. *Change,* 6 (1970), p. 128-129.

En tenant ce *e* pour ce qu'il est — zéro sonore —, on obtient *vol* ». Nous laissons le lecteur juge de déterminer à son tour s'il doit se satisfaire de cette description de l'engendrement du sens. Encore ceci, dans la même page, toujours au sujet des deux mots : *La chevelure* : « Partant d'une sonorité étalée dans le *la* ouvert initial, les phonèmes *che*, *ve* s'amortissent en consonnes sourdes, *e* muets, pour s'effiler, se ponctuer dans l'éclat bref du *lure* final ». De quelles règles peuvent bien relever les phénomènes présentés ici : l'amortissement, la sourdité (pour le linguiste, seul le son ch [ʃ] est sourd), la brièveté (pour le linguiste, la syllabe [lý : R] est longue)? Il faudrait au moins en énumérer quelques-unes que nous mettrions aussitôt au crédit de la « logique du signifiant ». Une remarque toutefois : la théorie de la structure du sujet, dont cette logique dépend, est elle-même en cours d'élaboration [16].

Nulle chaîne signifiante », disait J. Lacan, toujours à propos de son analyse du mot *arbre*, « qui ne soutienne comme appendu à la ponctuation de chacune de ses unités tout ce qui s'articule de contextes attestés, à la verticale, si l'on peut dire, de ce point [17]. » Nous trouverons aisément chez J. Kristeva des exemples de cette « insistance » du sens. Soit le vers célèbre de Mallarmé : « Un coup de dés jamais n'abolira le hasard [18]. » Pour le lire, on doit, semble-t-il, combiner trois opérations : *a*) Rendre compte du « signifié » que notre auteur assimile selon la tradition à un contenu saisi intuitivement. Le linguiste dira : cette phrase est interprétable ; le littéraire : le sens de ce vers n'est pas hermétique. « Le signifié de cette ' phrase ' [...] est relativement clair », dit de son côté J. Kristeva [19]. A ce niveau d'analyse, le sens n'est pas discuté : c'est un donné ; *b*) Isoler dans cette série de signes un ensemble signifiant minimal. C'est ainsi que procédait Michèle Montrelay quand elle comptait les lettres du mot *chevelure*. S'il peut s'agir ici et là d'une manifestation de « l'intuition analytique » selon l'expression de

16. Du moins pour J. Lacan. Voir *Ecrits*, p. 513 : « ... la structure où le sujet est pris respectivement dans le fantasme, dans la pulsion, dans la sublimation — structure dont j'élabore la théorie (1966) ».
17. *Ecrits*, p. 503.
18. On remarquera en passant que, pour des raisons pratiques et théoriques (en particulier, le rejet de la notion de clôture), cette perspective de travail privilégie le fragment, le vers isolé.
19. *Essais de sémiotique poétique*, p. 229.

J. Lacan, il ne faut pas négliger le rôle de la répétition : une « fréquence élevée [...] est l'indice même d'un *noyau* sémiotique [20] » ; *c*) Puis « ramener » l'infinité signifiante, c'est-à-dire « toutes les possibilités [de sens] enregistrées ou à venir... [21] » : J. Kristeva élargit encore de cette façon la notion d'*insistance*. Il est difficile toutefois d'analyser plus avant l'opération désignée ici par le verbe *ramener*. J. Kristeva dit aussi *déchiffrer*, *reconstituer* ou *reconstruire*. Comment fonder ce procès de construction/déconstruction/reconstruction qui fait écho au double avancé par J. Lacan : composition/décomposition ? Et d'abord, comment le lecteur a-t-il opéré pour choisir un noyau sémiotique ? Reprenons le texte de *Semiotica* : « Les phonèmes qui deviennent des différentielles signifiantes sont repérables au niveau du phéno-texte en raison de leur fréquence élevée. » Mais, avant tout comptage, le lecteur sera sensible (la troisième oreille ?) à chaque mot, chaque son, chaque lettre. Aussi bien le vers de Mallarmé « doit être lu dans le registre des résonances qui font de chaque vocable un point où une infinité de significations peuvent être lues [22] ». La pratique est donc résolument atomisante. Et la reconstruction, dira-t-on ? Elle obéit peut-être à des règles, mais ce que nous savons des travaux de J. Kristeva ne nous permet pas de les exposer. J. Kristeva avance bien la notion de *fonction numérique*. On appelle ainsi en mathématiques l'application dont l'ensemble d'arrivée est le corps des nombres réels. Il s'agit ici, bien entendu, de tout autre chose que d'un banal emprunt à la terminologie ensembliste. On peut pourtant poser la question : par quel « nombre » serait donc réglée « la distribution précise dans chaque texte des différentielles signifiantes [23] » ? Comment répondre ? Nous aurions besoin de suivre, une à une, les étapes d'une démonstration. C'est précisément ce que J. Kristeva dit nous proposer dans son texte sur Mallarmé : « Avant de démontrer comment cette ' phrase ' (le vers de Mallarmé) peut être lue... », etc. Voici, à titre d'exemple, le commentaire presque intégral des deux premiers mots :

20. *Semiotica,* p. 336.
21. Σημειωτική, Seuil, Paris, 1969, p. 293-294.
22. *Essais de sémiotique poétique,* p. 229-230.
23. *Semiotica,* p. 336.

UN — désigne une totalité indivisible, d'ailleurs « effacée » vite par ce « deux » (*de*) qui vient après « coup » et sert de transition vers la pluralité : « un coup *de dés — un... deux des*.

COUP — marque la violence, la pensée, un accès à la pensée, à l'acte ou mieux à la signifiance. Mallarmé emploie souvent ce mot pour désigner la lumière : « tout à coup l'éruptif multiple sursautement de la clarté, comme les proches irradiations d'un lever du jour » (*La musique et les lettres*) ; « Hilare or de cymbale à des points irrités. Tout à coup le soleil frappe la nudité » (*Le pitre châtié*). Or, on sait que dans les textes mythiques (Veda), la lumière et la pensée poétique sont désignées par le même mot : uṣas = aurore, don poétique. On voit comment le « coup » de Mallarmé, par une série de retraits, prolongements, fuites, pourrait amener pour la lecture tout un corpus mythique *insistant* dans le texte. D'autre part, Mallarmé associe aussi coup à *musique* et à *lumière* : coup-cymbale-soleil : « Mallarmé me montra la plaine que le précoce été commençait à dorer : Voyez, dit-il, c'est le premier coup de cymbale de l'automne sur la terre » (Valéry, *Variété II*, p. 210). Le coup, c'est l'*heure* dans *Igitur* : « le coup s'accomplit, douze, Le temps (minuit) »[24]. [...]

Est-ce que ce jeu associatif, quand même on croit le conforter par les processus très généraux de la condensation (*Verdichtung*), la métaphore, et du déplacement (*Verschiebung*), la métonymie, est-ce que ce jeu peut tenir lieu d'une démonstration ? Quelles sont donc les règles de la « logique du signifiant » ? Comment déterminer « le jeu numérique » permettant de retenir telle association et de rejeter telle autre ? En quoi le texte de Mallarmé constituerait-il maintenant « l'objet différencié » qui validerait la théorie[25] ? Le recours à la mythologie védique est-il imposé par les règles de fonctionnement du « nombrant »

24. *Essais de sémiotique poétique,* p. 230.
25. « La preuve de la vérité d'une sémanalyse est sa possibilité de construire des objets différenciés, de poser les pratiques signifiantes dans leur spécificité propre. » *Semiotica,* p. 339.

textuel ? Est-ce le même « nombre » qui régit le texte de Mallarmé et le roman de Ph. Sollers intitulé justement *Nombres* ? Sans doute, mais nous ne saurions l'affirmer. Le point de départ de la signifiance pourrait être identique, ici et là : une analyse du mot sanskrit *Uṣás* (l'Aurore)[26]. On dirait cependant que J. Kristeva s'arrête à mi-chemin dans son étude de Mallarmé. Elle ne retient que la signification de lumière, alors que pour Sollers, elle note le complexe : lumière-nuit. C'est que, pensera-t-on, elle commente une phrase de *Nombres,* d'ailleurs apparemment banale : « Nous étions sur une route *blanche,* la *nuit* tombait. » Le poème de Mallarmé n'offre, sans doute, rien d'équivalent. Et pourtant, le *coup*, c'est aussi l'heure nocturne, c'est minuit, le douzième Coup. Ainsi se reconstruirait « le couple incestueux Aurore-Nuit » dont J. Kristeva fait mention dans son analyse de *Nombres*[27]. Rien n'interdit probablement ce développement de la signifiance, mais rien non plus ne l'impose. Quelles sont alors les règles du discours démonstratif pour J. Kristeva ? Quels rapports précis le sujet scientifique entretient-il avec la signifiance ? Il faut pour l'instant ajourner la réponse.

Avec le statut du sujet, ou plutôt des sujets, nous touchons un problème crucial. Heureux le lecteur averti des recherches contemporaines qui saurait établir les définitions univoques de chacun des termes de cette série indéfinie : sujet scientifique (épistémique), transcendantal, psychologique (individuel), sujet du travail et du besoin, sujet du désir, de la parole, de l'énonciation, de l'énoncé, sujet logique, linguistique, sémantique, etc.

S'il est vrai que nous avons affaire à une multiplicité de « Je », comme nous le pensons, il nous paraît utile de distinguer, à tout le moins, trois *sujets*, le sujet individuel, le sujet du discours et le sujet scientifique ; d'examiner rapidement à propos de ce dernier les rapports qu'il entretient avec son propre langage :

a) Le « moi » du sujet (sujet individuel) n'est pas le même que le

26. Dans cette théorie sémiotique, les hymnes védiques fonctionnent comme l'un des « grands codes sacrés sur lesquels l'humanité se règle au cours des siècles ». Σημειωτική, p. 287.

27. « Faut-il croire que tout un courant de l'écriture moderne s'inscrit sous l'indice de ce double Aurore-Nuit... ? » *Ibid.*, p. 313.

« Je » de son discours. Ce premier clivage, indispensable à la psychanalyse, est d'une portée très générale.
b) Le sujet de la parole (le « Je » du discours oral) n'est pas non plus le même que le sujet de l'énoncé (le « Je » du discours écrit). Si l'on a soutenu que dans l'écoute analytique il était facile de vérifier le statut métaphorique ou métonymique du signifiant [28], nous ne sommes pas encore convaincu que les procédures de vérification sont déjà en place lorsqu'il s'agit de textes écrits.
c) Le sujet scientifique ne peut à aucun moment hypostasier son discours, sauf à ne plus retrouver les limites de son espace théorique. La pratique est étrange et cependant très répandue. Il arrive ainsi à J. Kristeva de prêter sa métalangue à Mallarmé : « Mallarmé souligne que la logique infinitisante du signifiant qu'il propose est en contradiction avec la logique traditionnelle... [29] » C'est penser que le discours scientifique peut rompre ses liens de filiation ; croire ou laisser entendre que par un « geste fondateur et décisif » il a pris corps et s'exprime, enfin, librement. D'où cette phrase de Balzac : « Et la marquise resta pensive » transformée en « *Le texte est pensif* » (*S/Z*). Tout se passe comme si le chercheur, soucieux de se défaire de son discours, essayait de le doter d'une manière d'organisme autonome, un peu à l'image de ces structures vivantes dont parle L. von Bertalanffy. Pourquoi alors ne pas écrire : La méta-rationalité et la méta-scientificité *s'annoncent* dans la méditation de l'écriture et *passent* d'un seul et même *geste* l'homme, la science et la ligne (*De la grammatologie*) ? Ou bien : Le processus de la signifiance *s'opère* dans le texte ; il se *développe*, il *agit* ; l'engendrement infini insiste dans le point signifiant (Σημειωτική), etc. ? « Fiction toute verbale », comme dirait plaisamment P. Fontanier. Une personnification, en somme, ajouteraient les maîtres de rhétorique. Mais ne s'agit-il pas de tout autre chose, d'un effacement du sujet de la science, par exemple ? Une citation de R. Barthes nous servira de référence : « La méthode de ce travail (*S/Z*) est topologique : je ne suis pas caché dans le texte, j'y suis seulement irrepérable :

28. *Scilicet*, 2/3, p. 220.
29. *Essais de sémiotique poétique*, p. 223.

ma tâche est de mouvoir, de translater des systèmes dont le prospect ne s'arrête ni au texte ni à « moi » : opératoirement, les sens que je trouve sont avérés, non par « moi » ou d'autres, mais par leur marque *systématique* : il n'y a pas d'autre *preuve* d'une lecture que la qualité et l'endurance de sa systématique ; autrement dit : que son fonctionnement [30]. » La « vérité » des sens du texte tient à leur marque systématique. Mais qui a relevé ces marques, qui les a combinées en systématique ? On ne peut éluder la question. Chacune des traces du travail de lecture ou d'écriture, loin de rendre irrepérable le sujet scientifique, manifeste au contraire sa présence dynamique et autoritaire. Ce que nous attendons de lui, c'est qu'il nous donne, autant que faire se peut, les règles de son discours démonstratif. L'exigence, nous semble-t-il, doit être d'autant plus forte que le projet est ambitieux. Nous savons que le statut d'une sémiotique scientifique (J. Kristeva oppose sémiotique scientifique à sémiotique métaphysique) implique un renouvellement de la terminologie et une « subversion » de l'ancienne. Soit, mais dans l'attente que le développement de la théorie redonne signification (comment ?) à ces formes devenues vides — appelées le signifiant, la structure, le système, les règles linguistiques, etc. —, le risque est grand de ne mettre en lumière qu'une pratique bien fragile.

Sémiotique moniste

Il est clair cependant que la sémiotique qui aura réussi à déterminer ce qu'est « la logique du signifiant » relèvera d'une théorie forte. C'est pourquoi l'œuvre de J. Kristeva, mais aussi celle d'H. Meschonnic, nous paraissent devoir être suivies avec une grande attention. Elles comptent assurément parmi les plus novatrices de la dernière décennie. Le discours polémique qui les oppose ne peut nous cacher ce fait que leurs démarches sont souvent complémentaires. A l'approche de caractère axiomatique de J. Kristeva répond l'analyse volontiers inductive d'H. Meschonnic. La visée commune est ce niveau du

30. *S/Z*, Seuil, Paris, 1970, p. 17.

langage où se lient sans pouvoir se distinguer *l'espace ponctuel du « signifiant » et l'espace de la signification*. Bien que fortifiée par un appareil théorique imposant dont les trois portées principales sont comme chez J. Kristeva, la psychanalyse, le marxisme et la linguistique (avec peut-être un accent d'insistance sur cette dernière), la tentative d'H. Meschonnic ne laisse pas de rappeler celle de L. Spitzer. Il croit comme lui en une prolifération réglée des relations intrinsèques à l'œuvre. « Relever une trace, nous dit H. Meschonnic, n'est pas la privilégier, sinon pour l'exemple, car elles s'interpénètrent toutes. Un point de départ, peu importe arbitraire, les retrouve toutes. Ceci implique une intégration relative de tous les éléments[31]. » Aussi bien le point de départ sera-t-il souvent le mot, cette « matière associative ». Le dessein est de faire apparaître la circulation sans fin des « figures du signifiant ». Quand Hugo compose *Quatre-vingt-treize*, « le mot générateur du schème est sans doute le nom de la Montagne à la Convention [...]. Toute la Convention — interaction des schèmes de la montagne et de la guerre, comme dans ' la montagne est une citadelle ', III, I, 6) —, est un ' immense bivouac d'esprits sur un versant d'abîme '. La révolution elle-même est une montagne [...]. Hugo fait de la liberté un paradigme de la montagne, et l'oppose à la métaphysique de la forêt, trouvant ainsi le lien entre ses visions anciennes et le politique : ' La Grèce, l'Espagne, l'Italie, l'Helvétie, ont pour figure la montagne ; la Cimmérie, Germanie ou Bretagne, a le bois. La forêt est barbare ' (III, I, 6). Homologie entre les forêts bretonnes, la haine qui est la guerre civile, l'obscurantisme de cette révolte, le caractère féodal de la tour ' digne des forêts ', et l'ombre, — ' Les ténèbres s'entraident '. La forêt appartient à la matière de Bretagne[32] ». Peut-on expliciter toutefois le passage réciproque de la petite à la grande unité et justifier cette formule : « Les mots et les motifs sont des vases communicants[33] » ? Il faudrait suivre le processus de construction avec lenteur pour retrouver, si cela est possible, les multiples étapes de la production du sens. On

31. *Pour la poétique,* Gallimard, Paris, 1970, p. 86.
32. « Le Poème Hugo », in V. HUGO, *Œuvres complètes,* Le Club français du Livre, 1970, p. LIX et LX.
33. *Ibid.*, p. LXI.

devrait pouvoir ainsi vérifier s'il y a lieu ou non d'établir le système d'équivalences auquel fait penser l'image des *vases communicants* (A. Breton ?).

L'entreprise ne serait sans doute pas impossible à mener à l'intérieur même de la théorie structurale. Mais le projet d'H. Meschonnic est autre. Pour lui, « une théorie de la littérature comme système et conflit, valeur dans l'œuvre comme structure du message, ne sépar[e] plus, lorsqu'il y a œuvre, l'éthique et l'esthétique, le vécu dans une forme [34] ». La voie est étroite. S'il relâche un tant soit peu les contraintes du discours scientifique, le chercheur a vite fait d'adopter le mode du commentaire littéraire, son charme et sa vacuité. Combien faudra-t-il de sympathie, de fraternité pour marquer avec justesse la correspondance d'une double participation au monde, celle de l'auteur et celle du critique ? Mieux, pour proposer un texte qui soit « la métaphore de l'original », une sorte de traduction-substitution [35] ? N'y aurait-il plus de métalangage ? Mais comment produire un texte réputé « équivalent » ? Il y a, sous-jacente à la réflexion et à la pratique d'H. Meschonnic, une *théorie de la distance* qui reste à faire. « Un mot est le signe d'un autre qui lui ressemble [36]. » L'importance donnée par H. Meschonnic à l'écho (l'étude est inaugurée en 1919 par Ossip Brik, l'un des Formalistes russes) est de ce point de vue caractéristique : « Toujours le son est une preuve, avant qu'on sache même de quoi parce qu'il est organisé-organisateur [37]. » Ainsi *aube*, [ob], renvoie dans un écho renversé à *beau,* [bo] ; « vos triomphes, si beaux à l'aube de la vie » ; « les hommes étaient beaux comme l'aube sereine ». *Constante*, dit H. Meschonnic, qui saute, en citant ses exemples, des *Chants du Crépuscule* à la troisième série de *La Légende des siècles*, c'est-à-dire de 1835 à 1883. L'importance de l'œuvre, mesurée à la lettre, et l'écart chronologique disent assez la difficulté que nous avons à penser en termes d' « organisation ». Le langage est « orienté », dit encore volontiers H. Meschonnic. Par rapport à

34. *Ibid.*, p. XXI.
35. H. MESCHONNIC, *Les Cinq Rouleaux,* Gallimard, Paris, 1970, p. 18.
36. *Pour la poétique,* p. 90.
37. Problèmes de langage poétique de Hugo, in « Linguistique et littérature », Colloque de Cluny, *La Nouvelle Critique,* novembre 1968, p. 136.

quel(s) point(s) ? On peut admettre que le mot générateur de *Quatre-vingt-treize* (le nom de la Montagne à la Convention) est ce point ou l'un de ces points. En effet, « tout le mouvement du texte est ascendant », nous dit H. Meschonnic [38]. Or le schème est situé dans la deuxième partie, au livre troisième, premier chapitre. Nous approchons de la moitié du livre. Sur un autre plan, moins abstrait, semble-t-il, on dira aussi bien que l'orientation va d'arrière en avant, s'il est vrai que, « dans tous ses romans, Hugo construit la progression et les titres à partir des clausules [39] ». Ainsi à tous les niveaux, de la petite à la grande unité textuelle, et dans tous les sens, tout semble organisé-organisateur.

On doute que l'on puisse tracer quelque part une limite. Nous n'en voulons pour preuve que cette note sur « le schème prélinguistique du dégoût » que réaliserait l'articulation des bilabiales (p, b, m) en français. H. Meschonnic y lit « le mimétisme buccal de rejet [40] » ; d'où une « série constante » de *mais* à *bas,* de *mais* à *hiboux* :

> *Mais*, plus *bas* que tout, il y avait l'ennui
> *Mais* dans l'œil calciné des lynx et des hi*boux*

Pour valider ou invalider cette *constante*, il faudrait chercher des contre-épreuves ; nous montrer pourquoi, dans l'exemple cité à la page suivante, « le mimétisme buccal de rejet » semble ne pas fonctionner :

> Toujours la *même*
> Il te faut un *man*teau rouge
> Des gants rouges un *mas*que rouge
> Et des *bas* noirs [41]

Il semble difficile d'avancer bien loin sur un terrain aussi piégé. Là encore, établir une *correspondance biunivoque* entre un son

38. « Le Poème Hugo », p. LIX.
39. *Ibid.*, p. LXI.
40. « Prosodie et langage du couple dans ' La vie immédiate ' d'Eluard », in *Langue française,* 7 (1970), p. 53. P. DELBOUILLE a extrait du *Précis de stylistique* de J. Marouzeau ce commentaire en écho de H. Bazin : « Le mot *peuple :* à prononcer du bout des lèvres, comme *peu,* ou même comme *peuh !* » Voir *Poésie et sonorités,* Les Belles Lettres, Paris, 1961, p. 66.
41. *Ibid.,* p. 54.

donné et ce que nous appellerons avec I. Fónagy une « pulsion », a toutes chances d'être un leurre. Il faudrait s'accommoder de cette remarque que « *l'investissement oral* du geste phonatoire » nécessaire à la production d'une bilabiale comme *m* « justifie la métaphore du ' suave ' et du ' doux ' [42] » et critiquer en conséquence l'expression de « schème prélinguistique du dégoût » qui prend trop vite l'air d'un universel pour universitaire.

L'œuvre d'H. Meschonnic, a-t-on dit, est de « mystique matérialiste ». Elle fait appel, en effet, à une sorte de déraison, ou peut-être mieux, elle réclame un « *forçage* de la raison ». Nous empruntons cette formule à J. Kristeva qui l'applique à son étude de *Nombres*, mais elle conserve ici, nous semble-t-il, toute sa valeur. Il est curieux de constater que les auteurs que nous avons cités, J. Kristeva et H. Meschonnic, font souvent état cependant de leur désir de « rigueur ». Ils pourraient alléguer qu'ils sont d'abord des écrivains et rappeler aux naïfs qu'il n'y a pas de définition rigoureuse de la rigueur, mais ils veulent aussi être reconnus comme épistémologues. C'est un choix qui impose des obligations didactiques. H. Meschonnic aborde le problème : « Il semble qu'on ne peut esquiver une nouvelle épistémologie : la mise en question des conditions et de la possibilité même d'une scientificité, pour un discours critique. » La solution, J. Kristeva la reporte au futur : « La sémanalyse sera... » ; H. Meschonnic est plus radical dans son appréciation. En liant le discours critique à un « procès de scientificité, indéfiniment en cours, indéfiniment inachevé », en ne ménageant aucun palier où pourrait s'exercer la « rigueur », contrairement à J. Kristeva, il semble imprimer volontairement à son propre discours une boiterie sans fin [43].

Dans leur tentative d'élaborer la structure du signifiant, les auteurs du discours sémanalytique et du discours moniste [44]

42. I. Fónagy, « Les bases pulsionnelles de la phonation », *Revue française de psychanalyse,* I (1970), p. 106.
43. *Pour la poétique,* p. 159 et 168, chapitre intitulé : *Science ou écriture.*
44. H. Meschonnic propose d'appeler « monisme (matérialiste) », par opposition au *dualisme,* l' « homogénéité et [l']indissociabilité de la pensée et du langage, de la langue et de la parole, de la parole et de la graphie, du signifiant et du signifié, du langage et du métalangage, de l'être et du dire ». *Pour la poétique,* p. 177.

visent la matérialité du texte. Hormis le discours sémantique dont il nous faudra parler, nous n'en voyons pas d'autres qui s'attachent à poser le problème du sens en se fondant sur le double développement (syntagmatique et paradigmatique) du texte lui-même.

En effet, qu'il s'agisse de l'interprétation littéraire (éclectique) ou de la lecture marxiste, la manière de traiter de la signification revient généralement à minorer l'œuvre au profit de son « dehors ». On peut, de ce fait, rapprocher un instant les deux optiques. Le postulat commun, somme toute positiviste, est qu'il existe pour un texte donné un premier plan sémantique dont il n'est pas nécessaire de parler car il est en-deçà du travail critique ; c'est le plan des significations immédiates, le niveau des simples lectures. Au-delà commence l'étude. Ce sera une construction, bien entendu, car l'analyste a déjà fait ses choix.

Discours littéraire

Pour le critique littéraire, il n'est pas question de découvrir les *structures d'un système de signification* (il ne dispose pas de méthodes pour mener à bien un tel projet), mais d'évaluer l'écart séparant l'œuvre étudiée des modèles que les « grands Textes inaltérables » d'autrefois ont permis de constituer [45]. Ces « témoignages sacrés », selon le mot de P. Clarac, si on les considère dans leur contenu intégral, laissent suffisamment apercevoir les archétypes de la Beauté et de la Profondeur qu'ils imitent. Quand un problème de signification se pose, c'est que tel ou tel point de détail — une allusion, une date, un mot rare... (toujours des termes et non des relations systématiques) — demande une élucidation. La philologie, s'il s'agit de l'établissement matériel du texte ou de sa grammaire, la vie de l'écrivain, les traités de rhétorique, de versification, etc. (la liste ne peut être arrêtée, car, s'il n'y a pas de connaissance, comme le dit J. Lacan, du savoir, il y en a « plein des armoires ») avanceront des solutions. Mais le projet littéraire ne se ramènera

45. Rapport d'agrégation de 1970, cité dans l'article de P. KUENTZ, « Rapports », *Langue française,* 14 (1972), p. 51.

jamais à une recherche érudite. C'est le sens de l'avertissement, teinté d'une certaine gravité, lancé par A. Adam : même l'historien de la littérature « ne saurait ignorer que l'objet véritable de son étude est d'atteindre, de dégager, de faire éclater la beauté des chefs-d'œuvre du passé. Il se déshonorerait à vouloir s'enfermer dans la notation du fait brut, du détail matériel, de la biographie et la recherche des sources [46] ». Bref, si nous retenons les formes les plus caractéristiques de la recherche littéraire, nous dirons qu'elles tendent principalement à faire goûter le texte par le lecteur (dimension esthétique) et à lui révéler le « sens profond » de l'œuvre telle qu'elle est (dimension philosophique). *Telle qu'elle est ?* Oui, car les grands textes appartiennent en quelque sorte au monde de l'essence. Au critique de ressusciter, grâce à une lecture personnelle et quelque peu inspirée, la « vérité » de l'œuvre. Il jugera donc inutile et même dangereux, s'il veut préserver, comme il le doit, son indépendance d'esprit et sa sensibilité, de rechercher et encore moins de signaler ses liens avec une quelconque épistémologie de la connaissance. Son silence ne saurait masquer bien longtemps le fait qu'il a choisi l'éclectisme qui est encore une théorie.

Discours marxiste

La lecture marxiste ne souffre pas d'une telle insuffisance théorique, mais elle ne bénéficie pas davantage d'une méthode d'approche du fait sémantique. Ce n'est plus, sans doute, à un modèle en quelque sorte éternel qu'il faut rapporter l'œuvre, mais à l'histoire — peut-être même avec l'H majuscule —, son « seul principe de réalité », souligne P. Macherey. Là aussi, la signification donnée au texte vient de son « dehors », encore qu'il faille maintenant préciser ce point. Reprenons le livre de Macherey : « [L'histoire idéologique] n'est pas par rapport à l'œuvre dans une simple situation d'extériorité : elle est présente en elle, dans la mesure où l'œuvre, pour apparaître, avait besoin de cette histoire, qui est son seul principe de réalité, ce à quoi elle doit aussi avoir recours pour y trouver ses moyens

46. « Qu'est-ce que l'histoire littéraire ? » *Revue de l'enseignement supérieur,* I (1959), p. 33.

d'expression [47]. » Pour J. Kristeva aussi, le géno-texte est un « dehors », le dehors du phéno-texte, mais, les mots le disent assez, l'analyse est fondée sur le langage et précisément sur une matière, l'écriture [48]. Comment P. Macherey peut-il dire que l'histoire fournit à l'œuvre « ses moyens d'expression », si ce n'est qu'il tend à considérer le texte comme une simple courroie de transmission de contenus idéologiques ? Dans cette perspective, la langue est neutre et seuls sont déterminants le destinateur et le destinataire du message. Il importe de noter ici la divergence des points de vue ; la recherche linguistique depuis Saussure a montré que la langue n'était pas neutre justement mais que, même dans ses structures ultimes, elle était « informée de signification », pour reprendre une proposition d'E. Benveniste. Si l'on saute le palier linguistique, on se condamne à ne retenir que de vagues unités de signification, à la fois mal situées et mal délimitées. Les plans phonique, prosodique, syntaxique sont ignorés. Le point de départ est le plus banal mais aussi le moins sûr : le vocabulaire. P. Barbéris donne des exemples de cette démarche. Il voit « se livrer » dans *Lux* de V. Hugo « tout un système (idéologique), par l'intermédiaire d'expressions et d'images ». La terminologie est floue, on en conviendra. « On peut aligner deux listes », poursuit-il, « pratiquement exhaustives », « avec en parallèle la liste des concepts connotés si ce n'est parfois dénotés ». Si l'exhaustivité a une acception claire lorsqu'il s'agit d'un ensemble de mots finis (première colonne, intitulée : *Le lexique*), elle est insaisissable quand il s'agit de « concepts connotés si ce n'est parfois dénotés » (deuxième colonne : *Quelques connotations*). Un exemple [49] :

LE LEXIQUE	QUELQUES CONNOTATIONS
La pelouse	L'âge d'or, Chanaan.
Epouse, fiancée, hymen des peuples, frères, nations nubiles	Mythe agraire et solaire des noces.

47. P. Macherey, *Pour une théorie de la production littéraire,* Maspero, Paris, 1966, p. 114.
48. On sait l'importance de cette notion de *dehors,* d'*ailleurs,* de *décentrement,* d'*exclusion interne* en psychanalyse.
49. « A propos de ' Lux ' », *Littérature,* I (1971), p. 93 et 95.

Les connotations, dont les linguistes, malgré leurs efforts répétés, n'ont jamais pu préciser le statut, ont tout l'air ici d'*interprétations* idéologiques. Il s'agit en effet d'une procédure bien connue dans l'analyse de contenus : passer d'un texte à sa caractérisation. Notons que l'intérêt de ce travail sémantique est fonction du degré de systématisation obtenu. A l'entrée de cette sorte de dictionnaire, un lexème (*pelouse*, par exemple) ; à la sortie, une notion, d'ailleurs très complexe : l'*âge d'or, Chanaan*. Mais par quelles opérations a-t-on posé l'équivalence : pelouse $\simeq$ âge d'or, Chanaan ? Etait-ce la seule possible ? En était-il d'autres et pourquoi ont-elles été exclues ? Nous n'en saurons rien. Le lecteur n'est guère exigeant en sciences humaines. On dirait même que plus les relations sont indéfinies, plus il est aisé d'obtenir un consensus. De toute façon, l'objet de l'étude n'est pas là. Pourquoi s'attarder ? Ce qu'il faut montrer, c'est comment l'œuvre est insérée dans l'histoire économique et idéologique ; marquer des conflits et faire apparaître un « mouvement ». Une étude du texte pour lui-même serait insignifiante puisqu'elle ne pourrait révéler qu'un statisme trompeur : un univers de signes et non un univers de forces, selon une formule de P. Barbéris. Le débat réel portera donc non sur ce que l'œuvre dit, qui est peu de chose, mais sur ce qu'elle ne dit pas, ce vide autour de quoi elle est construite. Pour P. Macherey, une citation de Nietzsche situe bien le problème et sa difficulté : « Toute la question est [...] de savoir si on peut interroger cette absence de parole qui précède toute parole comme sa condition.

Questions insidieuses

A tout ce qu'un homme laisse devenir visible, on peut demander :
Que veut-il cacher ? De quoi veut-il détourner le regard ?
Quel préjugé veut-il évoquer ?
Et encore : jusqu'où va la subtilité de sa dissimulation et jusqu'à quel point commet-il une méprise ?

(*Aurore*, 523)[50] »

La voie est tracée : dans son analyse, le critique cherchera le défaut de l'œuvre ; non l'ordre mort des structures, mais le

50. *Pour une théorie de la production littéraire,* p. 107.

désordre, « la présence agissante d'un conflit ». En résumé, et c'est là le paradoxe pour qui adopte ce point de vue, le texte se définit négativement ; il ne vaut que par ce qui n'est pas lui : « par l'avant-texte et par l'après-texte [51] ».

Il semble bien que le procès de ce « visible » aisément trompeur dont nous parle Nietzsche soit un peu vite mené. Qu'une « bonne » analyse sémiotique doive intégrer à un moment de son parcours le plan historique mais aussi une étude du « signifiant », nous en sommes persuadé. Mais où situer ces deux recherches par rapport à l'analyse textuelle et comment les ordonner l'une par rapport à l'autre ? Voilà ce qui fait problème.

Sémantique du discours

Nous l'avons dit, il n'y a pas à nos yeux de plan sémantique innocent où se déploierait, en quelque sorte, le domaine des significations immédiates. Nous suivrons ici volontiers l'idée de J. Lacan selon qui une parole (nous dirons aussi bien un écrit), même réduite à la transparence à force d'usure, garde toujours sa valeur de tessère. Quelle que soit l'importance de l'avant et de l'après-texte pour l'évaluation correcte d'une œuvre, le descripteur ne peut faire comme si le texte lui-même n'était pas *d'abord* codé linguistiquement. Il revient donc au sémioticien de préciser la nature de ce codage et d'analyser le statut du « sens linguistique », primaire, avant de faire miroiter l'infinité des significations, toujours secondes, qu'elles relèvent d'un examen des coordonnées politiques, économiques et sociales, de la recherche sur « l'ancrage corporel » de l'élément inconscient (S. Leclaire), ou d'appréciations esthétiques et philosophiques.

Lorsque nous évoquons la nécessité d'une *hiérarchie* dans l'ordre des recherches, nous faisons mention d'un rapport d'antériorité et non de prééminence. Il est entendu de la même façon qu'un texte ne peut être étudié dans de bonnes conditions que s'il a été établi avec soin : c'est le préalable philologique. Dire

51. P. BARBÉRIS, « Du comment au pourquoi des textes », *La Nouvelle Critique,* n° 50 (1972), p. 60.

alors que la lecture linguistique et sémantique doit être antérieure à toutes les autres (et, en effet, elle les garantit toutes puisque toutes la présupposent) est une façon de rappeler que ce plan est fondamental pour qui veut analyser le traitement de la signification (v. *infra*, 4, p. 76). Encore faut-il s'efforcer de limiter les risques de confusion. Si le linguiste décide que le problème du sens relève tout entier d'une étude de la phase émettrice et de la phase réceptrice de la communication, il court le risque comme d'autres de privilégier l'avant-texte et l'après-texte et d'oublier le message lui-même. Les études de psycho- et de socio-linguistique nécessaires à l'établissement d'une grammaire de la performance devraient formuler, nous dit-on, les contraintes linguistiques et socioculturelles qui régissent le rapport destinateur-destinataire et leurs comportements respectifs ; d'ailleurs, ajoute-t-on, cette perspective n'exclut pas formellement le message. En effet, mais on ne le considère que sous l'angle de sa dépendance envers l'émetteur. Tel est le postulat : « La source trouve son expression dans le texte » (v. *Langages*, 13, 1969, p. 4).

Selon nous, le linguiste doit laisser au message son statut d'infrastructure qui lui confère une relative autonomie et admettre en conséquence que la signification ne se détermine pas seulement en deux points (émission et réception) mais en trois ; et que ce troisième point, le message, n'est pas situé au même niveau que les deux autres (v. *infra*, 4, p. 69, note 3). Comme tout élément de la langue, il est analysable en structures et toute structure d'un système linguistique est informée de signification. Nous ferons nôtre cette définition d'E. Benveniste [52]. La question devient alors : est-il possible de *rendre manifestes les relations logiques constitutives d'un système sémantique*, autrement dit, de *lire* le sens primaire ou linguistique ? Les études que nous présentons tentent d'apporter une réponse.

Tirant les leçons des travaux, principalement de R. Jakobson, d'E. Benveniste, de C. Lévi-Strauss et d'A.-J. Greimas, nous avons substitué au point de vue taxinomique de la langue conçue comme un système de signes le point de vue syntaxique d'un discours compris comme un enchaînement de structures

52. Cf. *Problèmes de linguistique générale*, p. 74.

de signification munies de leurs règles de combinaison et de transformation (v. *infra*, 4, p. 77-78, 85-86 ; 6, p. 129-130 ; 8, p. 205-206, 241). Il serait vain de penser qu'une telle description pourrait prendre le tour d'une suite d'opérations logico-mathématiques. Le mot « description » est d'ailleurs particulièrement impropre ici. Nous aimerions dire : « production de sens », car nous cherchons à suivre le processus de *cryptanalyse* jusqu'à son terme (R. Jakobson) : la mise en place d'un nouvel objet de connaissance (v. *infra*, 3, 51-52, 58-59 ; 4, 88-99). En fait, plutôt qu'à des totalités de composition rigoureusement additive, nous sommes confrontés à des totalités qui ne sont pas égales à la somme de leurs éléments. Cette *relation gestaltiste,* nous la voyons à l'œuvre chez N. Troubetzkoy comme chez V. Brøndal et L. Hjelmslev. Nous lui donnerons ici la forme retenue par N. Chomsky et G. A. Miller :

$$\text{comp}\,(x) \frown \text{comp}\,(y) \leqslant \text{comp}\,(x \frown y),$$

c'est-à-dire : « La signification d'un tout est supérieure à la somme linéaire des significations de ses parties[53]. »

C'est l'exemple de la syntagmation (E. Benveniste). L'unité linguistique et sémantique est formée apparemment de l'addition d'unités lexicales, mais la signification de l'ensemble suppose une nouvelle évaluation des parties. Ainsi l'association de deux lexèmes (avoir + perdre), (devoir + recevoir), (aller + venir), etc., donne une forme de structure binomale, d'ordre invariable (j'ai perdu, je dois recevoir, je vais venir) qui implique la transformation de la signification attachée à chaque élément séparé. La remarque peut s'étendre à tous les phénomènes d'organisation textuelle, tant il est vrai que l'identification des unités est liée à la connaissance des modèles logiques qui les intègrent (v. *infra*, 4, p. 113).

L'intelligibilité du texte ne pouvait donc être assurée, nous a-t-il semblé, que par la médiation de modèles, seules figures sur lesquelles nous sachions raisonner (v. *infra*, 2, p. 43). Bien entendu, ils auront gagné en rigueur, en simplicité et en efficacité sur les représentations antérieures. Modèles intégrant

53. *L'analyse formelle des langues naturelles,* Gauthier-Villars, Paris, 1970, p. 6 ; voir aussi p. 64. — L'abréviation « comp » se lit : compréhension.

le champ positionnel du sujet (ici, le « Je » du discours écrit et ses référentiels) et encore modèles prévisionnels dans la mesure où notre objectif est double : simuler le fonctionnement sémantique d'un texte particulier et fournir les éléments d'une typologie du discours (v. *infra*, 4, p. 77, 86 ; 6, p. 116).

C'est ainsi que, nous fondant sur le texte des *Colchiques* (v. *infra*, 6), nous avons cru pouvoir dégager une règle syntaxique de la poétique d'Apollinaire. Soit une structure à quatre termes hiérarchisés :

$$\frac{A}{a} \simeq \frac{B}{b},$$

où les majuscules désignent des personnes (Je/Tu) et les minuscules leurs représentants métonymiques (vaches/colchiques). L'opération consiste à *effacer* les termes subordonnants de cette relation complexe. S'il ne reste qu'une proposition de base (# le colchique tue les vaches #), il faut se demander ce qu'il est advenu de la proposition symétrique où était présentée la relation hiérarchiquement supérieure unissant les personnes. C'est donc un problème de transformation structurale qui nous était posé. Nous avons tenté de le résoudre dans notre analyse. Ajoutons seulement ici que la règle d'effacement applicable aux *Colchiques* nous paraît avoir une fonction analogue dans de très nombreux textes d'*Alcools*.

Nous dirons de même qu'une *Illumination* de Rimbaud offre l'exemple d'un cas particulier d'un jeu dialectique entre classes de discours complémentaires (v. *infra*, 4).

Notre point de vue n'est donc pas sans rappeler celui de C. Lévi-Strauss étudiant les mythes : nous nous attachons comme lui à être plus sensible aux articulations logiques qu'à la fable qui nous est racontée. Faut-il dire une nouvelle fois que la méthode a fait ses preuves ? Les exemples en sont maintenant trop nombreux pour que nous insistions. Citons simplement pour son importance capitale « la découverte de Propp » et sa reprise à des fins théoriques par A.-J. Greimas. « Elle a ouvert une voie nouvelle », écrit R. Jakobson dans l'article déjà cité, « en révélant les lois structurales rigides qui n'admettent qu'un nombre tout à fait limité de modèles et régissent la composition de tous les contes de fées transmis par la tradition orale [...][54] ». Cette recherche comme celle, parallèle, de G. Dumézil, va d'ailleurs dans le même sens que l'investigation menée pendant de nombreuses années par E. Benveniste au Collège de France pour établir les opérations logiques que suppose l'exercice de la langue (v. *infra*, 2, p. 37).

Sans doute l'étude des structures narratives ne tient pas compte, au moins dans ses formes actuelles, d'une théorie du sujet de la parole. Or, J. Lacan montre qu'il faudrait en ce cas pousser beaucoup plus loin la construction logique des modèles. Mais il s'agit, dans l'analyse textuelle, du sujet linguistique de discours écrits. Personne n'y parle à vrai dire. On ne saurait donc assimiler l'une à l'autre, sans commettre un étrange abus, deux situations linguistiques aussi différentes. Comment unifier les perspectives ? Notre savoir, sur ce point, est bien mal assuré. Par contre, mais nous passons sur un autre plan, celui des sémiotiques non textuelles, une critique marxiste par exemple, donnerait aux résultats présentés par la sémantique du discours la dimension historique dont elle n'avait pas à connaître. Ainsi fait J. Kristeva à propos de Mallarmé lorsqu'elle met l'accent, à bon droit nous semble-t-il, sur la contradiction, « historiquement situable et explicable », entre une pratique matérialiste de l'écriture et « l'énoncé précieux d'une idéologie métaphysique[55] ».

Plongé dans une surabondance de significations, le chercheur nous paraît bien avisé qui renonce, tant qu'il ne dispose pas des règles de transcodage indispensables, à superposer ou même à mettre en parallèle des plans dont l'isomorphisme n'est pas démontré. Plutôt que de s'épuiser à vouloir saisir « l'infinité » des lectures possibles — dans l'espoir un peu vain de paraître affranchi de tout dogmatisme —, il devrait tenter d'abord d'évaluer les sémiotiques textuelles en fonction de leur statut théorique et de leur domaine de validité ; de leur degré d'explicitation et d'expérimentation.

Procédant négativement, tant il est vrai que « l'originalité [d'une] méthode est faite des moyens dont elle se prive[56] », il

54. *Tendances principales de la recherche dans les sciences sociales et humaines,* p. 525.
55. *Essais de sémiotique poétique,* p. 234.
56. J. Lacan, *Ecrits,* p. 257.

dirait quel type de sémiotique il récuse, sachant le but poursuivi : l'analyse des structures de signification non de la parole mais de discours écrits.

Somme toute, il définirait avec soin le point de vue sous lequel il envisage de construire un objet de connaissance. Et puisqu'il lui faut renoncer à l'illusion d'une saisie totale, qu'il s'efforce pour le moins de tirer le meilleur parti des servitudes que son entreprise impose.

2 QUESTIONS DE SÉMANTIQUE STRUCTURALE *

Il est curieux de constater combien l'évolution a été rapide dans le domaine très contesté de la « science des significations ». Naguère encore, le linguiste « moderne », nous voulons dire structuraliste, considérait toute recherche en ce sens comme trop mal définie pour être prise au sérieux. Un exemple : Georges Mounin établissait, en 1964, ce constat d'échec : « On peut penser que la sémantique attend toujours son Saussure ou son Troubetzkoy, ou bien que, s'il est parmi nous, personne encore ne paraît s'en être aperçu [1]. »

L'occasion de faire le point nous est fournie par un recueil d'articles publié par l'Ecole pratique des Hautes Etudes sur l'analyse structurale du récit et surtout par un livre qui nous semble dès maintenant fondamental : *Sémantique structurale*, d'A.-J. Greimas. Les points de vue, d'ailleurs, se recoupent souvent; un article de *Communications*, signé par A.-J. Greimas, et la réflexion préliminaire de R. Barthes contribuent à orienter clairement l'attention du lecteur vers deux sémantiques complémentaires : une qui se rapporte à l'énoncé, l'autre à des « séquences d'énoncés articulées en récits » (*C*, 28) [2].

*

La part méthodologique dans ces deux ouvrages est grande. C'est que, précisément, l'objet et les méthodes de la

* *Critique*, 248 (1968).

1. « Les structurations sémantiques », *Diogène*, 49, p. 140.

2. On adoptera les conventions suivantes : *C*, 28 = *Communications*, 8, (1966), p. 28 ; *SS*, 7 = *Sémantique structurale*, Larousse, Paris, 1966, p. 7.

sémantique étaient à définir. Avec prudence, A.-J. Greimas parle, quant à lui, de « tâtonnements préscientifiques » (*SS*, 7). Le phonologue (modèle exclusif du linguiste pendant longtemps) travaille, comme chacun sait, sur un nombre de phonèmes restreint. Ce sont des circonstances avantageuses, il est vrai, mais particulières à un objet et non nécessaires pour que l'enquête et la description bénéficient du statut scientifique. Le problème est ailleurs. « C'est à la phonologie que l'on doit l'affirmation fondamentale que la première démarche de toute recherche scientifique est l'identification de son objet : rien de sérieux ne peut être tenté avant que les chercheurs se soient mis d'accord sur ce qui est identique et ce qui est différent. Or, il est humainement impossible d'identifier un objet quelconque en en donnant une description exhaustive. Il y aura nécessairement choix de la part du descripteur, car le nombre des détails est infini. Si ce choix est laissé à l'arbitraire du descripteur, il est clair que deux personnes pourront donner du même objet une description différente, ce qui empêchera radicalement l'identification. Une science ou un objet de recherche ne peut donc être complètement identifié que par le point de vue choisi qui fonde la pertinence [3]. »

Pour que le choix de la pertinence ne soit pas arbitraire, c'est-à-dire soumis à des points de vue particuliers, il suffit de considérer la place qui revient au *système.* « Ce n'est pas le phonème mais le trait pertinent qui est l'unité de base de la phonologie » (*op. cit.*, p. 69) ; l'objet de l'étude, c'est en définitive *les relations de type logique* qu'entretiennent ces unités de base : ainsi, la corrélation entre deux séries de consonnes, les unes dénommées, arbitrairement, sonores, les autres, sourdes :

$$\frac{b}{p} = \frac{v}{f} = \frac{d}{t}, \text{ etc.}$$

Car les dénominations sont arbitraires. « *Le terme qui désigne un trait distinctif doit toujours être compris comme conventionnel* » (*op. cit.*, p. 139). On se rappelle que la langue pour

3. A. Martinet, *La linguistique synchronique,* P.U.F., 1965, p. 43-44.

Saussure est un système de signes, une sorte d'algèbre. Voilà le point de vue qui fonde toute analyse structurale : la mise au jour du système, quel que soit l'objet, phonologique, grammatical ou maintenant sémantique. Le terme d'« objet » ne doit pas faire illusion ; il faut le prendre dans le sens que retient Lalande (*Vocabulaire philosophique*), et, après lui, Hjelmslev, comme « ce que nous nous proposons d'atteindre ou de réaliser en agissant ». A ce compte, la phonologie est peut-être une science constituée (ce qui ne veut pas dire que d'autres descriptions structurales soient impossibles) ; la grammaire et la sémantique ne sont encore que des disciplines préscientifiques. Ce que nous voulons souligner, c'est qu'il n'y a pas de divorce entre les différentes branches de la linguistique. Le fait paraîtra encore plus patent, si nous rappelons le rôle joué par le *concept de structure*. Pour construire un objet, il faut, nous le savons, distinguer très clairement les deux plans de la manifestation et de l'immanence. Ce n'est qu'au plan de l'immanence qu'il est possible de parler de structure : « *entité autonome de dépendances internes*[4] ». Hjelmslev précise : « Toute description scientifique présuppose que l'objet de la description soit conçu comme une structure (donc analysé selon une méthode structurale qui permet de reconnaître des rapports entre les parties qui le constituent) ou comme faisant partie d'une structure... On a le choix fatal entre une description structurale et une description non scientifique qui se réduit à une pure énumération » (*op. cit.*, p. 101). Ainsi sont justifiées l'apparition de plusieurs *métalangages* (le plus général s'efforçant de rendre compte de la légitimité de toute recherche scientifique) et l'introduction de concepts instrumentaux, tentatifs, évidemment, puisqu'ils doivent permettre de *décrire n'importe quel ensemble signifiant*, ce qui est *l'objet même d'une sémantique générale*.

Donnons un exemple de la terminologie utilisée. On dira qu'au plan de la manifestation, la phrase est l'unité de discours. C'est le point de vue de Martinet, de Benveniste et de Barthes (*C*, 3). Si l'on prend un segment de la phrase comme

4. Travaux du cercle linguistique de Copenhague, volume XII, L. Hjelmslev, *Essais linguistiques*, 1959, p. 100.

le lexème (appelé encore monème ou morphème), on dira que la face *immanente* de ce signe est constituée, au plan de l'expression, par des phonèmes (eux-mêmes décomposables en phèmes), et au plan du contenu, par des sémèmes (décomposables en sèmes). D'où le tableau (un peu différent de celui que la lecture du livre d'A.-J. Greimas, p. 30, permet de construire) :

Signe	Lexème	
Non-signe	*Expression*	*Contenu*
	phonèmes phèmes	sémèmes sèmes

Le terme « sème » appartient donc au langage descriptif et désigne l'unité minimale de signification. Mais, bien entendu, en soi le sème n'est rien : « La loi tout à fait finale du langage, affirme Saussure, est, à ce que nous osons dire, qu'il n'y a jamais rien qui puisse résider dans *un* terme, par suite directe de ce que les symboles linguistiques sont sans relation avec ce qu'ils doivent désigner, donc que *a* est impuissant à rien désigner sans le secours de *b*, celui-ci de même sans le secours de *a*, ou que tous les deux ne valent que par leur réciproque différence, ou qu'aucun ne vaut, même par une partie quelconque de soi (je suppose ' la racine ', etc.) autrement que par ce même plexus de différences éternellement négatives[5]. » Seule, pratiquement, *l'articulation en structures disjonctives* est décisive. A.-J. Greimas donne de nombreux exemples. En voici un, simple et commode, qui relève de la grammaire : « L'article *la* est généralement considéré comme le syncrétisme de plusieurs catégories morphologiques et se décompose, de ce fait, dans les morpho-sèmes suivants :

singulier + *féminin* + *défini*

Ces sèmes, à leur tour, ne sont que des termes de catégories sémiques traditionnellement dénommées :

nombre + *genre* + *détermination*

5. Cité d'après E. Benveniste, *Problèmes de linguistique générale*, Gallimard, 1966, p. 41.

L'analyse du morpho-lexème *les* oblige le grammairien à constater que celui-ci ne comporte plus que les sèmes du ' nombre ' et de la ' détermination ', tandis que le sème du ' genre ' est absent de la manifestation. En formulant un peu différemment cette observation, on peut également dire que, dans ce cas précis et limité, la présence du ' genre ' présuppose la présence du ' nombre ' et de la ' détermination ', mais que le contraire n'est pas vrai. On peut en déduire qu'il existe à l'intérieur d'un lexème des relations hiérarchiques entre les sèmes appartenant à des systèmes sémiques hétérogènes » (*SS*, 37-38). De cette analyse il y a au moins trois points à retenir :

1) Le discours présente des combinaisons de sèmes ou plus exactement ici de « métasèmes » (*SS*, 107), puisque, dans l'exemple cité, il s'agit de *catégories* grammaticales impliquées par l'énoncé. Toute langue connaît ainsi des *contraintes aprioriques.* Réflexion fondamentale, s'il en est, que, pour sa part, A.-J. Greimas s'efforce dans son livre de mener à bien. Travail de définition aussi, qu'il est possible, pour le moins, de tenter. « A mesure qu'on approfondit la matière proposée à l'étude linguistique, on se convainc davantage de cette vérité qui donne, il serait inutile de le dissimuler, singulièrement à réfléchir : que le lien qu'on établit entre les choses préexiste, dans ce domaine, *aux choses elles-mêmes*, et sert à les déterminer. » Cette proposition de Saussure est citée par E. Benveniste (*op. cit.*, p. 41) qui, de son côté, poursuit dans ses cours au Collège de France l'investigation des opérations logiques que suppose l'exercice de la langue.

2) Si, au lieu d'étudier un lexème isolé, nous considérons une combinaison de lexèmes, nous dirons que la redondance des traits offre une base de classement. C'est le rôle des catégories morphologiques, bien qu'elles « ne constituent, du point de vue du plan du contenu, qu'un groupement limité de classèmes » (*SS*, 70). A.-J. Greimas, après B. Pottier, appelle « *classème* » tout trait pertinent du contenu dont la fonction classificatoire permet d'organiser l'univers sémantique (*SS*, 79).

3) Relevons enfin la place prise par le concept de *hiérarchie.* C'est un phénomène commun à la linguistique tout

entière : dans l'exemple précité, il s'agissait de reconnaître l'organisation sémique d'un lexème grammatical quand on le fait varier en nombre (la → les). Il est ainsi possible d'envisager une sorte de table des catégories grammaticales disposées suivant leur rang (et de fait, J. Dubois l'a dressée dans sa *Grammaire structurale du français* [6]). En phonologie, il n'en va pas autrement. D'un domaine à l'autre, le but proposé à l'analyse semble le même : distinguer *les fonctions primaires des fonctions secondaires* et découvrir les invariants qui assurent le fonctionnement correct du système. « Le classement des unités linguistiques sur la base de leurs fonctions aboutit à établir une hiérarchie où chacun reçoit le traitement qui lui revient, non du fait de son apparence sensible, mais de celui de sa contribution au fonctionnement de l'ensemble... [7]. » De même encore en sémantique. C'est en fonction d'un niveau intégrateur qu'un noyau sémique devient signifiant (*SS*, 104). Il est donc intéressant d'envisager, au moins à titre d'essai, le plan le plus général, celui du système. Dans l'article qu'il consacre à l'analyse sémantique d'un mythe bororo, A.-J. Greimas présente sous forme d'un « arbre » une vue partielle du *code* alimentaire de la communauté culturelle étudiée par Lévi-Strauss :

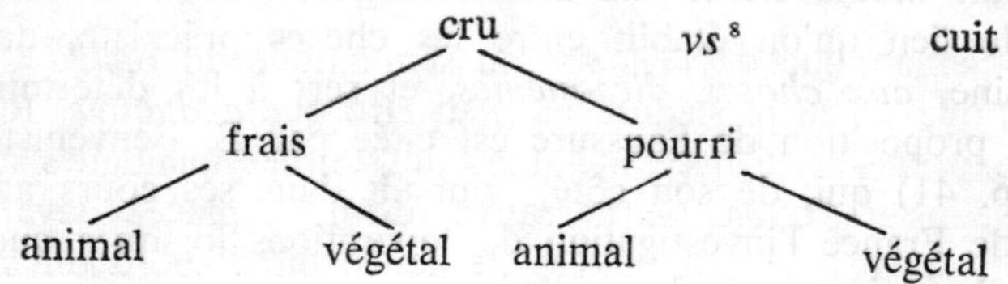

A.-J. Greimas commente (*C*, 36) : « Si l'on considère que chaque parcours, de haut en bas, rend compte d'une combinaison sémique constitutive d'un sémème et que chaque sémème représente un contenu investi en tant qu' ' objet de consommation ', on voit que la combinatoire vise à épuiser, dans les conditions établies *a priori*, tous les contenus-objets de consommation possibles. » Cet agencement est d'ordre *sys-*

6. T. II, Larousse, 1967, p. 190 et sq.
7. A. Martinet, *op. cit.*, p. 62.
8. *vs* signifie : *versus*, c'est-à-dire « opposé à ».

tématique et illustre un cas de logique « concrète » (Lévi-Strauss). A une combinaison sémique donnée, correspond, sur le plan du code alimentaire, un jeu catégoriel, tel que : sujet-consommateur *vs* objet de consommation. Par exemple, au sémème : *cru* + *pourri* + *animal* (objet de consommation) équivaut, si l'on prend le terme catégoriel correspondant, le vautour (sujet-consommateur). Il est bien entendu que les couvertures lexématiques, interchangeables d'un mythe à l'autre (vautour ou jaguar ou tortue, etc.) comptent moins que *la fonction.* A partir d'elle, l'analyste met en place les relations d'ordre logique que supposent la construction et la bonne marche d'un système. Qu'il s'agisse, comme ici, d'un code dont les catégories appartiennent au niveau « *sémiologique* » (« les catégories sémiologiques... représentent, pour ainsi dire, la face externe, la contribution du monde extérieur à la naissance du sens ») (*SS*, 65) ou au niveau complémentaire, dénommé « *classématique* [9] », le but à atteindre est bien de dégager une hiérarchie « en descendant déductivement des catégories les plus larges et les plus abstraites... aux catégories de plus en plus étroites et de moins en moins abstraites (par conséquent, de plus en plus complexes) [10] ».

*

Sémantique de l'*énoncé* ou sémantique du *récit* (« transphrastique »), la procédure ne peut être que *déductive.* R. Barthes exprime cette nécessité dans des termes analogues à ceux de Hjelmslev. L'analyse narrative, dit-il, « placée devant des millions de récits... est obligée de concevoir d'abord un modèle hypothétique de description, ... et de descendre ensuite peu à peu, à partir de ce modèle, vers les espèces qui, à la fois, y participent et s'en écartent » (*C*, 2). On reconnaît dans ces derniers mots les *relations de conjonction et de disjonction* grâce auxquelles la signification s'établit mais aussi se transforme. Il ne suffit pas, en effet, de proposer des règles de construction pour la figure nucléaire, le sémème ou le classème (on trouvera dans le livre d'A.-J. Greimas de nombreuses analyses), il faut

9. Cf. plus haut la définition du classème.
10. Hjelmslev, *op. cit.*, p. 128-129.

encore reconnaître les conditions d'une combinatoire et envisager les *règles de génération.*

Les *Eléments de syntaxe structurale* de L. Tesnière [11] fournissaient un modèle simple mais hétérogène. A.-J. Greimas l'a reconstruit. Aux trois *actants* (grandes fonctions syntaxiques d'agent, de patient et de bénéficiaire de l'action), il en substitue six. Après avoir fait remarquer que la relation sujet/objet se situait sur un autre plan que la relation sujet/bénéficiaire (axe de la communication), il introduit des catégories modales spécifiques : une première recouvre l'articulation sujet/objet : modalité du *pouvoir* ; une seconde, l'opposition destinateur/destinataire : modalité du *savoir* ; une dernière, enfin, les circonstants articulés en adjuvant/opposant : modalité du *vouloir* (*SS*, 134, 180). Le jeu syntaxique, toujours le même, quel que soit le message, semble donc réductible à six sémèmes appelés actants. C'est de ce schème opératoire que se sert J. Gritti pour tenter une description des récits concernant l'agonie de Jean XXIII (*C*, 95 et 101). Dans le même numéro (p. 133), l'analyse de T. Todorov prend appui sur ce qu'il nomme des *prédicats de base* (désir, communication, participation) où l'on reconnaît aisément la structure actantielle élémentaire proposée par A.-J. Greimas. On voit, de cette façon, s'élaborer peu à peu les éléments d'un « message » dans la perspective sémantique. L'actant en est sans doute la pièce maîtresse, mais il n'est connu que par l'intermédiaire des fonctions (F) et des qualifications (Q) qui lui sont applicables, c'est-à-dire par l'analyse prédicative [12]. Enfin, il peut paraître opportun au sémanticien d'introduire les notions de « modalité » (*m*) et d' « aspect » (*a*) pour spécifier les fonctions et les qualifications (cf. à ce sujet, *SS*, 155). Un message quelconque prendra alors la forme canonique suivante (*SS*, 156) :

$$F/Q\ (m\ ;\ a)\ (A^1\ ;\ A^2\ ;\ A^3\ ;\ A^4\ ;\ A^5\ ;\ A^6)$$

Sans même entrer dans le détail d'une analyse et d'une terminologie, l'une et l'autre fort riches, le *pouvoir réducteur* de telles propositions est sensible. Pour les fonder, A.-J. Greimas s'est appuyé sur l'examen de notions comme celle de *redon-*

11. Klincksieck, 1959.
12. Schématiquement, fonction et qualification sont comme le « faire » et l' « être » de l'actant.

dance (cf. l'identification des classèmes) et celle de *clôture* (R. Barthes). Le métalangage du dictionnaire est, à cet égard, riche d'enseignements, car il met en lumière le fonctionnement du discours : à une séquence en expansion correspond la définition ; inversement, condensation et dénomination sont analogues. Autrement dit, entre les termes apparemment opposés (ainsi expansion *vs* condensation) s'établit en fait une relation d'*équivalence* (cf. la remarque de *SS*, 74). De la même façon, bien que sur un plan différent, les variations de l'expression n'empêchent nullement l'identité du contenu (*SS*, 113-114, 224). Que l'on pense, par exemple, à la manifestation de la catégorie grammaticale du nombre et à ses marques hétéroclites. Le discours se caractérise donc doublement : 1) par la répétition : « toute manifestation est itérative » ; 2) par la saturation : « le discours tend très vite à se fermer sur lui-même » (*SS*, 143). Il est dès lors possible, puisque la redondance est nécessaire à l'exercice du langage, de considérer les répétitions du contenu comme des variables dont le descripteur cherchera le ou les dénominateurs communs. Nous sommes ici très proche de la notion d'*isotopie* qu'avance A.-J. Greimas ; il la définit un « faisceau redondant de catégories sémiques [13] ». Nous avons donné un exemple précédemment en présentant un code alimentaire bororo. L'isotopie choisie n'était d'ailleurs pas la seule concevable. Si, d'une manière générale, le descripteur hésite entre plusieurs, il ne devra arrêter son analyse qu'au moment où il découvrira l'isotopie fondamentale. Dans le mythe bororo qui sert de référence à Cl. Lévi-Strauss et à A.-J. Greimas, il y a place ainsi pour une autre dimension, — « naturelle » ou « physique » (la dénomination, arbitraire, importe peu). Il s'agit en effet, apparemment, d'un *mythe d'origine* : « non du feu, mais de la pluie et du vent, qui sont (...) l'opposé du feu puisqu'ils l'éteignent. En quelque sorte : l'antifeu [14] ». L'eau, à ce prix, est corrélée au feu : c'est le feu inversé, d'où une relation d'implication : feu $(^{-1})$ → eau, et inversement : eau $(^{-1})$ → feu [15]. Cl. Lévi-Strauss consolide son ana-

13. *Revue internationale des sciences sociales*, vol. XIX, 1967, n° 1, p. 12.
14. *Mythologiques*, I, Plon, 1964, p. 147.
15. $(^{-1})$ = symbole de l'inversion.

lyse en présentant une structure mythique (M 12) inverse de celle du mythe de référence (M 1) :

	EAU	FEU
M 1 (*bororo*)	*procurée*	*retiré*
M 12 (*shérenté*)	*retirée*	*procuré*

En laissant de côté la façon dont la mort s'introduit dans chaque structure, on peut dire que M 1 « anéantit le feu et crée l'eau », et que M 12 « anéantit l'eau et crée le feu » (*op. cit.*, p. 199). Il y a donc dans ce rapport logiquement très strict (nous reviendrons sur le rôle de la *corrélation*) les marques d'une première isotopie ; la seconde, nous la connaissons : elle concerne le code alimentaire. Une question se pose alors : quelle isotopie choisir ? existe-t-il une structure préférentielle ? (Cf. le concept de hiérarchie.) La réponse d'A.-J. Greimas est fonction des enseignements tirés de l'analyse des syntagmes narratifs et, singulièrement, de leur *distribution*. En effet, si le code est de nature taxinomique (ou paradigmatique), il fonctionne, pour ainsi dire, en se projetant sur l'axe horizontal (ou syntagmatique). La construction d'un *modèle narratif* fournira — *hypothétiquement* — les éléments de décision. L'analyse de V. Propp est sous ce rapport exemplaire. A.-J. Greimas (*SS*, 192 et sq. ; *C*, 32) et Cl. Brémond (*C*, 60 et sq.) [16] en retiennent l'idée qu'il est possible de *prévoir* l'articulation des contenus. Dans le mythe bororo où les quatre séquences centrales (*C*, 37) correspondent au contenu « topique » (par opposition au contenu « corrélé »), les deux isotopies se répartissent symétriquement :

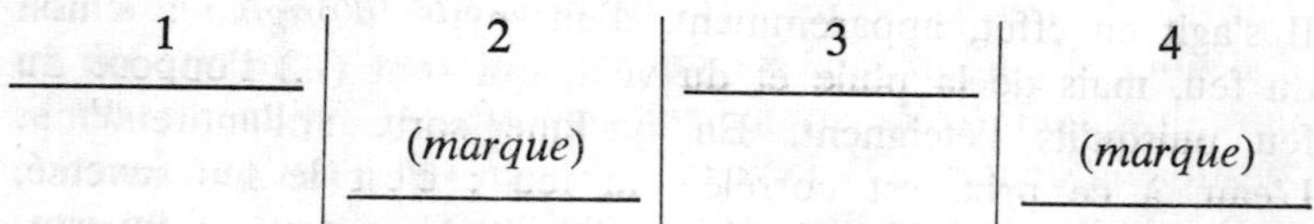

Ce qui permettra de dire que les séquences 2 et 4 sont *marquées* par rapport aux séquences 1 et 3 est le fait que l'iso-

16. Cf. aussi une analyse du même auteur dans *Communications*, 4, p. 4.

topie s'analyse, là, au niveau des sèmes (cru, cuit, pourri, frais, etc.) et, ici, au niveau des lexèmes (eau, feu).

D'autre part, le modèle narratif prévoit que l'actant-sujet (le héros) subit trois épreuves successives :

épreuve qualifiante /épreuve centrale /épreuve glorifiante[17].

Or, l'épreuve *centrale* est située au plan de l'isotopie alimentaire (séquences 2 et 4). Ces deux raisons conjuguées, en fixant le choix de l'isotopie fondamentale, orientent la description et délimitent le « texte » (cf. *SS*, 145). La visée est donc bien de construire un *modèle immanent*, un « micro-univers sémantique fermé sur lui-même » (*SS*, 93), une figure sur laquelle nous sachions raisonner. La notion de modèle est familière et il n'est pas douteux que la réflexion méthodologique des physiciens a été un encouragement pour le spécialiste des sciences humaines. « Le monde extérieur réel, notait M. Plank[18], ne nous est pas directement perceptible. » Tout linguiste, pensons-nous, souscrirait volontiers à cette affirmation. Saussure nous l'a appris, le signe linguistique est *diacritique*, c'est-à-dire qu'il n'opère que par sa différence. Ce qui est, nous ne sommes capables de le concevoir que par l'opération d'un terme *médiateur* : le modèle, précisément, sorte de « simulateur » de la réalité. Modèles actantiels, modèles qualificatifs (tournés vers la taxinomie) et fonctionnels (de caractère algorithmique), d'autres encore, sont des instruments de description et de découverte pour le sémanticien ; un modèle qualificatif permettra, par exemple, de présenter, — sous forme hypothétique, bien entendu —, l'articulation interne d'un concept (disons celui d' « existence » chez Bernanos ; cf. *SS*, 228), suivant le principe : « un inventaire des occurrences ne peut être réduit à une classe et dénommé par un sémème unique que dans la mesure où un autre inventaire, diamétralement opposé, est en même temps constitué et dénommé » (*SS*, 167). Si l'on sait aussi que fonction et qualification ne se distinguent que par la présence d'un classème différent (« statique » *vs* « dynamique »), la conversion

17. Cf. *SS*, 197 et 206.
18. D'après L. Brillouin, « Science et imagination », *N.R.F.*, 1961, p. 845.

des modèles peut être tentée. C'est une notion exploitée par Lévi-Strauss. Le mythe de référence (M 1) n'est rien d'autre qu'une « transformation de l'aspect homologue d'un autre mythe » (*op. cit.*, p. 21). L'analyste est donc amené à ne pas se contenter d'une taxinomie. Ce n'est là qu'une étape de la description. Il doit encore, nous l'avons dit, imaginer des lois (des règles) qui satisfassent sur le plan théorique au passage d'une classe (phonologique, grammaticale ou sémantique) à une autre. « Nul ne peut combiner (produire) un récit, constate R. Barthes (*C*, 2), sans se référer à un système implicite d'unités et de règles. » Là encore le travail de Propp a été d'une portée considérable ; mais il y a plus : la terminologie employée par R. Barthes est significative de l'influence grandissante du théoricien le plus en vue de la « grammaire générative », N. Chomsky. Une telle grammaire devra énumérer, à partir d'un petit nombre de principes de formation, les *règles de construction* de toutes les phrases d'une langue donnée. L'opposition phrase-noyau (kernel sentence) *vs* phrase dérivée est conforme au processus dialectique dont use souvent A.-J. Greimas et que préconise R. Barthes. Nous avons déjà dit comment le métalangage du dictionnaire en était une bonne illustration. Ainsi les modèles s'établissent après réduction et, inversement, des expansions sont concevables à partir des éléments structurels simples : « Il se pourrait fort bien, précise N. Chomsky [19], qu'une grammaire particulière fût acquise par la simple différenciation d'un schéma inné fixe. » L'invariant est alors soumis à *x* transformations ; autrement dit, il est le lieu d'une combinatoire. Dans sa *Sémantique*, A.-J. Greimas, pour décrire la signification, se sert d'un modèle à six termes : positif, négatif, positif et négatif (complexe), ni positif ni négatif (neutre), complexe où domine le terme positif, complexe où domine le terme négatif. Dans la perspective de la génération qui nous occupe maintenant, le terme complexe est privilégié. Impliquant l'existence des termes positifs et négatifs, il peut les médiatiser. D'après Lévi-Strauss, la pensée mythique procède de cette façon. En prenant conscience de certaines oppositions, elle « tend à leur médiation progressive [20] ».

19. *Diogène,* 51, p. 20.
20. Cf. Lévi-Strauss, *Anthropologie structurale,* Plon, 1958, p. 248.

Dans un premier temps, il convient d'*homologuer* les structures. Soit deux classes opposées telles que :

A *vs* B
A' *vs* B'

On dira que s'il existe un terme *x* commun à A et à A' d'une part, et un terme *x'* commun à B et à B' — et opposé à *x* — d'autre part, les structures binaires sont homologuées. Une structure, nous dit A.-J. Greimas (*SS*, 169) « fonctionnant comme une permanence et produisant de façon redondante des sémèmes de substitution homologués : S', S'', S''', etc., en relation de disjonction avec les sémèmes : Non S', Non S'', Non S''', etc., peut se mettre à générer, à un moment donné, non plus les sémèmes binaires, mais une structure sémémique ternaire, comportant, en plus des sémèmes polarisés, un troisième sémème articulant le terme complexe ». Le « à un moment donné » indique bien le rôle attribué ici au terme médiatisant. Il permet d'établir une relation explicitant une situation nouvelle, mais non de savoir, semble-t-il, à quel moment de la diachronie le terme complexe apparaîtra. Cependant, une étude de micro-univers sémantiques, tels le conte ou le mythe, donne au linguiste la possibilité de construire un *modèle transformationnel* : « la définition structurale des transformations diachroniques des structures de signification est incontestablement une des tâches de la sémantique » (*SS*, 254). Il semble que le descripteur trouve dans l'homologation à quatre termes des ressources suffisantes, si l'on en croit l'étude de T. Todorov sur *Les catégories du récit littéraire* (*C*, 130 et sq). A partir d'un modèle qu'il dénomme justement « homologique », les quatre séquences sont disposées en rangées suivant le plan de la diachronie et en colonnes suivant le plan de la synchronie [21]. Le principe est que « le sens (ou la fonction) d'un élément de l'œuvre, c'est sa possibilité d'entrer en corrélation avec d'autres éléments de cette œuvre et avec l'œuvre entière » (*C*, 125). On peut donc *prévoir*, au moins théoriquement, la ou les transformations qu'une séquence identifiée comme *signe différentiel* subira au cours du récit. L'entreprise est encore facilitée par le fait que les « séquences-types... entre lesquelles doit

21. Cf. LÉVI-STRAUSS, *Anthropologie structurale*, p. 254.

nécessairement opter le conteur d'une histoire... (sont) bien moins nombreuses qu'on ne pourrait croire [22] ». Donnons deux exemples simples, empruntés à la *Morphologie du conte populaire russe* (*SS*, 192) : une séquence dénommée « rupture du contrat » présuppose une séquence de contenu inverse, « établissement du contrat » ; plus largement, *dénégation et assertion sont solidaires*. Certaines séquences paraissent corroborer ce point de vue, car elles dirigent l'attention vers un « avant » et un « après ». Telle l' « épreuve ». L'après est le lieu où « *the initial misfortune or lack is liquidated* ». On dira, sous une autre forme, qu'une séquence occupant sur l'axe du récit une position déterminée a le rôle de manifester « les termes positifs des catégories sémiques dont les termes négatifs se trouvent, sous forme d'antécédents, présents dans la structure que l'épreuve est censée transformer » (*SS*, 211). Il est possible d'illustrer cette remarque par un rapport homologique comme :

$$\frac{\textit{avant}}{\textit{dénégation}} \simeq \frac{\textit{après}}{\textit{assertion}} \quad ^{23}$$

On y reconnaît les termes de la dimension temporelle mis en corrélation avec le contenu d'abord inversé (dénié), ensuite posé (affirmé). Faisons un pas vers la formalisation. Soit deux fonctions catégorisées (c'est-à-dire articulées suivant les termes d'une catégorie sémique) : A (dénommée « contrat ») et C (dénommée « communication », objet du contrat), on pourra poser :

a) $(\bar{A} > \bar{C}) \simeq (C > A)$ [24]

ou *b*) $(\bar{A} > \bar{C}) \rightarrow AT \rightarrow (C > A)$

Pour *a*), A.-J. Greimas commente ainsi (*SS*, 208) : « Dans un monde sans loi, les valeurs sont renversées ; la restitution des valeurs rend possible le retour au règne de la loi. » En *b*), AT (algorithme de transformation) traduit le rôle dialectique de l'épreuve qui « apparaît comme l'affrontement de l'adjuvant et de l'opposant, c'est-à-dire comme la manifestation... de la struc-

22. Cl. BRÉMOND, *C*, 62.

23. « $\simeq$ indique la corrélation ou l'équivalence (ou le désir de préciser de telles relations) » (*SS*, 156).

24. Le trait superposé marque le terme négatif de la catégorie et « > » se lit : implique.

ture de signification complexe » (*SS*, 212). Enfin, une saisie achronique (correspondant à une lecture différente) donnera la proportion :

$$\frac{\bar{A}}{A} \simeq \frac{\bar{C}}{C}$$

« et voudra dire : l'existence du contrat (de l'ordre établi) correspond à l'absence du contrat (de l'ordre) comme l'aliénation correspond à la pleine jouissance des valeurs » (*SS*, 208). A.-J. Greimas utilise une procédure semblable dans son étude sur Bernanos. Il s'agit, ici et là, de décrire les transformations diachroniques de structures complexes. Soit les deux actants antithétiques, postulés au départ de l'analyse : « Vie » *vs* « Mort ». Un modèle qualificatif servira à les définir. La procédure est connue : d'une classe de sémèmes se déduit la classe complémentaire. Attribué à « Vie », un sémème « lumière » (V) implique un sémème opposé : « ténèbres » (non V) ; ou bien, tel sémème de l'actant « Mort », « mélange » (M), implique « pureté » (non M). Si nous poursuivons l'inventaire, il apparaît que la conjonction V + non M établit l'ensemble des qualifications de l'actant « Vie », et, inversement, la conjonction M + non V établit l'ensemble des qualifications de l'actant « Mort ». Ce n'est pas cependant la combinaison que reconnaît d'abord le sémanticien, mais une structure complexe, de la forme :

$$\frac{\text{Vie}}{\text{non Vie}} \simeq \frac{\text{Mort}}{\text{non Mort}}$$

c'est-à-dire, précisément, la corrélation qui traduit le mieux le contenu « Existence », correspondant, chez Bernanos, à « l'enchevêtrement des éléments vitaux et mortels contradictoires » (*SS*, 255).

La *transformation* aura d'abord pour but de rendre homogènes les contenus actantiels de « Mort » et de « Vie » en soumettant les termes de la corrélation à la dialectique : dénégation/assertion (dénier V, c'est affirmer non V et M ; dénier M, c'est poser non M et V) ; puis, une fois obtenues ces deux nouvelles structures achroniques, de les disjoindre, les deux actants s'excluant mutuellement :

$$\left(\frac{\text{non V}}{\text{M}}\right) \textit{ vs } \left(\frac{\text{non M}}{\text{V}}\right)$$

Une dernière remarque : sur le plan de la diachronie, nous retrouvons la distribution en deux époques : un « avant » et un « après » ; un contenu posé et un contenu transformé. Soit, schématiquement (*SS*, 255) :

$$\left(\frac{\text{V}}{\text{non V}} \simeq \frac{\text{M}}{\text{non M}}\right) \rightarrow \text{AT} \rightarrow \left(\frac{\text{non V}}{\text{M}}\right) \textit{ vs } \left(\frac{\text{non M}}{\text{V}}\right)$$

*

Nous disions en commençant que la part de la méthodologie était grande dans *Sémantique structurale* et *Communications 8*. Les exemples que nous avons donnés en témoignent suffisamment, nous l'espérons du moins. L'objet à décrire est lié à la méthode qui l'a fait naître et le modèle figure ce que nous en savons. C'est pourquoi notre attention a été attirée par le rôle dévolu à la *formalisation*. Sans en exagérer la portée ni la valeur actuelles, il faut admettre son utilité pratique et théorique. Théorique, parce qu'elle répond aux principes d'économie et de simplicité (de généralité) ; pratique, parce que la construction de modèles résolument explicites permet d'éprouver l'ensemble des concepts de base. L'orientation est ainsi définie. Qu'on relise cet avertissement de R. Barthes : « Le caractère apparemment ' abstrait ' des contributions théoriques qui suivent, dans ce numéro, vient d'un souci méthodologique : celui de formaliser rapidement des analyses concrètes... » (*C*, 2, note 4). En sémantique, assurément, nous n'en sommes encore qu'aux premiers pas. Mais nous savons déjà que l'absence de référence à une *théorie générale de la signification* — car c'est bien à une tentative de cet ordre que se livre A.-J. Greimas — explique l'échec relatif de la sémantique du mot et de son prolongement naturel, « le champ sémantique », quel que soit l'intérêt méthodologique des travaux de G. Mounin, de F. Lounsbury ou de J. Apresjan [25]. Si, longtemps, sémantique et lexique

25. Pour ces deux derniers, voir *Langages N° 1*, Larousse, 1966, et pour G. Mounin, on peut consulter *La Linguistique*, N° 1, P.U.F., 1965.

ont été confondus, la raison en est que les linguistes, malgré l'apport théorique révolutionnaire de Saussure, avaient, par crainte sans doute de n'être pas assez « positivistes », assimilé « réalité » et donné « immédiatement observable ». Aussi bien la réflexion sur la méthode est toujours à reprendre, dans tous les domaines. « On pensait, comme le dit excellemment Emmon Bach, que le niveau phonologique était plus proche de la réalité, plus objectif, et, pour tout dire, plus matériellement ' physique ' que les autres. Cette idée se reflète dans des expressions comme ' adhérer au sol ', qu'on retrouve dans le manuel de phonétique de Hockett — ou dans la proposition de Floyd Lounsbury, selon qui une des méthodes d'analyse morphologique traite de la segmentation des phrases parlées réelles, plutôt que de constructions abstraites, *cousines issues germaines* de la réalité [26]. » Toute structure — parce qu'elle est structure, c'est-à-dire une entité — impose le recours au modèle pour être intelligible. Le rôle de cette procédure de médiation rappelle celui du schématisme kantien. C'est à elle que l'observateur a recours pour *transformer* des phénomènes hétéroclites, seuls « visibles », en un ensemble soumis à des lois. Il n'y a pas de moyen terme : ou bien l'analyse s'attache à décrire le « vécu », le concret, et se satisfait dans une énumération, ou bien elle paie le prix de tout travail scientifique : l'abstraction. Ne nous y trompons pas : le ' donné ' linguistique n'est que le « résultat d'opérations logiques [27] ».

Quelle est alors la sanction des modèles ? A coup sûr, *l'efficacité*. En sémantique, un modèle sera dit opératoire s'il rend possible la lecture des contenus isotopes d'un texte. Et par « lecture », il faut entendre la connaissance de propriétés formelles, analysées en règles d'articulation et en règles de transformation. Sur ce point, le sémanticien, qui a tiré un si grand parti de l'œuvre théorique et rigoureuse de Hjelmslev, comme des analyses de Propp, devra être non moins attentif aux progrès de la grammaire générative et de la traduction automatique. Sans doute, la recherche de méthode d'A.-J. Greimas, dont le caractère tentatif est affirmé au fil des pages, et celle, parallèle,

26. « Linguistique structurelle et philosophie des sciences », *Diogène*, 51, p. 127-128.
27. E. BENVENISTE, *op. cit.*, p. 41.

mais encore peu formalisée, du groupe d'études de *Communications 8*, ont-elles à leur actif, pour l'instant, peu d'analyses à proposer à la critique. Tels quels, néanmoins, les échantillons de description sont très probants. Le lecteur en conviendra sans peine, mais regrettera cependant que, dans le livre d'A.-J. Greimas, une démonstration ici ou là tourne court, faute de place ; que tel paragraphe n'ait pas les développements qu'il souhaiterait. C'est la rançon d'un livre bref et dense ; assurément, un maître livre...

3 PROBLÈMES DE L'ANALYSE STRUCTURALE DU RÉCIT*
« L'Etranger » d'Albert Camus

> « Toute description scientifique présuppose que l'objet de la description soit conçu comme une structure. »
>
> L. HJELMSLEV.

Nous ne chercherons pas ici à considérer d'un œil neuf *L'Etranger*, à proposer un examen contradictoire de cette œuvre connue, mais à explorer les voies du « discours scientifique ». Il s'agira donc, très simplement, d'éprouver une méthode.

Partons d'un fait d'expérience. Devant un texte long, le linguiste semble embarrassé, alors qu'il reconnaît plus aisément les *contraintes* d'ordre phonologique ou morpho-syntaxique ou sémantique qui s'exercent sur la *phrase*. Qu'elles soient moins nombreuses ici que là ne change pas cependant leur nature et la nécessité de les décrire s'impose toujours à nous. Nous préciserons ce que nous entendons par « contraintes » en rappelant l'orientation qu'avait donnée Saussure à la linguistique synchronique : « elle s'occupera des *rapports logiques*... reliant des termes *coexistants* et formant système [1]. » D'une telle orientation, la combinatoire syntaxique de L. Tesnière, celle d'A.-J. Greimas, ou encore le schéma général de la communication présenté par R. Jakobson dans ses *Essais de linguistique générale* offrent des

* Ce texte a fait l'objet d'une communication au *IIe Congrès international de sémiotique*, Varsovie, 1968. *Langue française*, 3 (1969).

1. *Cours de linguistique générale*, Payot, 1964, p. 140. Les termes soulignés le sont par nous.

images assez comparables. Toutefois, la construction de *modèles* est — somme toute — rapide. Si elle répond bien à une nécessité d'ordre théorique — et cela est clair, puisque la linguistique, insistons sur ce point, « ramène son objet à un réseau de dépendances en considérant les faits linguistiques comme étant en raison l'un de l'autre [2] » —, une telle construction implique des vérifications. Au descripteur de se servir du modèle pour *prévoir* et *intégrer* des phénomènes qui n'ont pas encore été observés ; à lui aussi, dans une démarche inverse, d'étudier un segment de l'univers du discours en fonction des catégories intégrantes. Construction et vérification du modèle sont, assurément, deux états successifs de la procédure ; mais il est plus important de rappeler le rôle transformationnel que joue ordinairement la phase inductive : « Un modèle qui a été établi pour fixer les idées, pour offrir un palier de repos à la pensée scientifique, et par conséquent qui a une fonction explicative ou démonstrative, peut se révéler origine de découvertes nouvelles [3]. »

*

L'analyse structurale, telle que nous la pratiquons, invite le descripteur-cryptanalyste (R. Jakobson) à rechercher des unités significatives et le mode particulier de leur combinaison. Et précisément, à l'égard du *sens*, l'œuvre littéraire présente un caractère, sans doute, exemplaire. De même que, dans le code oral, un « énoncé » est repéré par un contour mélodique qui lui est propre, de même, dans le code écrit, de nombreux signes remplissent une fonction *démarcative* évidente. Les artifices de typographie — les majuscules, par exemple, ou la ponctuation, ou encore la disposition en alinéas, en paragraphes, en chapitres — invitent le lecteur à faire attention au « blanc », à la segmentation de l'œuvre.

La situation peut nous paraître analogue à celle que présente un mythe, avec cette différence que l'énoncé littéraire est riche de signaux qu'il suffit au lecteur d'interpréter, alors que le discours mythique est sur ce point très lacunaire. Toutefois, dans un cas comme dans l'autre, le descripteur s'efforce de bâtir

2. L. Hjelmslev, *Essais linguistiques,* Copenhague, 1959, p. 24.
3. P. Auger, « Les modèles dans la science », *Diogène,* 52, p. 7.

un schème « fait d'oppositions discontinues [4] ». Est-ce une illusion ? Le chercheur est porté, spontanément, à croire que l'opération sera d'autant plus commode qu'il choisira un univers sémantique fortement organisé : ainsi le roman, s'il est vrai que c'est un type de discours « où l'action trouve sa forme, où les mots de la fin sont prononcés, les êtres livrés aux êtres, où toute vie prend le visage du destin [5] ». *L'Etranger* obéit, apparemment, à cet essai de définition [6]. Les deux parties du texte se réfléchissent comme dans un miroir ; de plus, les deux points *a* et *b* de l'ensemble de départ ont leurs images inversées dans l'ensemble d'arrivée. D'où un premier modèle :

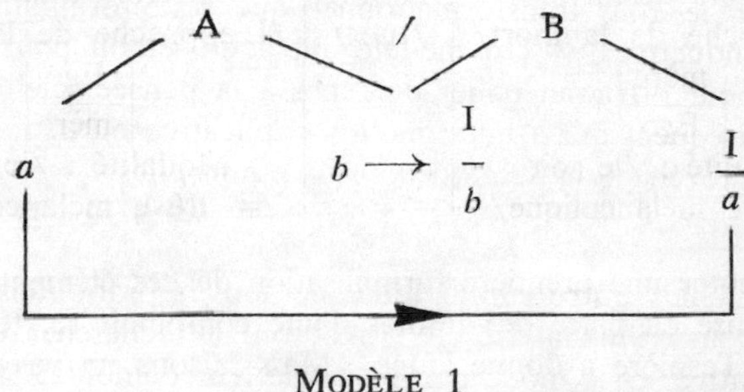

MODÈLE 1

Nous justifierons peu à peu ce premier modèle très élémentaire. Disons, pour commencer, qu'il y a correspondance entre l'ensemble *a* et l'ensemble $\frac{I}{a}$, si nous retenons comme traits distinctifs la mort, l'association métonymique mère/fils, et la modalité de l'énonciation correspondant à : « Le soir, dans ce pays, devait être comme une trêve mélancolique » (p. 25), répété sous la forme : « Le soir était comme une trêve mélancolique » (p. 179) [7]. La situation retenue n'est pas la mort proprement dite,

4. Cl. LÉVI-STRAUSS, *La Pensée sauvage,* Plon, 1962, p. 179.
5. A. CAMUS, *L'Homme révolté,* Gallimard, 1951, p. 324.
6. Dans l'édition ordinaire que nous prenons comme base (le Livre de Poche, Gallimard, 1957), la première partie comporte six chapitres (p. 7 à p. 90) ; la seconde partie, cinq chapitres (p. 93 à p. 179).
7. Les pages (22, 25, etc.) correspondent à la fin du premier chapitre et la page 179 à la fin du dernier chapitre.

mais l'approche libératrice de la mort. « Si près de la mort, maman devait s'y sentir libérée et prête à tout revivre » (p. 179). Elle était « fiancée » à l'asile (p. 22). « Elle avait joué à recommencer [...]. Et moi aussi, je me suis senti prêt à tout revivre » (pp. 178 et 179). L'image est inversée, parce que le rapport métonymique est, à la fin, inverse de celui du début. Nous pouvons dire, pour achever cette description très schématique, que le passage d'une structure à l'autre se fait par un opérateur : *la fonction*, que l'on peut dénommer /tuer/ ; elle intervient pour clore la première partie (*b*).

Soit :

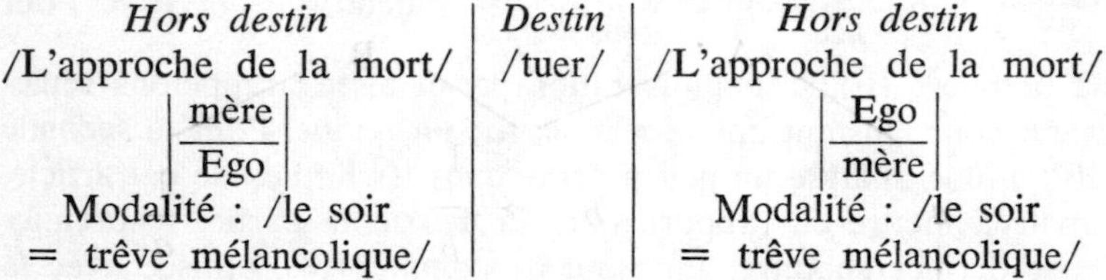

Tenter une première formalisation de ces éléments nécessite la mise en place des termes d'une combinatoire, telle celle dont L. Tesnière a donné l'idée [8]. Mais faisons un pas de plus. Dans le *rapport de solidarité* qui unit chez Hjelmslev la forme du contenu à la substance du contenu, c'est le second terme que nous privilégions. Nous préférons adopter, par conséquent, un langage symbolique inspiré de la syntaxe descriptive d'A.-J. Greimas [9].

Transcrivons :

$$Q(m)\left[\frac{a^1}{A^1}\right] \longrightarrow F \longrightarrow Q(m)\left[\frac{A^1}{a^1}\right]$$

L'actant-sujet se présente sous la forme de deux acteurs : A^1 et a^1 ; la proportion marque une hiérarchie, une subordination de l'élément inférieur à l'élément supérieur. La majuscule note le personnage principal ; (Q) *m* est la modalité qualificative de l'actant-sujet ; F est la fonction opératoire. C'est cette *fonction* dont il faudrait maintenant préciser le statut. Elle apparaît

8. *Eléments de syntaxe structurale*, Klincksieck, 1959, p. 102.
9. *Sémantique structurale*, Larousse, 1966, p. 156, et *sq*.

en conclusion de *b* : on peut prévoir que le passage d'une partie à l'autre implique une transformation. De même que l'actif se transforme en passif, de même la fonction F se transforme en F^{-1}, /tuer/ en /être tué/ [10]. Mieux, la question d'un signifié invariant qu'implique en morpho-syntaxe la transformation passive paraît ici un modèle convenable. En effet, c'est toujours l'homme, figuré par l'Arabe en *b* et par Meursault en $\frac{1}{b}$, que nous retrouvons comme objet dans la proposition de base : le Destin tue *x*. La description deviendra donc plus explicite si, aux termes *b* et $\frac{I}{b}$, sont substituées les fonctions F et F^{-1}. Pour la première (F), la démonstration paraît aisée ; rappelons seulement pour l'instant que Meursault tue un Arabe. Pour la seconde (F^{-1}), une analyse un peu précise, dans les limites de cet article, invite à mettre en rapport, dans la deuxième partie, le premier et le dernier chapitre. La méthode comparative, utilisée avec la rigueur voulue, confirmerait la légitimité de notre démarche. Nous dirons que, *mutatis mutandis*, « chaque [texte] pris en particulier existe comme application restreinte d'un schème que les rapports d'intelligibilité réciproque, perçus entre plusieurs [textes], aident progressivement à dégager [11] ». Il nous suffira d'observer d'abord que le premier chapitre de la deuxième partie anticipe sur la « mort » de Meursault. Enfin confronté (p. 179) à « la tendre indifférence du monde » et du même coup hors de portée de la « hideuse tendresse des hommes [12] », il peut « aller jusqu'à la consommation [13] ». « Pour que tout soit consommé... », dit Meursault (p. 179), il suffit à l'homme qui s'est placé hors du monde d'être accueilli « avec des cris de haine ». De même, la *conclusion* de *La Chute* : « Au-dessus du peuple assemblé, vous élèveriez alors une tête encore fraîche, pour qu'ils s'y reconnaissent et qu'à nouveau je les domine, exemplaire. Tout serait

10. F^{-1} = converse de F. « Au point de vue logique, dit E. Benveniste, le passif est la forme converse de l'actif. » Voir « Structure des relations d'auxiliarité », *Acta Linguistica Hafniensia,* vol. IX, n° 1, Copenhague, 1965, p. 8.
11. Cl. Lévi-Strauss, *Mythologiques,* 1, Plon, 1964, p. 21.
12. *Le Malentendu,* Gallimard, 1947, p. 93 (*dernière* scène).
13. *Caligula,* Gallimard, 1947, p. 210 (*dernière* scène).

consommé... [14] » Le récit est conduit de telle sorte que les identités avec le sort et les paroles mêmes du Christ sont manifestes. Rien d'étonnant à cela : « Jésus incarne bien tout le drame humain. Il est l'homme parfait, étant celui qui a réalisé la condition la plus absurde... Et comme lui, chacun de nous peut être crucifié et dupé — l'est dans une certaine mesure [15]. »

Regardons maintenant le chapitre Ier, et particulièrement la fin de ce chapitre. Le juge d'instruction parle, bizarrement, au nom du Christ. « Moi, je suis chrétien. Je demande pardon de tes fautes à celui-là. Comment peux-tu ne pas croire qu'il a souffert pour toi ? » (p. 102). Le refus de Meursault d'entrer, si l'on peut dire, dans le jeu, provoque son exclusion et sa condamnation : « Il semblait que le juge ne s'intéressât plus à moi et qu'il eût classé mon cas en quelque sorte » (p. 104). Meursault est condamné parce qu'il est *comme* l'Antéchrist. Le juge disait : « C'est fini pour aujourd'hui, monsieur l'Antéchrist. On me remettait alors entre les mains des gendarmes » (p. 105). Cette dénomination annonce son « exécution » ; elle la motive et la rend inéluctable. On peut présenter l'*analogie* des situations de la manière suivante (le symbolisme de la notation est de Cl. Lévi-Strauss) :

Meursault : Arabe : : Juge : Meursault,

ce qui veut dire : Meursault et le Juge sont des formes de l'actant-sujet (identité de fonction) ; mais Meursault peut être aussi, dans un second temps, comme l'Arabe, actant-objet.

Si le descripteur s'efforce de *qualifier* Meursault, il reconnaîtra l'existence d'une double modalité syntaxique. Meursault s'oppose vainement au juge, comme il avait été sans pouvoir devant le soleil (conclusion de la première partie). Les deux modalités sont liées par implication : si Meursault avait le pouvoir de surmonter l'agression, il serait sauvé, soit en résistant à la pression du *Destin/Soleil*, soit en récusant le *Juge/Christ*. Mais être homme pour Meursault, c'est seulement « être là » (p. 165). Ce rapport, nous l'exprimerons ainsi :

$$\frac{m^1}{m^2} = \frac{\text{régi}}{\text{échec}}.$$

14. *La Chute*, Gallimard, 1956, p. 169.
15. *Le Mythe de Sisyphe*, Gallimard, 1942, p. 144.

(La question se pose aussitôt de savoir si le rapport contraire, $\frac{\text{régissant}}{\text{réussite}}$, n'est pas sous-jacent aux séquences initiale et finale (a et $\frac{\text{I}}{a}$). Ce point sera examiné dans la seconde partie, p. 62).

Soit la qualification de l'actant-sujet, en cet endroit de la chaîne :

$$\text{Q}\left(\frac{m^1}{m^2}\right)\quad[\text{A}^1].$$

L'actant-objet (A^2) n'est pas identifié. Il semble exclu de la combinatoire, puisqu'il n'y a pas de *quête imaginable* pour Meursault qui vit, comme d'autres personnages de Camus, « le temps du désir sans objet [16] ». L'absence d'objet s'exprimera par le rapport :

$$\left[\frac{\text{A}^1}{\text{A}^2(\varnothing)}\right].$$

L'actant-destinateur et l'actant-destinataire (A^3 et A^4) se distribuant par rapport à un *message* de la façon suivante :

destinateur ⟶ [sujet → objet] ⟶ destinataire [17],

l'actant-destinateur est ici clairement manifesté par deux groupes corrélés (l'agent est le terme inférieur de la proportion) :

$$\frac{\text{le Destin}}{\text{le soleil}} \simeq \frac{\text{le Christ}}{\text{le juge}} \simeq \text{la Mort}.$$

L'équivalence est vérifiée, disons-le rapidement, par le fait déjà connu que Meursault ne peut « se débarrasser » ni du soleil (p. 89), ni du juge (p. 102). Le rapport de modalités, $\left(\frac{m^1}{m^2}\right)$, incluait cette possibilité. Le *soleil* est une figure mythique d'une force naturelle ; le *juge* témoigne d'une force culturelle. On remarquera que l'identité de la fonction neutralise dans

16. Conclusion d '« Amour de vivre », in *L'Envers et l'Endroit*, Gallimard, 1958, p. 115.
17. Cf. A.-J. Greimas, *op. cit.*, p. 178-181.

L'Etranger l'opposition virtuelle : nature *vs* culture. Inversement, nous voyons qu'il faut disjoindre les acteurs dont la fonction est différente. Ce n'est que superficiellement que Meursault et le juge, en donnant la « mort », sont des actants-sujets. Le juge est, en fait, destinateur, et Meursault, destinataire. *Régi*, ce dernier n'est qu'un « sujet » apparent. Quant au juge-inquisiteur, il s'identifie à la force qu'il croit représenter fidèlement.

D'où, en résumé, la formalisation suivante :

$$Q(m) \left[A^3 \left\{ \frac{b^1}{b^2} \simeq \frac{b^3}{b^4} \right\} \right] F \longrightarrow Q \left(\frac{m^1}{m^2} \right) \left[\frac{A^1}{A^2(\varnothing)} \cup A^4 \right]$$

On remarquera que le syncrétisme des actants est, ici, le trait distinctif du « héros ».

Le récit, dans cette perspective, paraît donc constitué par trois syntagmes narratifs et non plus par quatre (premier modèle). Les parties corrélées sont disjointes par l'insertion de l'épreuve centrale dont le rôle est de *transformer* le rapport posé au début du texte : soit (deuxième modèle) :

$$a \longrightarrow AT \longrightarrow \frac{I}{a}.$$ [18]

Sous la forme développée :

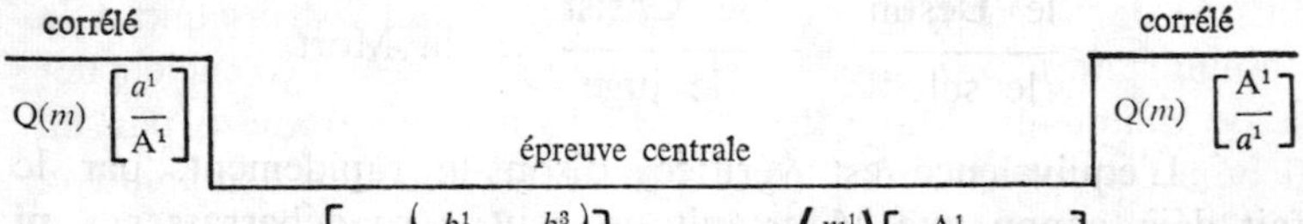

corrélé — $Q(m) \left[\frac{a^1}{A^1} \right]$ — épreuve centrale — corrélé — $Q(m) \left[\frac{A^1}{a^1} \right]$

$$Q(m) \left[A^3 \left\{ \frac{b^1}{b^2} \simeq \frac{b^3}{b^4} \right\} \right] F \rightarrow Q \left(\frac{m^1}{m^2} \right) \left[\frac{A^1}{A^2(\varnothing)} \cup A^4 \right]$$

MODÈLE 2

Ce genre d'analyse conduit à établir une *typologie*, c'est-à-dire à réunir une série de traits distinctifs d'un message donné.

18. AT = Algorithme de transformation ; cf. A.-J. GREIMAS, *op. cit.*, p. 254 et *sq.*

Ce que nous proposons est donc un *objet linguistique*, comportant les éléments d'un code astreints à une combinatoire déterminée[19].

*

La construction de modèles implique, disions-nous en commençant, que tout segment de l'univers de discours étudié puisse y trouver place. L'analyse des distributions complète et vérifie l'analyse paradigmatique[20], de sorte que nous adopterons ce point de vue général, exposé par M. Riffaterre, suivant lequel la forme « is preeminent because the message and its content would lose their identifiable, inescapable specificity if the number, order and structure of the verbal items were changed[21] ». Autrement dit, l'analyse formelle conduite au niveau des *constituants immédiats* présuppose l'existence d'un système. C'est ce que nous vérifierons à propos d'un segment, tel le stéréotype : « tuer le temps » dont le texte étudié offre plusieurs exemples[22]. L'usager d'une langue, s'il prend la place de l'observateur, doit être capable de déceler une forme fixe consistant en un énoncé, comme il décèle une forme fixe consistant en un morphème, par exemple, la marque du pluriel. La communication est à ce prix. Cependant, le stéréotype a ceci de spécifique qu'il n'apporte, à la limite, aucune information. On peut même avancer qu'il se définit comme *a)* un énoncé récurrent, *b)* de forme fixe, *c)* dont la fonction est extrinsèque à la communication proprement dite, qu'il se contente d'enclencher ou de maintenir. Mais dire que l'information produite par un cliché est proche de zéro, c'est affirmer sa fonction démarcative. Le schéma suivant illustre notre propos :

19. « Un langage est d'abord une catégorisation, une création d'objets et de relations entre ces objets » (E. BENVENISTE, *Problèmes de linguistique générale*, Gallimard, 1966, p. 83).
20. Cf. notre article, in *Le Français moderne*, « L'objet stylistique », n° 1 (1967), et particulièrement p. 60 à 64.
21. *The Stylistic Function*, Mouton, 1964, p. 317.
22. Nous avons une dette particulière à l'égard de M. Riffaterre. La lecture de ses travaux sur le cliché a joué un rôle déterminant dans notre propre recherche.

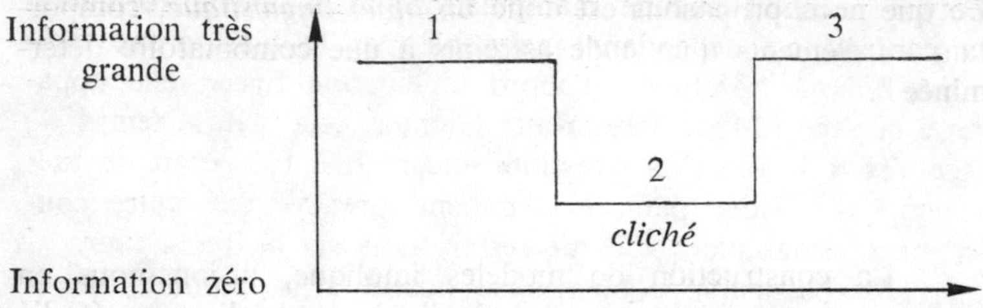

On peut dire aussi que les séquences 1 et 3, porteuses de l'information, sont *marquées* par rapport à la séquence 2.

Or, le phénomène n'est guère compatible avec le langage littéraire. Rien, à ce plan, n'est « extrinsèque à la communication ». Il arrive d'ailleurs que l'écrivain oriente l'attention du lecteur par une marque formelle ; ainsi Baudelaire écrit-il : *tuer le Temps*. L'italique et la majuscule sont des critères typographiques et les deux traits ne sont donc observables que dans le code écrit, mais Baudelaire peut aussi dire : « tuer le Temps qui a la vie si dure ». La transformation est alors identifiable dans le code oral. Ce qui était usé, rebattu, reprend vie. Si le stéréotype dans la langue est un objet linguistique non marqué, il se passe exactement l'inverse dans le langage[23] où la rupture d'homogénéité du discours s'accompagne d'un accroissement d'information :

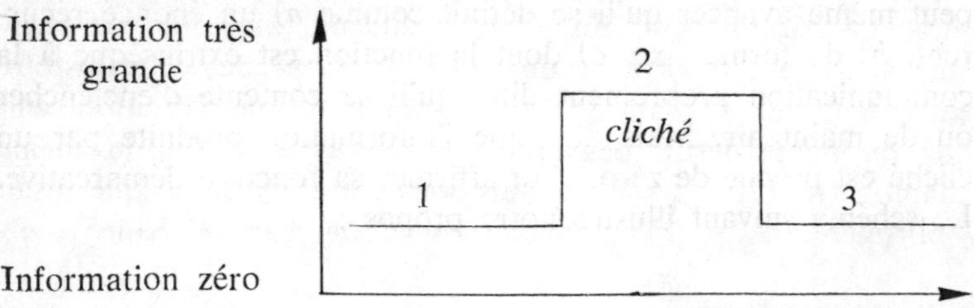

Si le stéréotype de forme fixe devient, chez Baudelaire, dans les exemples cités, forme semi-libre, il ne se passe rien de tel, au moins apparemment, chez Camus. La forme du sté-

23. L'opposition langue/langage est comprise ici comme une opposition système primaire/système secondaire ; cf. notre article déjà cité.

réotype ne subit aucune manipulation, mais la transformation du contenu est cependant analysable par le biais d'une définition *oblique*[24]. Situons d'abord la locution figée ; elle apparaît à la page 114 : « Penser aux femmes, cela tuait le temps » ; page 116 : « Toute la question, encore une fois, était de tuer le temps ». L'idée peut, évidemment, prendre une autre couverture lexématique : « Il me restait alors six heures à tuer... » (p. 117). Plusieurs problèmes se posent à ce moment de la procédure : *a)* l'enregistrement du stéréotype sur le plan de la langue est confirmé par un dictionnaire d'usage avec la définition : « S'amuser à des riens[25] » ; *b)* l'équivalence proposée ne fournit pas une signification compatible avec le contexte ; pour Meursault emprisonné, il ne s'agit pas le moins du monde de tromper l'ennui en s'occupant de choses futiles ; *c)* les termes d'une seconde définition sont fournis par un fait divers (p. 117), relu des « milliers de fois », l'apologue du Tchécoslovaque[26] : un homme revient au bout de vingt-cinq ans dans son village natal. Sa mère et sa sœur tenaient un hôtel. Voulant les surprendre, il leur cache son identité et loue une chambre pour la nuit. Elles ne le reconnaissent pas et le tuent. « Il ne faut jamais jouer », conclut laconiquement Meursault[27]. L'apologue est l'unité linguistique dont la fonction est de manifester l' « isotopie » du texte (A.-J. Greimas) pour une de ses dimensions principales : celle du temps. Autrement dit, *la compatibilité*[28] du stéréotype implique sa bivalence, ou, si l'on préfère, son caractère d'*antiphrase*. En effet, Meursault, bien loin de chercher à *dénier* l'importance du temps, l'*affirme* par cette histoire emblématique ; *d)* d'autres traits corroborant une définition oblique du temps-destin peuvent être relevés à la fin du même chapitre (p. 120) : « Je me suis souvenu alors de ce que disait l'infirmière (cf. p. 28) à l'enterrement de maman. Non, *il n'y*

24. A.-J. Greimas, *op. cit.*, p. 87.
25. *Petit Larousse*, 1959, adresse : *tuer*.
26. L'importance de l'apologue se mesure encore au fait qu'il est repris sous forme d'une pièce, *Le Malentendu*. Sur la légitimité de cette référence, cf. note 11.
27. « La vie, mon ami, si tu l'avais assez aimée, tu ne l'aurais pas jouée avec tant d'imprudence » (*Caligula, loc. cit.*, p. 194).
28. Rapport logique qui règle l'admission d'une séquence dans un contexte. Voir A.-J. Greimas, *op. cit.*, p. 52 (La définition des classèmes).

avait pas d'issue...[29]. » Ce rappel est un signe d'organisation explicite ; de même que le lecteur est renvoyé de la page 120 à la page 28, de même un énoncé énigmatique de la page 119 sera résolu à la page 158. C'est ainsi que le fragment abscons : « Pour moi, c'était sans cesse... la même tâche que je poursuivais » (p. 119), anticipe sur : « Ce qui m'intéresse en ce moment, c'est d'échapper à la mécanique, de savoir si l'inévitable peut *avoir une issue*[29] » (p. 158). Et nous voici derechef à la page 120, et puis encore à la page 28 (le texte se présentant comme un ensemble dont les éléments identiques sont disjoints) ; *e)* une recherche méthodique fait apparaître également une opposition entre le temps « négatif », celui du stéréotype (« s'amuser à des riens »), et le temps « positif » de Meursault : « ... j'ai tenté d'expliquer à l'aumônier une dernière fois qu'il me restait peu de temps. Je ne voulais pas le perdre avec Dieu » (p. 175). Les catégories grammaticales de la *personne* (c'est « Je » qui est intéressé à cette transformation du stéréotype et « il » se satisfait dans les emplois figés de la langue), et celles du *temps*[30] en fournissent la confirmation : « Les mots hier ou demain étaient les seuls qui gardaient un sens pour moi » (p. 119). Du reste, cette restriction des limites temporelles est familière à Meursault. Dans sa vie d'homme libre, il était « toujours pris par ce qui allait arriver, par aujourd'hui ou par demain » (p. 148).

Il semble possible de proposer, à ce stade de l'analyse, les éléments d'une définition du stéréotype « tuer le temps », sur le plan du « langage » : *a)* il *fonctionne* dans le corpus décrit, comme le symbole positif de la mesure humaine du temps, jouant ainsi le rôle d'une *antiphrase* ; *b)* il *qualifie*, d'autre part, l'actant-sujet en l'opposant à l'actant-destinateur. La définition consiste donc en une équivalence :

$$\textit{tuer le temps} \simeq \textit{tuer le destin,}$$

acte qui n'est « réalisable » que dans les séquences corrélées où le rapport $\frac{\text{régissant}}{\text{réussite}}$ se substitue au rapport $\frac{\text{régi}}{\text{échec}}$[31]. Soit

29. C'est nous qui soulignons.
30. Cf. E. Benveniste, *op. cit.*, Gallimard, 1966, p. 253.
31. C'étaient on s'en souvient, les deux modalités de l'actant-sujet à l'intérieur de la séquence centrale.

encore, sous la forme de deux contradictoires : Meursault tue le Destin (syntagme corrélé) *vs* Le Destin tue Meursault (épreuve centrale).

En résumé :

Dimension être/paraître	Dimension sémiotique	Dimension actantielle	Dimension modale	Dimension grammaticale		Univers du discours
				temps	pers.	
Forme fixe (stéréotype véritable).	langue	$[A^3]$	$\frac{\text{régi}}{\text{échec}} = \left(\frac{m^1}{m^2}\right)$	large	il	Classe I
Forme libre (stéréotype apparent).	langage	$[A^1]$	$\frac{\text{réglssant}}{\text{réussite}} = \left(\frac{m^3}{m^4}\right)$	étroite hier/ demain	je	Classe II

On voit que la dimension sémiotique offre une *combinatoire* à la convenance de l'auteur. Il découle de là que Meursault lui-même peut passer d'un plan à l'autre, du « Je » au « Il », perdre momentanément ce qui le définit comme *Ego*, suivant les séquences où il est engagé. Le stéréotype a donc la fonction d'un signal dans la chaîne syntagmatique et engage le décodeur dans une direction déterminée, l'amenant à choisir le plan de la langue ou le plan du langage. Nous avons remarqué aussi que la définition oblique nous incitait à des retours ou à des anticipations. Le segment situé dans la séquence centrale (p. 114, 116, 117) semble avoir la fonction d'un relais et assurer le passage entre les syntagmes corrélés. Si l'on tient compte des segments concernant le *temps* (s^1, s^2, s^n), il est alors possible de proposer un troisième modèle :

	Syntagme corrélé	Epreuve centrale	Syntagme corrélé
Classe I	$(\varnothing)$	$Q(m)\left[A^3\left\{\frac{b^1}{b^2} \simeq \frac{b^3}{b^4}\right\}\right]F \rightarrow Q\left(\frac{m^1}{m^2}\right)\left[\frac{A^1}{A^2(\varnothing)} \cup A^4\right]$	$(\varnothing)$
Classe II	$Q\left(\frac{m^3}{m^4}\right)\left[\frac{a^1}{A^1}\right]$	$s^1 + s^2 + s^n...$	$Q\left(\frac{m^3}{m^4}\right)\left[\frac{A^1}{a^1}\right]$

MODÈLE 3

Dans les limites de cet article, nous ne nous étendrons pas davantage, mais nous voyons déjà comment doivent être réinterprétées les unités de *manifestation* (syntagme, phrase, chapitre, partie, etc.) auxquelles nous avons été confronté. L'analyse a manifesté clairement, croyons-nous, que chacune de ces unités se présentait, non comme une donnée immédiate, mais comme un *signal* nous orientant vers une ou plusieurs significations. Les chapitres et les parties, cadres que l'on retrouve dans le modèle 1, ne sont pas isomorphes aux syntagmes narratifs, modèles 2 et 3 ; le stéréotype, d'autre part, se présente comme un segment bivalent, puisqu'il implique l'existence de deux classes intégrantes. Autrement dit, le dégagement d'une *structure immanente* sous-entend bien une *nouvelle évaluation des unités linguistiques.*

Toutefois, l'enseignement principal n'est pas là. L'analyse formelle invite le chercheur à s'interroger sur ce qu'il convient d'appeler la structure *profonde* du texte. La limite entre les deux strata, forme et substance du contenu, pour reprendre la terminologie de L. Hjelmslev, n'est pas fixée une fois pour toutes, mais, bien au contraire, se déplace suivant la capacité de l'analyste d'apercevoir un *ensemble articulé de relations.* Il nous semble alors que, loin d'être une facilité, « l'hypothèse structuraliste..., hypothèse foncièrement scientifique et dont on peut se demander si son arbitraire même n'est pas un garant de sa force d'agression contre la nature, c'est-à-dire précisément de sa valeur créatrice [32] », assure, c'est l'évidence, la démarche heuristique du chercheur, mais aussi maintient solidement son esprit dans une exacte et nécessaire humilité, tant les difficultés abondent. Un palier de sécurité s'offre à lui, cependant, pour peu qu'il ait noté que c'est un rapport logique de subordination qui relie le modèle 3 au modèle 2. En d'autres termes, le modèle 2 figure *le fonctionnement invariant du discours* (ou encore son sens primaire) ; le modèle 3 et ses successeurs éventuels ne sauraient que proposer des variantes combinatoires. Reste, sans doute, à se demander sous quelles conditions le modèle 2 joue le rôle d'une « matrice transformationnelle ». La réponse est la matière d'un tout autre article.

32. A.-A. MOLES, « La linguistique, méthode de découverte interdisciplinaire », *Revue philosophique* (juillet-septembre 1966), p. 377.

4 COMBINAISON ET TRANSFORMATION EN POÉSIE*
Arthur Rimbaud : « Illuminations »

« Un langage est d'abord une catégorisation, une création d'objets et de relations entre ces objets. »

E. BENVENISTE (1966 : 83)[1].

Nous voudrions d'abord expliciter quelques-uns des présupposés qui sous-tendent notre analyse. Le premier, sans doute, concerne l'idée que nous nous faisons de la *connaissance*. Elle rejoint, nous semble-t-il, les conceptions de Saussure ainsi résumées par G. G. Granger (1967:2) : « Toute tentative pour connaître objectivement quelque chose de l'homme doit d'abord passer par une réduction de l'expérience à un système de marques corrélatives. » C'est dire que nous sommes parti de l'hypothèse selon laquelle l'objet à construire doit être conçu comme une structure. Comme nous visons un sous-ensemble des langues naturelles (« poésie »), il nous a semblé opportun de faire appel aux méthodes de la linguistique. Notre seconde proposition est alors la suivante : à côté de la linguistique *stricto sensu*, celle dont le domaine est borné par la *phrase*, il y a place pour une linguistique différente dont l'objet d'étude est le *discours*. Un point important d'accord entre les deux linguistiques est d'ores et déjà l'identité du dessein : établir une certaine logique des

* Ce texte est la reprise d'une conférence prononcée le 26 mars 1968 au Collège de France à l'occasion d'un séminaire organisé conjointement par MM. Cl. Lévi-Strauss et A.-J. Greimas. *L'Homme*, 1 (1969).

1. Pour la lecture de ces références (auteur, date et page), on pourra se reporter à la note bibliographique, p. 90.

relations à partir d'un inventaire des marques formelles. Du type de logique mise au jour dépend la lecture que nous sommes capables de faire : telle est notre troisième proposition. Ou, pour reprendre une formule que nous avons naguère avancée dans un article : la structure révèle le sens. Rappelons comment se pose à nos yeux le problème sémantique. Il appelle deux solutions suivant que l'analyste se place sur le plan de la *phrase* ou sur le plan du *discours*. La phrase ou *a fortiori* les unités qui lui sont inférieures ne peuvent fournir qu'une signification parcellaire pour laquelle une théorie de l'interprétation (neutre par rapport à la production et à la réception de l'énoncé) a été construite. Il ne s'agit donc pas de phrases particulières mais seulement des phrases dites grammaticales. Sur le plan de la langue-discours, il n'y a, par contre, que des phrases particulières. Le problème sémantique est alors tout différent. C'est la *totalité* de l'énoncé qu'il faut considérer. L'énumération des interprétations, phrase par phrase, ne saurait donner le sens. Nous sommes passés sur un autre plan où le sens peut se définir comme le résultat de l'ensemble des significations combinées en un système. Il y a abus de langage à considérer, comme il est fréquent, que le sens découle naturellement de l'interprétation sémantique associée à une séquence de signaux acoustiques. Cette démarche commode est fallacieuse. Un exemple illustrera notre point de vue. On sait l'intérêt que certains linguistes ont porté à la publication partielle des *Anagrammes* de Saussure. Suivant que l'on se place sur le plan de l'interprétation (la phrase) ou sur celui du sens (le discours), tel vers saturnien est le support matériel de deux traductions différentes : 1) (l'interprétation) « Il s'est emparé de la ville samnite de Taurasia » ; 2) (le sens) Le vers latin comporte les lettres du nom du vainqueur : Scipion. « C'est sur les morceaux de l'anagramme, pris comme cadre et comme base, qu'on commençait le travail de composition[2]. » Telle était la conviction de Saussure. Dans cette perspective, on voit bien qu'un rapport hiérarchique subordonne l'interprétation au sens et que la fin dernière de tel vers saturnien est une certaine combinaison des lettres et des sons en vue de satisfaire à une construction. C'est dire que la composition poé-

2. SAUSSURE 1964:258.

tique obéit à un *modèle*[3]. A propos du même texte des *Anagrammes*, bien que pour d'autres fins (une lecture plurivoque du signifié poétique), J. Kristeva présente une analyse analogue : pour elle comme pour nous, il y a deux plans complémentaires et opposés ; de leur combinaison, de leur « réunion non synthétique[4] », procède le sens. Voie nécessaire en effet pour celui qui cherche à dégager de la chaîne syntagmatique des unités abstraites dont la distribution forme le *sens linguistique du discours*. Pratiquement, si nous allons aux extrêmes pour rendre l'exemple plus significatif, deux cas se présentent :

1) Le discours est fait de phrases interprétables. Mais le sens du discours ne peut être la somme des significations associées à chaque phrase. L'analyse que nous avons faite d'un texte « transparent » comme celui de *L'Etranger* d'A. Camus manifeste, du moins nous nous y sommes efforcé, la nécessité d'une nouvelle évaluation des unités linguistiques (R. Jakobson). Cette démarche accomplie, il devient possible de combiner syntagmatiquement les unités minimales de signification. L'ensemble forme un « objet linguistique » auquel il est aisé d'appliquer une traduction univoque. Cette traduction, nous l'appelons le *sens linguistique* de l'œuvre.

2) Le discours est composé, partiellement ou totalement, de phrases non interprétables. Les exemples d' « anomalie sémantique » qui nous viennent à l'esprit sont ceux de Katz et Fodor : « The paint was silent », ou de L. Tesnière : « Le silence vertébral indispose la voile licite. » C'est cette forme anomale que présente le plus souvent le texte des *Illuminations*, d'A. Rimbaud, et c'est de ce type de discours qu'il sera ici question.

*

Des difficultés de lecture nous donnerons quelques exemples. Ce sont des « commentaires » proposés par des spécialistes de l'histoire littéraire. Ils manifestent à l'envi que le texte d'A. Rimbaud n'est pas aisément interprétable. Qu'on en juge :

3. Remarquons en passant que l'analyste du discours s'intéresse à la langue en soi et non à la manière dont a été produit ou compris l'énoncé. Une étude de la performance ne le concerne pas.
4. Kristeva 1968:36-64.

« Faut-il vraiment chercher un sens précis ? »
« Le dernier paragraphe est particulièrement obscur »
« Texte hermétique »
« Poème difficile »
« Phrases mystérieuses »
« Conclusion sibylline »
« Autre pièce énigmatique »
« Voici encore un poème extrêmement hermétique »
« L'avant-dernière phrase du poème est très obscure [5] »

Les notes et explications sont donc appelées à se multiplier tout naturellement jusqu'au point de former, rassemblées et classées, de gros volumes, sans que, pour autant, la lecture des *Illuminations* en soit facilitée.

A contrario, si d'aventure l'interprétation est immédiate, l'exégète est tenté d'établir un lien, d'une façon qui nous paraît très ambiguë, entre la glose et le poème de « qualité » ; le corollaire évident est que le texte « de faible vertu poétique n'appelle pas un long commentaire [6] ».

*

Justifions enfin le choix de poèmes en *prose*. Il a l'avantage à nos yeux de rappeler que le fait poétique ne saurait être réduit à l'analyse des contraintes s'exerçant sur la forme de l'expression (« poésie versifiée ») ni même à une prétendue adéquation de l'expression au contenu. Il semble que les lois de l' « espace paragrammatique » (J. Kristeva) soient encore trop peu connues pour mener à bien de telles études.

*

Ce que nous pouvons raisonnablement entreprendre, en revanche, à partir d'un corpus représentatif d'un discours « poétique », c'est l'identification d'un objet de connaissance, et, pour cela :

1) Etablir un vocabulaire de *symboles* (les actants). Pour

5. A. RIMBAUD, *Œuvres*, éd. commentée par S. BERNARD, Paris, Garnier, 1960:481, 485, 486, 488, 490.
6. *Illuminations*, A. PY, ed., Paris, Droz, 1967:168. Cette édition toute récente est, à notre avis, la meilleure.

le définir, il nous faut d'abord examiner les marques formelles aux différents niveaux de l'analyse linguistique (phonétique, prosodique, grammatical et lexical). Suivant en cela les méthodes de l'analyse distributionnelle dont nous rappelons le principe bien connu : « The basic operations are those of segmentation and classification [7] », nous ne retenons que les traits catégoriels. Nous donnerons plus loin quelques exemples de cette pratique linguistique. Mais un second filtre est nécessaire si nous voulons extraire d'un inventaire relatif à la *langue* les unités de signification (ou sèmes) que postule toute économie de *discours*. Groupés, les sèmes définissent les qualifications (Q) et les fonctions (F) qui, à leur tour, définissent les actants (ou classes d'acteurs) [8]. Parmi les modèles qui « miment » les conditions de la communication linguistique (M. Bréal, L. Tesnière, R. Jakobson, B. Pottier, etc.), nous avons retenu celui d'A.-J. Greimas (1966:29, 30, 37) parce qu'il nous a semblé le plus élaboré. Ce n'est, de toute façon, qu'un cadre général qu'il faudra justifier. Nous le représentons par le schéma suivant :

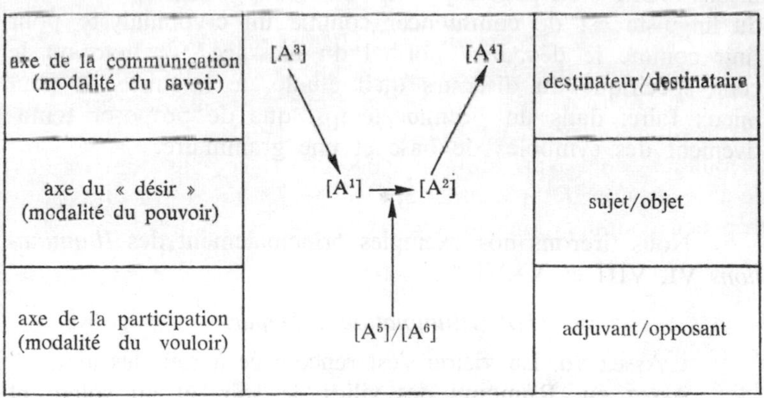

2) Sans doute la liste des actants ne fournit qu'un petit nombre de « mots » invariables et univoques. Mais les compo-

7. Harris 1951:367.
8. Les fonctions et les qualifications sont comme le faire et l'être de l'actant.

sants de chaque unité sont variables d'un discours à l'autre. Diverses aussi les règles d'agencement. Nous avons là l'ébauche d'une morphologie et d'une syntaxe caractéristiques d'un auteur. Ainsi, A. Rimbaud fait appel au code sensoriel du goût et S. Mallarmé l'exclut. D'autre part, tel discours ne fera intervenir, elliptiquement, que certaines des relations développées dans le modèle ci-dessus. La VIe ou la VIIIe *Illuminations* d'A. Rimbaud proposent une narration fondée seulement sur deux actants, [A^1] et [A^6]. Le cryptanalyste (R. Jakobson) est alors obligé de tenir compte dans la construction de son objet des axes manquants. Sur un autre plan, la distribution des unités lie, dans un rapport de corrélation, fonctions et qualifications. A chaque corrélation correspond une séquence sur le plan syntagmatique ou une classe sur le plan paradigmatique. Le passage d'une classe à une autre (ou d'une séquence à une autre) implique enfin l'existence de règles de transformation qu'il faudra définir. On peut supposer qu'une « grammaire » du discours est faite d'un petit nombre de règles, de même que sont peu nombreuses les unités du vocabulaire. Nous disons bien : « on peut supposer », car, rappelons-le, « la tâche du linguiste est de commencer comme un cryptanalyste pour finir comme le décodeur normal du message [9] ». Ignorant le code spécifique du discours qu'il étudie, le linguiste ne peut mieux faire, dans un premier temps, que de proposer tentativement des symboles de base et une grammaire.

*

Nous tirerons nos exemples principalement des *Illuminations* VI, VIII et XXVI [10].

VIIIe Illumination : Départ.

« Assez vu. La vision s'est rencontrée à tous les airs.
Assez eu. Rumeurs des villes, le soir, et au soleil, et toujours.
Assez connu. Les arrêts de la vie. — Ô Rumeurs et Visions !
Départ dans l'affection et le bruit neufs ! »

9. Jakobson 1963:33.
10. Ed. Garnier, citée : 263, 266, 288.

Bien que le texte soit court, une démonstration suivie aux différents niveaux de l'analyse couvrirait plusieurs pages. Nous nous contenterons de donner l'essentiel, tout en regrettant que cette sélection, cependant inévitable, ait le grave inconvénient d'accuser le caractère périlleux de la pratique linguistique.

La segmentation des séquences implique la reconnaissance de signes démarcatifs. Dans un message bref, les segments initiaux et finaux sont privilégiés. C'est une remarque qui a souvent été faite par les spécialistes de l'information et, avant eux, par les poètes (Poe, Baudelaire, Mallarmé, etc.). Cas extrême : R. Jakobson ou R. Barthes l'ont bien montré, certains slogans politiques (« I like Ike ») ou publicitaires (« Une petite ganse fait l'élégance ») produisent un phénomène d'isomorphisme entre les plans de l'expression et du contenu. Il en est différemment ici. L'unité de la communication n'est pas fondée sur la *couplaison* (Saussure) *des équivalences* mais sur le jeu des *traits différentiels.* A partir du relevé des marques formelles et en utilisant la *procédure de réduction*, on peut tenter une segmentation du texte en deux séquences (initiale/finale).

Sont en opposition :

1) *morphologique* (présence/absence du morphème de l'accompli), les segments : « Assez vu. La vision s'est rencontrée.../Départ dans l'affection... » ;

2) *lexicale :*

a) « arrêt »/« Départ », soit deux notions simples (Ch. Bally) au plan sémantique : /statique/ *vs* /dynamique/ ;

b) « assez » + participes passés/ « neufs ». Cette opposition n'est clairement observable que si l'on a eu recours à l'analyse sémantique. En effet, l'ensemble (assez vu + assez eu + assez connu) admet, dans un premier temps, le terme identificateur (Ch. Bally) de /rejet/ (au-delà de l'équivalence : « suffisance »). Le recours à la dernière séquence : « Départ dans l'affection et le bruit neufs ! » autorise, dans un second temps, la substitution à /rejet/ d'un nouveau terme identificateur, représentatif d'une *sous-classe* : /rejet d'un monde ancien/ : d'où l'opposition (dictionnaire idéologique) : /ancien/ (négatif) *vs* /nouveau/ (positif). La première séquence semble ainsi grouper les trois premiers alinéas, la seconde séquence, le dernier. Autre observation : la clôture de la première séquence est assurée par une phrase nominale : « . — Ô Rumeurs et Visions ! ». Sur la gauche, le tiret s'ajoutant au point ; sur la droite — outre le point d'exclamation —, le changement de ligne et le terme choisi pour commencer l'alinéa : « Départ » qui est, on l'a remarqué, une reprise du titre. Tout se passe comme si le texte était alors distribué de la façon suivante :

a) terme démarcatif initial : « Assez vu... », c'est-à-dire, sur le plan syntaxique, l'ordre : déterminant + déterminé ;

b) terme démarcatif central : reprise du titre : « Départ pour... » ;

c) terme démarcatif final : « l'affection et le bruit neufs », c'est-à-dire, syntaxiquement, l'inverse de l'ordre premier : déterminé + déterminant.

La phrase nominale : « — Ô Rumeurs et Visions ! » cumule les marques. Sa place, d'abord ; procédé « tactique », dirait B. Pottier. Sur le plan *lexical*, les deux substantifs sont des reprises : toute répétition est un trait pertinent ; *grammatical*, « Visions », au pluriel, renvoie à une collection d'unités discrètes (premier alinéa : « vision » est au singulier) non actualisée. Ce dernier trait a comme marque l'absence d'article (*cf.* « La vision », premier alinéa). La phrase nominale a le trait catégoriel : /hors-situation/. Sur le plan *typographique*, nous relèverons les deux majuscules (premier alinéa : « vision » est écrit avec une minuscule ; second alinéa : « Rumeurs » commençant la phrase, la majuscule ne constitue pas une marque) ; le trait catégoriel correspondant, /abstraction/, est du même ordre que /non-actualisation/ ou /hors-situation/. Le discours réunit donc les conditions du *passage de l'espèce au genre*. « Rumeurs » et « Visions » sont vus comme des termes de catégorie comportant l'un le sème /auditif/, l'autre le sème /visuel/. Ils sont eux-mêmes placés dans un ordre plus vaste que nous pouvons dénommer /sensoriel/. Nous sommes ainsi amené à considérer l'énoncé : « — Ô Rumeurs et Visions ! » comme une synthèse des trois énoncés précédents (Assez vu... + Assez eu... + Assez connu...). Il s'ensuit que le coordonnant « et » marque dans ce contexte non la succession, mais l'addition (H. Bonnard). Autrement dit, une relation d'équivalence unit les deux sous-classes, substituables l'une à l'autre, /audition/ et /vision/. Il faut encore ajouter une modalité de l'énonciation dont les marques formelles sont l'interjection (« Ô ») et le point d'exclamation ; nous l'identifions par le trait/émotion/(*cf.* la fonction émotive de R. Jakobson). Nous dirons que la séquence (A) est identifiée par la qualification suivante :

A : Q (s^1 + s^2) : ordre sensoriel + ordre affectif :

La même procédure, appliquée à la séquence (B) : « Départ dans l'affection et le bruit neufs ! », fournit des points de conjonction, d'autres de disjonction. Ceux-ci, en nous faisant aller *du genre à l'espèce*, amorcent le mouvement inverse de celui que nous avons observé dans la première séquence. Au pluriel succède le singulier, à l'article-zéro l'article défini, à la majuscule la minuscule. Toutefois ces points de disjonction apparaissent hiérarchiquement subordonnés aux points de conjonction, dans la mesure où ils ne portent que sur des degrés de la *généralisation* dénotée dans les deux séquences par la phrase nominale (/hors-situation/). Voilà un premier point, fondamental il est vrai, de conjonction. Les autres sont observables après application des critères lexical, typographique et syntaxique. « Bruit » renvoie à « Rumeurs » (sous-classe de « bruit ») ; « affection » n'a pas de correspondant lexical, mais, nous le savons, la langue peut coder différemment une même information. Ainsi le point d'exclamation et l'interjection « Ô » de la séquence (A) ont comme équivalents le lexème « affection » et le point d'exclamation de la seconde séquence. L'ordre sensoriel et l'ordre affectif sont donc combinés en (B) comme en (A). Nous pouvons en conclure aussi que la particule « et », juxtaposant deux classes, marque ici, sur le plan syntaxique, la succession et non plus l'addition. Proposons alors la qualification de la séquence (B) sous la forme :

B : Q (s^1 + s^2) : ordre sensoriel + ordre affectif :

Constater l'identité des qualifications conduit à avancer que les deux séquences sont substituables l'une à l'autre et, du même coup, à affirmer la redondance du texte proposé. Or, l'insertion d'une fonction (F) /départ/ crée les conditions de la narration. Dans notre perspective, le rôle d'une telle fonction est, en effet, d'inverser le signe affecté à chaque séquence et donc de transformer l'identité en opposition. Si nous distribuons maintenant les séquences (A) et (B) en fonction des actants appropriés, nous poserons :

(A) /ancien/ $\simeq$ /échec [A^6]/, Classe 1
(B) /nouveau/ $\simeq$ /victoire [A^1] /, Classe 2

Soit la structure narrative (où F^o marque l'absence de la fonction) :

Classe 1 /échec/	F^0	—	Q ($s^1 + s^2$)	[A^6]
Classe 2 /victoire/	F	+	Q ($s^1 + s^2$)	[A^1]

Ce tableau admet dès l'abord la paraphrase suivante : le monde étant donné et récusé (classe 1), il est possible de lui substituer, sous certaines conditions (F), un monde en apparence identique mais, en fait, tout autre, puisque sa substance même est atteinte et transformée (classe 2). Remarquons que c'est sur ce « sens linguistique », primaire, que peuvent être fondées par la suite les exégèses littéraires, esthétiques, philosophiques, etc.

Résultats de l'analyse

a) « *Vocabulaire* ».

Nous voyons mieux comment est construite une qualification dans le discours des *Illuminations*. Tout se passe comme si, sélectionnant deux ordres, notés s^1 et s^2, /sensoriel/ (c'est-à-dire /auditif/ et/ou /visuel/) d'une part, et /affectif/ d'autre part, A. Rimbaud les combinait pour identifier ce que nous appelons un objet linguistique. La séquence A, par exemple, sera :

$$A = \frac{F^o}{Q\ (s^1 + s^2)}\ [A^6]$$

La sélection de cet actant (l'opposant) pose d'ailleurs un problème. Justifions d'abord la séquence la plus simple, B. Le sujet implicite est « Je » (Ego) ; [A^2], l'objet, est présenté comme un acquis : relisons le texte : « Départ *dans...* » Sur cette acquisition et précisément sur son mode d'obtention, rien ne nous est dit. Mais elle suppose un syncrétisme d'actants ; une telle réussite, à vrai dire « divine », implique, en effet, une conjonction du « pouvoir » et du « savoir » ; soit : [$A^1 . A^3$]. Nous efforçant maintenant de reconnaître ce qui se passe dans la séquence A, nous dirons : si le monde ancien mais encore présent doit être quitté, c'est qu'il est considéré comme la négation de l'objet quêté (soit [$\bar{A}^2$]), c'est-à-dire, et sous une autre forme, comme une force « hostile » à la réalisation de la quête de [A^1], soit [A^6].

b) *Classes de discours.*

A chaque corrélation décrite par l'analyste correspond, suivant le point de vue choisi, une *classe* (axe paradigmatique) ou une *séquence* (axe syntagmatique). La relation d'équivalence entre ces deux termes (R. Jakobson) nous engage à voir dans les structures narratives *la projection et la combinaison des classes et de leurs unités sur le plan syntagmatique.* Prise individuellement, chacune de ces classes constitue une partition dans un ensemble, dénommé « l'univers du discours de Rimbaud ».

— *Règles de combinaison :* elles permettent de spécifier, puis de prévoir les arrangements particuliers à un type de discours donné.

La description a mis en rapport un couple de classes complémentaires, exclusives l'une de l'autre, identifiées au moyen de « notions simples » : /échec/ *vs* /victoire/. On fera deux remarques :

1) *Les classes opposées sémantiquement sont contiguës syntagmatiquement.* D'où l'importance que prend le critère typographique, puisque c'est lui qui nous renseigne sur le « lieu » de la transformation en train de se faire ; soit, ici, un *blanc*, noté (x) : 1 <x> 2.

2) Nous constatons du même coup que le discours est

agencé selon un ordre fixe ; il peut se présenter comme une *suite biplanaire* $<1,2>$. D'autres textes nous donnent l'ordre inverse ou redoublent les séries ou encore forment une *suite uniplanaire.*

— *Règles de transformation :* il s'agit des opérations qui modifient le statut structural d'une ou de plusieurs classes.

1) *L'inversion des signes marque la clôture du texte.* Le phénomène semble très général ; sans doute, nous le remarquons dans la VIIIe *Illumination*, mais aussi dans des textes très divers, d'A. Camus ou de P. Claudel. Plus précisément, la transformation correspond à deux opérations : $x \rightarrow \bar{x}$, si le texte forme une suite biplanaire (opposition des classes) ; $x \rightarrow \frac{1}{x}$, s'il s'agit d'une simple inversion des termes du rapport initial (suite uniplanaire, par exemple).

2) Soit les termes complémentaires, F (fonction) et Q (qualification) : *deux classes identiques deviennent opposées, si une transformation affecte l'un des termes complémentaires.*

Nous dirons, par exemple, que $A = B$, lorsque F/Q de $A =$ F/Q de B. Si $F \leftrightarrow F^0$ ou $Q \leftrightarrow Q^0$, alors A *vs* B. La VIIIe *Illumination* illustre cette règle : nous avons dit, en effet, que c'est l'intervention d'une fonction (F) qui rend possible la narration, c'est-à-dire la succession dans le « temps » d'énoncés distincts. En résumé, $A\ [F^0/Q\ (s^1 + s^2)] = B\ [F^0/Q\ (s^1 + s^2)]$; A *vs* B, lorsque B devient $[F/Q\ (s^1 + s^Z)]$. On peut présenter cette opération sous la forme d'une addition : $B = A + F$. C'est une façon de raisonner commune en phonologie (voir la définition du phonème par N. S. Troubetzkoy), mais aussi en grammaire. Ainsi procède Z. Harris dans *Transfer Grammar* où il compare les codes de l'anglais, du coréen et de l'hébreu, et dans « Co-occurrence and transformation in linguistic structure » : « A detailed analysis of the class constructions within each sentence type may make it possible to say that, of two sentence types A and B, A has the same construction as B except for the addition of some $x : A = B + x$ [11]. »

*

11. HARRIS 1957 : 310.

D'autres textes compléteront nos informations sur le mode de fonctionnement de cette grammaire de discours à laquelle nous songeons.

VIe Illumination : Being beauteous.

Devant une neige un Etre de Beauté de haute taille. Des sifflements de mort et des cercles de musique sourde font monter, s'élargir et trembler comme un spectre ce corps adoré ; des blessures écarlates et noires éclatent dans les chairs superbes. Les couleurs propres de la vie se foncent, dansent, et se dégagent autour de la Vision, sur le chantier. Et les frissons s'élèvent et grondent, et la saveur forcenée de ces effets se chargeant avec les sifflements mortels et les rauques musiques que le monde, loin derrière nous, lance sur notre mère de beauté, — elle recule, elle se dresse. Oh ! nos os sont revêtus d'un nouveau corps amoureux.

***

Ô la face cendrée, l'écusson de crin, les bras de cristal ! Le canon sur lequel je dois m'abattre à travers la mêlée des arbres et de l'air léger !

Une analyse un tant soit peu fine est impraticable dans les limites de cet article. Nous nous contenterons de considérer les résultats concernant les unités de discours (actants), les classes de discours et les règles de combinaison et de transformation.

La sélection des actants est la même que dans *Départ*, [A1] et [A6]. L'identification de [A1], sujet grammatical de la première phrase, « un Etre de Beauté », et de [A6], ensemble des prédicats [12] des deuxième et quatrième phrases, relève d'abord de la définition générique qu'il est possible de leur appliquer. Un inventaire des marques formelles (critères typographique et grammatical) donne les relations :

12. Prédicat : « cela même en vertu de quoi les objets sont réunis en classe » (GRIZE 1967:148).

	[A¹]		[A⁶]
	s^1 /abstraction/	*vs*	s^1 /concrétisation/
	s^2 /agrammaticalité/	*vs*	s^2 /grammaticalité/
	s^3 /prop. nominale/ (hors-situation)	*vs*	s^3 /prop. verbale/ (situation)

Les définitions spécifiques sont évidemment plus complexes.

[A¹]. Soit la distribution des segments : x [A¹] y. (« Devant une neige [un Etre de Beauté] de haute taille. »)

x = s^4 /horizontalité + deixis indéfinie/
s^5 /froideur + blancheur/
y = s^6 /verticalité + quantification/

Il n'est pas utile, ici, de poursuivre l'analyse sémique : nous considérerons que [s^1... s^6] sont autant de traits définitoires de [A¹], quand bien même la « vue » que nous prenons de cette unité de discours pourrait être affinée.

[A⁶]. Nous ferons un rapide relevé des séquences (2ᵉ et 4ᵉ phrase) :

A) « Des sifflements de mort et des cercles de musique sourde font monter, s'élargir et trembler comme un spectre... »
B) « Des blessures écarlates et noires éclatent dans les chairs... »
C) « Les frissons s'élèvent et grondent... »
D) « La saveur forcenée de ces effets se chargeant avec les sifflements mortels et les rauques musiques que le monde [...] lance sur... »

(Nous constatons que, là aussi, ce sont des éléments hétérogènes qui vont fournir la base d'une définition spécifique.) Pour dénommer la fonction (F) de [A⁶], nous recourrons à une notion simple /agression/. Le résultat de l'agression est noté au moyen de deux modalités :

$$\left(\frac{m^1}{m^2} = \frac{\text{réussite}}{\text{échec}}\right)$$

qui nous permettent de distribuer le texte en quatre séquences suivant les avatars constatés de la fonction :

$$F^0 + F\left(\frac{m^1}{m^2}\right) + F\,(m^2) + F\,(m^1).$$

La seconde séquence $F\left(\frac{m^1}{m^2}\right)$ est donc la plus complexe ; elle présente un cumul prévisible des traits définitoires de [A^6]. Nous avons déjà relevé les sèmes de la définition générique. A ceux-ci s'ajoutent :

Ordre spatial

s^4 /verticalité/	(*cf.* s'élever, etc.)
s^5 /horizontalité/	(*cf.* s'élargir, etc.)
s^6 /verticalité + horizontalité/	(*cf.* éclater, etc.)

Ordre sensoriel

s^7 /auditif/	(*cf.* « sifflements de mort », etc.)
s^8 /gustatif/	(*cf.* « saveur forcenée »)
s^9 /visuel/	(*cf.* « blessures écarlates et noires »)

Ainsi sont réunis les éléments d'une définition de deux unités de discours :

$$F^0/Q\,(s^6)\,[A^1] \text{ et } F\left(\frac{m^1}{m^2}\right)/Q\,(s^9)\,[A^6].$$

Admettons que les identifications soient achevées pour l'ensemble des séquences ; nous aurons, par développement de notre modèle structurel, une suite d'unités corrélées :

F^0	$F\left(\frac{m^1}{m^2}\right)$	$F\,(m^2)$	$F\,(m^1)$
$Q\,(s^n)\,[A^1]$	$Q\,(s^n)\,[A^6]$	$Q\,(s^n)\left[\frac{A^1}{a^1}\right]$	$Q\,(s^n)\left[\frac{\bar{A}^1}{\bar{a}^1}\right]$

Un tel schéma admet la paraphrase suivante :

— *Séquence 1 :* La « réussite » initiale est liée à l'absence de la fonction (F^o) autant qu'à la présence de qualifications « positives ». Elle suppose le syncrétisme [$A^1 . A^3$] et la possession de l'objet quêté [A^2]. Elle comporte cependant plusieurs traits restrictifs : les sèmes qualificatifs (en particulier, s^1, s^3, s^4 et s^5 de [A^1]) nous ont appris qu'il s'agissait d'une réussite « hors-situation », donc moins réelle qu'apparente ; d'autre part, [a^1] (Ego) n'est pas impliqué dans ce premier rapport.

— *Séquence 2 :* présentation du monde ; le pouvoir d'agression qui lui est attribuable résulte d'une analyse des sèmes qualificatifs et fonctionnels de [A^6]. Echec ou victoire, c'est ce qu'indique le rapport des modalités $\left(\frac{\overline{m^1}}{m^2}\right)$ juxtaposées dans la même séquence (deuxième et quatrième phrase). Notons qu'une description plus complète de la fonction réclamerait qu'on tienne compte dans l'analyse des prédicats de leur aspect grammatical : *perfectif*, lorsque le mouvement arrive à son terme : « blessures dans... » ; *imperfectif*, par exemple : « les frissons s'élèvent et grondent, ... »

— *Séquence 3 :* réservée à l'échec de la fonction, (m^2), elle voit apparaître la conjonction [$A^1 . a^1$]. La relation métonymique (« notre mère de beauté »), puis métaphorique (« nos os sont revêtus d'un nouveau corps amoureux... ») est symbolisée par le rapport $\left[\frac{A^1}{a^1}\right]$. Bien que la place nous manque pour faire l'analyse sémique, les deux exemples précédents suffisent à rendre claire l'opposition entre la séquence 3 et la séquence 1 : la réussite est devenue *concrète, située* dans le temps (*cf.* l'aspect accompli de la forme verbale et les minuscules de « mère de beauté » se substituant aux majuscules d' « Etre de Beauté »).

Remarque : Les séquences ne peuvent être isomorphes aux phrases de l'énoncé puisqu'elles ne sont pas situées sur le même plan. On notera, en particulier, que la troisième phrase relève tout entière de la séquence 3 alors que certains des éléments terminaux de la quatrième phrase sont pris en charge soit par la séquence 2 (« musiques que le monde [...] lance sur... »), soit par la séquence 3 (« loin derrière nous [...] notre mère de beauté [...] elle recule, elle se dresse »).

— *Séquence 4 :* elle est marquée par la réussite de la fonction, (m^1). La conjonction [$A^1 . a^1$] est maintenue, mais l'/animé/, trait qui caractérisait les actants du monde « nouveau », se change en son contraire, l'/inanimé/; autrement dit, la séquence décrit la mort de [A^1] et de l'actant qui lui est subordonné, [a^1], (Ego) ; ou encore, la dénégation succède à l'affirmation,

$$\left[\frac{A^1}{a^1}\right] \rightarrow \left[\frac{\bar{A}^1}{\bar{a}^1}\right]$$

Ces quatre paraphrases forment le « sens linguistique » ou l'invariant du texte ; à partir de là, mais à partir de là seulement, s'ouvrirait le champ d'action, très divers, des exégètes. Mais revenons à notre plan de description. Notre étude se limitera à l'analyse des classes de discours et de leur projection sur le plan syntagmatique. Nous procéderons par dénomination des quatre classes correspondant aux quatre unités corrélées. Deux facteurs retiendront notre attention à ce moment de la procédure : l'un est *temporel*, puisque les séquences sont situées à l'intérieur d'une histoire comportant un « avant » et un « après » ; l'autre, *modal*, puisque le texte est sensible à l'opposition : abstrait (modalité du paraître) *vs* concret (modalité de l'être).

contenu inversé * (avant)	topique		contenu posé (après)
	épreuve	victoire	
victoire apparente			échec réel

Illumination VI.

* Sur l'homologie avant : inversé :: après : posé, *cf.* GREIMAS 1966:29, 30, 37.

Comme le monde nouveau construit par A. Rimbaud ne peut être qu'en contradiction avec la réalité, il ne saurait exister de victoire « réelle ». Dans cette perspective, la lecture de *Départ* devient à son tour :

contenu inversé (avant)	contenu posé (après)
échec réel	victoire apparente

Illumination VIII.

Une des marques de ce type de discours paraît être la règle de combinaison : *les classes opposées sémantiquement sont contiguës syntagmatiquement.* Rappelons à cette occasion l'importance des critères typographiques qui notent formellement la disjonction des classes <1,2> ; dans la VIe *Illumination* le passage est signalé par un cumul de marques : point, passage à la ligne, blanc, astérisques.

On aura reconnu que l'agencement du discours se fait selon l'ordre inverse de *Départ*, soit : <2,1> (séquences 3 et 4, par rapport auxquelles les deux précédentes ont un rôle préparatoire). C'est encore sur ces séquences finales que jouent les deux règles de transformation que nous avons relevées. Voilà des contraintes dont un modèle logique, plus conforme à la « grammaire » de Rimbaud, doit tenir compte.

séquences préliminaires		contenu inversé (avant)	contenu posé (après)
2′	1′	2 réussite apparente	1 échec réel

Illumination VI.

*

Nous ne ferons qu'évoquer le cas des suites uniplanaires en prenant appui sur la

XXVIe Illumination : Fête d'hiver.

La cascade sonne derrière les huttes d'opéra-comique. Des girandoles prolongent, dans les vergers et les allées voisins du Méandre, — les verts et les rouges du couchant. Nymphes d'Horace coiffées au Premier Empire, — Rondes Sibériennes, Chinoises de Boucher.

Si le descripteur ne retient que l'enseignement concernant l'articulation d'une classe unique, le modèle structurel se présente sous la forme : F^0/Q (situation + non personne) $+ \frac{1}{Q}$ (non situation + personne) [A^2]. Il admet la paraphrase : la première qualification (phrases 1 et 2) ne relève pas d'une analyse des personnes, mais des objets, situés dans le temps et l'espace (critère grammatical : phrases verbales). La seconde qualification (phrase 3) semble combler un manque en peuplant le monde d'êtres animés (*cf.* « Nymphes d'Horace coiffées au Premier Empire... »), mais elle les prive, au même moment, de tout caractère concret, puisqu'ils sont placés hors-situation (critère grammatical : phrase nominale) et qu'elle combine, en les étageant en quelque sorte dans le temps, trois niveaux de culture : Nymphes → Nymphes d'Horace → Nymphes d'Horace coiffées au Premier Empire (critère lexical). Nous voyons par là combien il est difficile d'attribuer à une Personne (la majuscule, à l'instar de Rimbaud, est un symbole de classe) le rapport $\frac{\text{concret}}{\text{animé}}$: c'était, rappelons-le, l'objet de la lutte autour de l'Etre de Beauté. Il ne s'ensuit pas nécessairement un constat d'échec ; nous le voyons par *Fête d'hiver* qui appartient tout entière au monde nouveau (classe 2). Le texte, on le remarquera, admet sans difficulté la première des deux règles de transformation que nous avons proposées. Quant aux règles de combinaison, la première sera modifiée en fonction du cas particulier que présentent des suites uniplanaires et deviendra :

un discours relevable d'une classe unique se présente sous la forme de deux séquences inverses sémantiquement et contiguës syntagmatiquement.

*

Le relevé des traits spécifiques nous acheminerait vers une *typologie*. Il est hors de question de la présenter maintenant sinon sous forme d'esquisse. C'est la matière d'autres articles. Nous dirons simplement la voie choisie : à la suite de Cl. Lévi-Strauss, nous avons considéré le « corpus » des cinquante-trois textes *numérotés*, réunis sous le titre *Illuminations*, comme autant d'applications restreintes « d'un schème que les rapports d'intelligibilité réciproque, perçus entre plusieurs poèmes [13], aident progressivement à dégager ». Aussi bien ce schème ne sera qu'une figure de la « grammaire » de Rimbaud. Ce que nous savons est que les règles d'emploi de cette grammaire (nous en avons défini quelques-unes) s'appliquent à deux classes et à leurs combinaisons :

<1> /échec/ : aucun exemple ;
<2> /victoire/ : 34 exemples ;
<1, 2> /échec, victoire/ : 7 exemples ;
<2, 1> /victoire, échec/ : 12 exemples.

Soit, en utilisant par souci de commodité les lettres A et B :

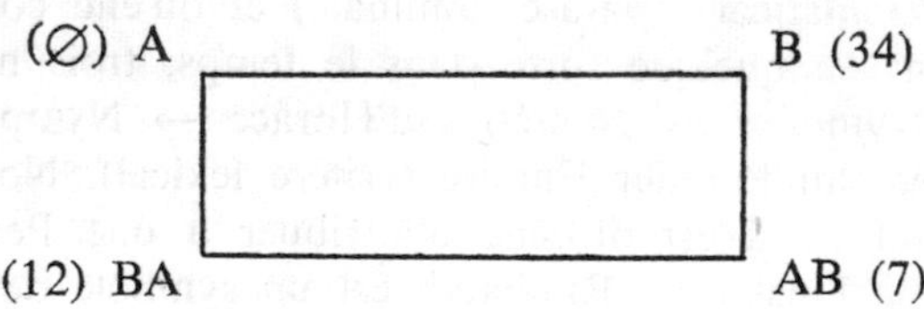

Une étude plus détaillée portant, par exemple, sur la classe la plus forte ferait ressortir dans un premier temps une opposition logique de contrariété (B *vs* Non B). Le discours va ainsi d'un pôle à l'autre du même axe — dénommé /victoire/ —, du « bonheur » de *Royauté* au « malheur » de *Ville* (se rappeler

13. « Mythes », dit le texte des *Mythologiques* (Lévi-Strauss 1964:21).

l'expression de *Génie* : « le chant clair des malheurs nouveaux »). Nous vérifions de cette manière la proposition d'A.-J. Greimas selon laquelle la substance poétique « est connotée par les variations isotopes à la fois euphoriques et dysphoriques » du discours [14]. Une réserve cependant : nous ne parlerons pas de variations simultanées, euphoriques *et* dysphoriques, mais plutôt de variantes combinatoires dont le schéma ci-dessous donnera une idée.

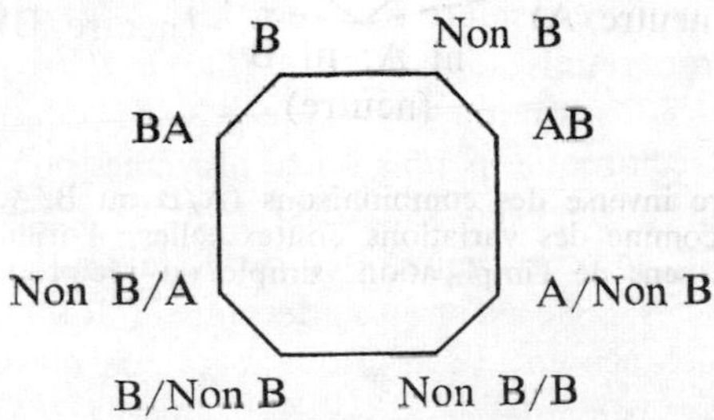

Combinatoire des classes
dans les *Illuminations.*

Il reste que cette combinatoire n'est pas satisfaisante du point de vue de la structure élémentaire. Elle ne fait pas apparaître, par exemple, que les deux termes polaires, A et B, négatif et positif, sont solidaires, logiquement. Plutôt que d'introduire le terme négatif Non B, il nous semble plus approprié et plus clair de faire appel à une structure ternaire et de substituer au terme Non B un terme neutre, c'est-à-dire ni A ni B, inutilisé jusqu'à cette étape de l'analyse. Le code, en conséquence, se *construit* économiquement à partir d'un schème comportant six postes : trois termes *primaires* et trois termes *complexes* : positif + négatif, négatif + neutre, positif + neutre.

14. GREIMAS 1967:17.

Soit :

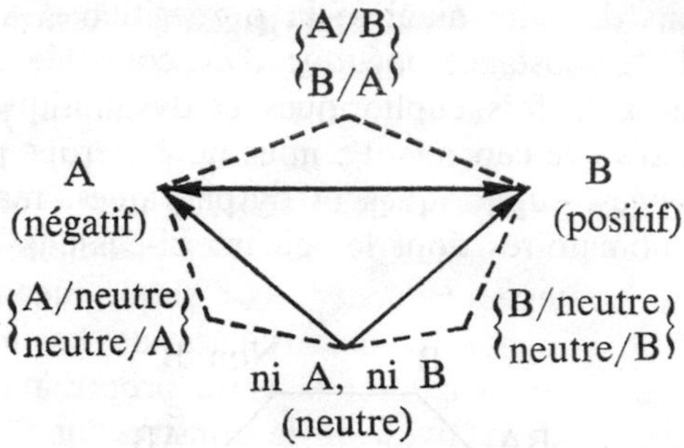

N.B. : L'ordre inverse des combinaisons (A/B ou B/A, par exemple) sera interprété comme des variations contextuelles ; l'orientation des flèches marque le sens de l'implication, simple ou réciproque.

*

Le code que nous avons construit offre-t-il la possibilité de *lire* le texte des *Illuminations* ? Nous pensons que oui, si lire signifie bien pour le lecteur comme pour nous *reconnaître* un vocabulaire et une grammaire, c'est-à-dire des unités linguistiques, leurs règles d'agencement (morphologie) et de fonctionnement (syntaxe). La chaîne du discours est à la fois donné premier et donné ultime. *Exitus et reditus.* Sans doute, cette lecture se fait au prix d'une sévère réduction. Nous utiliserons une image familière aux linguistes : un texte fini, la VIe *Illumination* par exemple, est comparable à une partie d'échecs dont les pièces exécutent, suivant des règles connues, un ensemble clos de figures. Le sens linguistique ne peut être, dans ces conditions, que fort abstrait. *Being beauteous* est pour nous un cas particulier d'un jeu dialectique entre classes complémentaires ; pour l'exégète littéraire, ce peut être un souvenir de voyage, une ballerine, Asiatique de Malaisie, dont la danse « rituelle et sensuelle » (A. Adam) suit les « rauques musiques » de l'orchestre rimbaldien. Cet exemple suffira à marquer la divergence des points de vue.

Notre recherche répondait à la question : *quelle espèce d'objet est le discours des Illuminations ?* Nous insistons sur ce terme d'objet et rappelons qu'il ne peut s'agir que d'une construction. Toute démarche qui voudrait faire l'économie de la cryptanalyse est donc une gageure. Assurément, cette procédure est d'une inégale difficulté selon que le texte étudié est situé à un pôle ou l'autre du discours (*cf. supra*, p. 69). Mais l'exigence théorique demeure. Il ne s'agissait pas de procéder, par le biais d'une analyse conceptuelle, à une « reformulation plus efficace, et donc plus juste, dans un vocabulaire différent », d'un sens non contesté, évident[15] ; ce serait méconnaître, au regard de notre projet, les insuffisances de la théorie interprétative ; ce serait aussi ignorer la vertu propre à tout système qui lie le sens à « l'effectivité de la construction[16] ». Il fallait répondre, au contraire, à la question concernant la nature de l'objet *Illuminations* d'A. Rimbaud. Pour mener à bien cet essai de cryptanalyse, nous avons dû construire différents modèles, de caractère déterministe, capables de figurer *le fonctionnement de l'objet à décrire* (le modèle est clos, précisons-le, lorsque le descripteur a isolé l'invariant du discours). Nous nous sommes efforcé en même temps à les rendre suffisamment simples pour que tout chercheur, même débutant, soit en mesure de les manipuler, c'est-à-dire de reconnaître les mécanismes de construction et de reproduire les opérations, bref, de valider *a posteriori* la démarche proposée. Mais le rôle des modèles ne s'arrête pas là. Ils permettent de *lire* le texte analysé ; ils délivrent, autrement dit, le sens *linguistique* de l'œuvre. Tel que nous l'entendons, le sens résulte donc, au plan paradigmatique, de *l'ensemble des relations logiques, combinées en un système particulier.* C'est, si l'on veut, la « grammaire » des *Illuminations*, son code. Transposé sur le plan du syntagme, le sens s'identifie à *la distribution codée des unités et des classes de discours.*

Nous pensons que le descripteur, parvenu à ce stade de l'analyse, est en droit de considérer le texte des *Illuminations* comme un objet de connaissance. C'était, on s'en souvient, l'enjeu de notre travail.

15. Gardin 1967:6.
16. Ladrière 1967:822.

BIBLIOGRAPHIE

BENVENISTE, E.
1966 *Problèmes de linguistique générale*. Paris, Gallimard.

GARDIN, J.-C.
1967 « Analyse sémiologique et littéraire », *Nuovo* 75, Milan.

GRANGER, G.-G.
1967 *Pensée formelle et science de l'homme*. Paris, Aubier, 2e éd.

GREIMAS, A.-J.
1966a *Sémantique structurale*. Paris, Larousse.
1966b « Eléments pour une théorie de l'interprétation du récit mythique », *Communications* 8, Le Seuil.
1967 « Les relations entre la linguistique structurale et la poétique », *Revue internationale des Sciences sociales* XIX.

GRIZE, J.-B.
1967 « La logique des classes », in *Logique et connaissance scientifique*. Paris, Gallimard (« Encyclopédie de la Pléiade », XXII.

HARRIS, Z.
1951 *Methods in structural linguistics*. Chicago.
1957 « Co-occurence and transformation in linguistic structure », *Language* 33 (3).

JAKOBSON, R.
1963 *Eléments de linguistique générale*. Paris.

KRISTEVA, J.
1968 « Poésie et négativité », *L'Homme* VIII (2).

LADRIÈRE, J.
1967 « Sens et système », *Esprit*, mai.

LÉVI-STRAUSS, Cl.
1964 *Mythologiques I. Le cru et le cuit*, Paris, Plon.

SAUSSURE, F. DE
1964 *Les Anagrammes*. Paris, Mercure de France, févr.

5 POÉTIQUE ET LINGUISTIQUE *

L'auteur se demande de quelle aide peut être la linguistique pour définir « l'objet poétique ». Examen du principe d'équivalence de R. Jakobson : trois exemples, Baudelaire, Hugo, Apollinaire, montrent les possibilités et les limites de l'application de ce principe.

Lacunes et insuffisances de la théorie linguistique. Les plans phonique et prosodique.

Pour dépasser les limites imposées par la linguistique de la phrase, une grammaire du discours poétique est nécessaire.

I. De l'objet poétique

Les analyses, mais bien davantage les professions de foi, prolifèrent dans le domaine mal défini du poétique. Peu reconnaissent « la difficulté qu'il y a en général à écrire dix lignes ayant le sens commun en matière de faits de langage[1] ». Et pourtant le risque de ne *rien* dire est peut-être encore plus grand en poétique qu'en linguistique. C'est pourquoi nous ferons la part belle aux chercheurs ayant accepté d'illustrer la théorie par des exemples suivis[2]. C'est donc sur pièces que nous vou-

* Ce texte constitue un chapitre de l'ouvrage de collaboration *Essais de sémiotique poétique* publié sous la direction de A.-J. Greimas, Librairie Larousse, 1972, pp. 26-47.

1. Lettre de Saussure, citée in R. GODEL, *Les sources manuscrites du Cours de linguistique générale,* Droz-Minard 1957, p. 31.

2. Voir la bibliographie citée dans les notes. L'astérisque signale les études où le lecteur trouvera une analyse d'un texte poétique d'une certaine étendue.

drions former notre jugement ; c'est sur l'efficacité des méthodes plutôt que sur l'habileté conceptuelle des constructions que nous voudrions régler notre pensée.

Une méthode sera dite efficace si elle permet dans des conditions économiques l'identification et par conséquent la connaissance de « l'objet poétique ». Il est certain que toutes sortes de discours peuvent être tenus sur la poésie mais l'on considérera ici que le problème reste entier ; qu'il n'est possible de construire qu'une seule sorte de discours à la fois si l'on veut en préserver la cohérence. On ne voit pas comment on pourrait, dans l'état actuel de nos connaissances, unifier, au moyen d'un seul discours, les paroles si diverses du critique littéraire, de l'anthropologue, du philosophe, du grammairien, de l'esthéticien, de plusieurs autres encore, sans tomber dans un grave et ridicule désordre de la pensée. Mais encore, à quel fait de langage pensons-nous lorsque nous disons qu'il y a là, dans ce texte, poésie [3] ? A quel critère saurons-nous reconnaître que les *Illuminations* ou *les Chants de Maldoror* sont du domaine poétique ? Le procès de la distinction toute rhétorique entre prose et poésie a beau avoir été fait depuis longtemps, la majeure partie des études s'inspirant des méthodes les plus modernes des sciences humaines prennent finalement comme référence des textes versifiés. Que chaque discipline, que chaque école de pensée s'efforce avec rigueur de préciser ce qu'il sera convenu d'appeler « poétique » et il deviendra peut-être possible en confrontant les résultats de cerner un peu mieux ce fameux et, pour l'instant, mythique *objet poétique*. Le terme même d'*objet* fait question. Nous pensons qu'il revêt au moins trois formes suivant le mode de saisie adopté par le linguiste :

1) Il est posé comme un observable. C'est l'attitude positiviste. La visée paraît sûre, mais la description est fondée sur un *a priori*. Est seul en jeu le renouvellement de méthodes toutes pragmatiques.

2) Les notions d'objet et, corrélativement, de sujet sont contestées. Aucune définition de remplacement n'est proposée

3. W. A. KOCH, « Linguistiche Analyse und Strukturen der Poetizität », in *Orbis,* 17, I, pp. 5-22.

et ce, par principe. L'analyste se refusant à mener une description se métamorphose en écrivain.

3) L'objet n'est pas une donnée immédiate. Il reste à découvrir. Les conditions de la connaissance seront satisfaites quand l'analyste pourra proposer pour tel objet visé une grammaire spécifique, c'est-à-dire l'ensemble des règles explicites dont dépend le jeu des significations et des sonorités. Il va sans dire qu'il n'y a pas d'étude qui approche seulement de ce résultat. Mais, ici ou là, des éléments de connaissance sont déjà en place. Nous voudrions les présenter et les discuter.

II. Equivalences horizontales et verticales

Les poètes ont dit depuis longtemps que l'art impliquait une *équivalence* (c'est le terme même retenu par P. Valéry) entre le fond et la forme. Mais sur la nature de cette équivalence, rien de précis : des impressions, sans plus. On s'est efforcé en linguistique à reformuler avec plus de rigueur cette manière de postulat. C'est ce qui est connu sous le titre de « Principe d'équivalence de l'axe de la sélection sur l'axe de la combinaison[4] ». Il est ainsi tentant de montrer qu'au même endroit de la chaîne peuvent se rencontrer et s'additionner des catégories de niveau linguistique différent, phoniques, grammaticales, sémantiques, etc. Le texte poétique se présenterait donc sous la forme d'une équation vérifiée sur deux plans : *horizontal*, puisque les segments contigus sont équivalents ; *vertical*, puisque les niveaux linguistiques s'empilent l'un sur l'autre et se font écho l'un à l'autre. Jamais, croyons-nous, un discours continu portant sur un poème entier, même de petites dimensions, n'a pu apporter une amorce de démonstration de ce principe d'équivalence.

Par contre, des résultats intéressants ont été enregistrés sur des points précis. Le principe général revient à valoriser la très ancienne théorie des relations quaternaires : *a* est à *b* ce

4. Cf. R. Jakobson, *Essais de linguistique générale*, Ed. de Minuit 1963, pp. 220, 233, 238, *sqq*.

que *c* est à *d*. Fondée sur le rapport logique de conjonction (ou de disjonction), l'analyse met au jour :

1) les parallélismes grammaticaux (ou leur rupture) ;
2) les parallélismes relevant de l'axe des conventions [5] (ou leur rupture) ;
3) les parallélismes phoniques et prosodiques [6] (ou leur rupture) ;
4) les parallélismes sémantiques (ou leur rupture).

Exemple I

On peut repérer les équivalences sans changer de niveau linguistique ; noter, par exemple, en suivant le niveau 3, la chaîne des nasales du poème *Les Chats* [7] et, plus subtilement, à la manière de Saussure dans les *Anagrammes*, retrouver les phonèmes du mot emblématique

sphinx [sfɛ̃ks]

dans le dernier tercet :

reins [...ɛ̃], *pleins* [...ɛ̃], *étincelles* [...ɛ̃s...]
ainsi [ɛ̃s...], *qu'un* *s*able [kœ̃s...], *fin* [fɛ̃].

Exemple II

Dans ce vers de Hugo :

« Quand la lune apparaît dans la brume des plaines »

on peut enregistrer une symétrie phonique presque parfaite et dire alors que « le retour de la même série de voyelles dans les deux hémistiches [...] tient le vers ». H. Meschonnic ajoute : « Presque toujours symétrie inégale, mais au moins partielle homogénéité dans chaque hémistiche et de l'un à l'autre [8]. »

5. S. R. LEVIN, * *Linguistic Structures in Poetry*, Mouton 1962, p. 46 ; voir le mètre, la rime, la césure, etc.
6. Soit deux dimensions, segmentale et suprasegmentale.
7. R. JAKOBSON et Cl. LÉVI-STRAUSS, * « *Les Chats* de Charles Baudelaire », in *L'Homme*, I (1962), p. 15.
8. H. MESCHONNIC, « Problèmes du langage poétique de Hugo », in *La Nouvelle Critique*, 1968, pp. 134-135.

Exemple III

Soit ces vers célèbres d'Apollinaire :

« Les tramways feux verts sur l'échine
Musiquent [...] leur folie de machines

Les cafés gonflés de fumée
Crient tout l'amour de leurs tziganes [...]

Vers toi, toi que j'ai tant aimée. »

En isolant les constructions parallèles, nous obtenons deux phrases symétriques :

P_1 = Sujet (déterminé + déterminant) + Prédicat (verbe + complément) ;
P_2 = Sujet (déterminé + déterminant) + Prédicat (verbe + complément) ;

de sorte que l'on pourra dire : P_1 est à A (« Vers toi, toi que j'ai tant aimée ») ce que P_2 est à A. C'est la forme « affaiblie » de la relation d'analogie présentée plus haut. C'est elle que S. R. Levin dénomme « Type I » : « Two forms may be equivalent in respect to the linguistic environment(s) in which they occur [9]. »

Mais il est clair que le principe d'équivalence ne vise pas tant chaque niveau pris séparément que le rapport d'interdépendance entre les niveaux et particulièrement le rapport des niveaux 1, 2, 3 avec le niveau 4. Rapport mal défini, ainsi que nous allons le voir. Pour qu'il fût établi avec rigueur, il faudrait ne pas se contenter de quelques échantillons (que nous savons produire, en effet) ; il faudrait aussi savoir donner les *règles* qui assujettissent les niveaux les uns aux autres. Il faudrait avant tout pouvoir dire ce qu'est la *prosodie*, dont le domaine, en fait, est encore mal connu, savoir identifier et qualifier univoquement les *phonèmes* et distinguer la *sémantique*, qui ressortit à une *théorie interprétative*, de la sémantique du *discours*, tout autre, sinon dans son principe, du moins dans sa visée.

9. S. R. LEVIN, *op. cit.*, p. 29 : « Deux formes peuvent être équivalentes par rapport à leur environnement linguistique. »

III. Comment pallier les insuffisances de la théorie linguistique

Il y a plusieurs manières de voiler les insuffisances de la théorie linguistique :

1) Soit en faisant appel, par exemple, aux méthodes de la logique mathématique, ce qui suppose un haut degré d'abstraction et, corrélativement, une spécification très précise des domaines étudiés et des instruments adéquats (automates, grammaires formelles, etc.). Il est hors de doute que le langage poétique par son hétérogénéité même n'est pas réductible à nos modèles mathématiques. Dans ces conditions le formalisme mathématique semble une gageure. Ce doit être par figure qu'il est utilisé par J. Kristeva dans son étude « Pour une sémiologie des paragrammes » (*Tel quel*, 29 [1967], p. 53-75). Dépouillé de son objet propre, il endosse, vaille que vaille, une fonction discursive, à la fois éristique et décorative [10].

2) Soit, inversement, mais la démarche est tout aussi risquée, en visant le « vécu », sans définir toutefois la notion de « vécu » et sans nous dire comment est analysable « le rapport de l'œuvre avec tout ce qui n'est pas elle [11] ». L'ambition théorique est grande ; elle a déjà été exprimée à plusieurs reprises, dans des termes analogues (*cf.* S. Dresden, *Neophilologus*, 36 [1952], p. 193-205). Mais les contraintes du discours scientifique (démonstratif) sont sévères ; comment permettraient-elles de ressusciter le vécu (G. Mounin *, *La Communication poétique*, Gallimard, 1969, p. 25-27) ? L'auteur vise à « la lecture totale du sens d'un message » (*ibid.*, p. 284) ; mais, ici ou là, quelle signification précise peut bien avoir la notion de *totalité* ?

Il nous semble que les critiques de la théorie linguistique sont motivées moins par un examen rigoureux de ses pouvoirs que par des présupposés philosophiques et littéraires. Il suffit de noter son évolution constante, les transformations subies

10. La critique de ce texte par un mathématicien-poète (J. Roubaud), commencée in *Action poétique*, Maspero 1969, 41-42, p. 56 et *sqq*, court le risque de fausser les perspectives d'un travail ambitieux.

11. H. Meschonnic, « Pour la poétique », in *Langue française*, 3 (1969), p. 15, 33.

pour admettre qu'il n'y a pas lieu de faire le bilan des acquis et des manques comme si son histoire était soustraite à toute inflexion. Dans la mesure précisément où elle fournit les cadres d'un *discours homogène et vulnérable* sur les faits de langage, elle s'est révélée un instrument efficace de description, ce qui est bien, mais aussi, ce qui est mieux encore, de découverte et d'axiomatisation. Que l'on songe seulement à l'importance théorique et méthodologique du *Mémoire sur le système primitif des voyelles dans les langues indo-européennes* de Saussure (les « racines » et les phonèmes, par exemple, y sont définis à partir de calculs abstraits ; n'est-ce pas la démarche même de la phonologie générative ?).

IV. Homologation des niveaux

Puisque la nécessité de faire la *preuve* demeure, une analyse un peu approfondie des relations entre niveaux nous donnera une idée plus exacte de ce qu'il est possible d'attendre de l'application du principe d'équivalence.

Dans l'exemple II (étude du vers de Hugo), le commentateur lie le niveau 2 (la versification) au niveau 3. La symétrie phonique n'est pas citée pour elle-même, mais en fonction de l'équilibre métrique : « La *construction* du vers, d'abord, est la fonction constitutive des sons » (H. Meschonnic, 1968, *op. cit.*). La distribution des sonorités du premier hémistiche est équivalente à la distribution des sonorités du second hémistiche.

Dans l'exemple I (analyse du poème des *Chats*), c'est le rapport entre les niveaux 3 et 4 qui est en question : « *En songeant*, les chats parviennent à s'identifier aux *grands sphinx*, et une chaîne de paronomasies, liées à ces mots clefs et combinant des voyelles nasales avec les constrictives dentales et labiales, renforce la métamorphose... » (R. Jakobson et Cl. Lévi-Strauss, *op. cit.*). Les auteurs prennent bien la précaution de dire « renforce ». En effet, le lien entre le niveau 3 et le niveau 4, étant donné « l'arbitrarité du signe », ne peut être que lâche. Dans ce cas particulier, la *sélection* des correspondances sonores *présuppose* la détermination des correspondances lexicales. Il est légitime de dire alors que celles-là « renforcent » celles-ci ; rôle second, ni nécessaire, ni suffisant.

Quant à l'exemple III (texte d'Apollinaire), il permet de mettre aisément en rapport les quatre niveaux que nous avons retenus. L'équivalence syntaxique déjà manifestée (niveau 1) est corroborée par la disposition symétrique de plusieurs syntagmes à l'intérieur du *vers* (niveau 2). En particulier les deux segments de phrase, P_1 et P_2, ont en commun que le second vers commence par le verbe ; c'est lui qui porte le premier accent rythmique (la différence concerne la structure syllabique des deux termes ; on peut suivre en ce cas S. R. Levin qui adopte un principe général de description, ainsi : « In a sentence like *he painted the house and whitewashed the garage*, not the semantic differences between *house* and *garage* but the similarities will be foregrounded, because in the other coupling *painted* and *whitewashed* are semantically equivalent [12] »). Autrement dit, c'est évident, la procédure d'homologation conduit à privilégier des identités. Au niveau 4 intervient la représentation sémantique. Voilà l'une des difficultés signalées précédemment ; chez S. R. Levin, le rôle de la sémantique est uniquement d'associer une signification aux modèles de la *grammaire superficielle* pris comme objets d'analyse ; mais il s'agit aussi de mettre en place des rapports situés sur le plan de la *structure textuelle* (sémantique relationnelle). Ainsi, on peut relever les équivalences lexicales entre *musiquent* et *crient*, faciles à déterminer en utilisant les méthodes de Ch. Bally [13], puis faire apparaître leur dépendance à l'égard d'un dénominateur commun : « Vers toi, toi que j'ai tant aimée. » Nous écrirons d'abord : *Vers toi...* est à *Les tramways musiquent* ce qu'il est à *Les cafés crient* ; d'où la représentation :

$$\frac{\text{tramways}}{\text{musiquent (vers toi)}} \simeq \frac{\text{cafés}}{\text{crient vers toi}}$$

Il suffira ensuite de montrer que *les tramways musiquent...* et *les cafés crient...* sont des représentations métonymiques de l'actant-

12. S. R. LEVIN, *op. cit.*, p. 35 : « Dans une phrase telle que *il peignit la maison et passa à la chaux le garage,* ce ne sont pas les différences sémantiques entre *maison* et *garage* mais leurs ressemblances qui apparaîtront en premier plan, parce que les deux termes de l'autre couple *peignit* et *passa à la chaux* sont sémantiquement équivalents. »
13. Recherche du terme identificateur ; cf. *supra*, p. 73.

sujet et *toi* une représentation de l'actant-objet pour établir un premier schéma de la relation sémantique sujet → objet.

V. Analyse du niveau phonique et prosodique

Il ne serait pas légitime, à ce stade de l'analyse, d'approfondir l'étude de la structure textuelle. Ce qui importe, par contre, c'est d'utiliser maintenant, et maintenant seulement, le niveau 3 (les plans phonique et prosodique). Nous le ferons en tenant compte des *contraintes* mises au jour par les analyses précédentes. Ainsi seront isolés (et ce, pour leur valeur exemplaire) les traits communs des segments [myzík] et [kʀí]. On dira que la voyelle porte « l'accent dynamique » de la *syllabe* [14] et que, de ce fait, elle se signale à notre attention. Le changement de fréquence caractéristique de la syllabe est de type croissant dans le premier cas et décroissant dans le second [15] :

Syllabe	
Occurrence	type
zík kʀí	(b)áb (b)bá

Parler d'accent dynamique, c'est recourir au critère de l'intensité, c'est-à-dire s'appuyer sur les éléments physiques de la parole. Ils sont au nombre de trois : la fréquence, la durée et l'intensité.

Voici le rapport entre les données objectives et subjectives. Seules les premières sont mesurables :

objectif	subjectif	oppositions conventionnelles
fréquence durée intensité	hauteur longueur force	aigu (clair) *vs* grave (sombre) bref *vs* long faible (diffus) *vs* fort (compact)

14. R. Jakobson, *Essais de linguistique générale,* p. 122.
15. P. Delattre, « Les attributs physiques de la parole », in *Revue d'esthétique,* XVIII, 3-4 (1965), p. 253.

Les oppositions conventionnelles sont commodes mais peu rigoureuses. En fait, la complexité des sons est telle qu'il faut se référer, pour être précis, à l'article de P. Delattre : « *La radiographie des voyelles françaises et sa corrélation acoustique* » (*French Review*, XLII, 1 [1968], p. 48-65) et surtout, parce que le domaine était moins bien connu, à la description qu'il donne du « système complet des indices acoustiques [...] nécessaires et suffisants pour synthétiser toutes les consonnes du français [16]... ». L'analyse traditionnelle en traits pertinents, de R. Jakobson à N. Chomsky, est, certes, plus facile à manier mais elle n'est pas toujours *vérifiée* expérimentalement. Nous ne la maintiendrons par conséquent que dans les cas bien déterminés où *l'arbitraire* n'est pas trop flagrant.

Le type syllabique servant de cadre à notre recherche, nous sommes amené à comparer les suites *phonématiques* [í + k] et [(k + ʀ) + í]. Une première observation : [ʀ] est presque entièrement dévoisé par assimilation au contact de [k] : « Telle consonne qui est douce et sonore par nature, remarque P. Delattre, peut devenir aussi dure et sourde qu'une vraie fricative dévoisée sous l'influence de l'environnement phonétique. La consonne [ʀ] qui, après une voyelle finale comme dans *fleur* s'efface en de douces harmoniques, se renforce en un bruit sourd et rugueux lorsqu'elle suit une consonne dévoisée comme dans *cri* [17]. »

Si l'on cherche à rendre compte du potentiel *harmonique* du mot ou du vers (comme le désire N. Ruwet dans son article « Sur un vers de Ch. Baudelaire » in *Linguistics*, 1965, 17, p. 69-73), il faudra donc noter que plus la consonne est accompagnée de *bruit*, plus la voyelle qui précède est brève et plus nous nous rapprochons du pôle de *l'inharmonie* (P. Delattre). A titre d'illustration, proposons une échelle de valeurs selon la durée et l'intensité du bruit (P. Delattre, *Phonetica*, p. 199 et 255).

Bruit durant la tenue de la consonne	*Absence de bruit*
(inharmonie) ⟶	(harmonie)

{k t p — ʃ s f} {g d b — ʒ z v} {ɲ n m — ʀ j ɥ l w}

16. P. Delattre, « From Acoustic Cues to Distinctive Features », in *Phonetica*, 18 (1968), p. 230.
17. P. Delattre, « Les attributs physiques de la parole », *op. cit.*, p. 251.

Ainsi, parmi les facteurs relevant de notre niveau d'analyse, deux contribuent fortement à l'harmonie : *a*) l'absence de bruit, *b*) la longueur de la voyelle ; or, ici, en syllabe finale ou devant [k], la voyelle est brève. Comparons [kʀí] à [tí:ʒə] : « Ce n'est vraisemblablement pas par hasard, commente P. Delattre, que Baudelaire a choisi toutes les rimes d'*Harmonie du Soir* en *-oir* et en *-ige*, avec deux consonnes très faibles qui allongent remarquablement la voyelle qui précède, créant ainsi des fins de syllabe à la fois douces et longues pour seconder le sentiment de la nature que le poète cherche à exprimer » (*Revue d'esthétique*, p. 249). L'effet obtenu devrait être tout autre dans les vers de G. Apollinaire qui nous occupent, puisque les combinaisons considérées associant [i] à [k] ou [kʀ] à [i] sont « dures » et « brèves ».

Enfin, le rapport d'analogie unissant les deux types de syllabe (l'un étant l'inverse de l'autre) sera rendu sensible objectivement si nous menons notre enquête sur le plan des *traits acoustiques*. En effet, [i] est la voyelle dont le second formant est le plus *élevé* de toutes les voyelles ; par oposition à [a], elle est aussi la représentation la meilleure de la voyelle « diffuse ». Quant à la consonne (nous ne revenons pas sur le fait d'assimilation progressive du [k] sur [ʀ], elle est *neutre*, sur le plan de la *fréquence* ; c'est dire que ses formants de transition sont reliés dans le registre de la parole à des notes intermédiaires, entre celles des labiales, basses, et celles des dentales, hautes. A cette position moyenne correspond, sur le plan de l'*intensité*, le terme polaire « compact ». Ainsi [k] s'oppose à [t], comme [a] s'oppose à [i], chacun dans son ordre. La répartition inverse des traits d'une syllabe à l'autre pourra être figurée de la façon suivante : áb (aigu/diffus) + (neutre/compact) → bá (neutre/compact) + (aigu/diffus).

VI. Points d'équivalence

De ces remarques sur le niveau 3 deux conclusions se dégagent :

1) les composants phoniques de la syllabe ont les caractères de l' « inharmonie » ;

2) le rapport de vers à vers, sur ce point précis de la chaîne, est un rapport d'équivalence formelle.

La première conclusion permettra d'établir une correspondance entre le niveau 3 et le niveau 4. Nous dirons que la relation sémantique /sujet → objet/ dont nous avons fait état plus haut sera qualifiée par un classème dénommé tentativement /musique/ dont la *modalité* sera l'/inharmonie/ (nous plaçons entre traits obliques les termes du métalangage descriptif). La deuxième conclusion peut servir à marquer l'interrelation formelle des niveaux 1 et 2 d'une part et 3 de l'autre. Ainsi, en tenant compte des deux termes analysés à chaque niveau : équivalence *syntaxique* entre le verbe de la phrase 1 et le verbe de la phrase 2 ; équivalence *métrique* de ces deux mots placés identiquement en tête de vers ; équivalence *syllabique* et *phonique* ; équivalence *sémantique*, enfin, nous sommes autorisé, pensons-nous, à présenter l'homologation des quatre niveaux sous la forme conventionnelle : *a* est à *a'* (syntaxe) comme *b* est à *b'* (métrique), *c* à *c'* (prosodie et phonétique), *d* à *d'* (sémantique). Mais il faut reconnaître en même temps que nous avons réussi à coupler des *points* d'équivalence et pas davantage. Autrement dit, nous n'avons pas les moyens de proposer un *système* d'équivalences. Il y a à cela plusieurs raisons. La plus déterminante, à notre avis, est que nos connaissances linguistiques sont très inégales selon le niveau choisi : peut-être suffisantes en syntaxe ou en acoustique, elles sont très modestes en sémantique et en prosodie. Encore faut-il fixer des objectifs raisonnables. Il n'est que de voir à quelles réductions s'astreint la linguistique formelle (mathématique) pour mieux apprécier la distance qui sépare les points de vue [18]. Avancer la notion de système, ce serait prétendre connaître les éléments constitutifs de chaque ensemble à un niveau donné et les règles sous lesquelles l'ensemble considéré est formé. Il faudrait ensuite préciser le statut d'un niveau par rapport à l'autre et, peut-être, embrasser en fin de course l'ensemble des règles assurant la description correcte du système linguistique. Il est bien clair que c'est, pour l'instant, une ambition démesurée. L'analyste mathématicien désireux de traiter le langage comme une structure algébrique est obligé de se situer fort loin des conditions d'effectuation du système. Autrement

18. On remarquera également que nous excluons l'étude du comportement phono-acoustique ; « le geste oral », comme disait P. Claudel, implique un autre type de recherche.

dit : « Il faut répéter que les systèmes qui se sont révélés susceptibles d'une étude abstraite sérieuse sont, sans aucun doute, inadéquats pour traduire toute la complexité et toute la richesse des procédés syntaxiques qu'utilisent les langues naturelles [19]. » Se borner à la recherche des points d'équivalence n'est cependant pas un objectif méprisable. Il suffit de noter les résultats obtenus avec un outil pourtant bien imparfait. On ne doit pas non plus se laisser impressionner par l'introduction en force de l'appareil mathématique. Le travail de description et la formalisation ne seront jugés satisfaisants que si les mécanismes construits reflètent aussi simplement que possible les facultés linguistiques d'un sujet parlant sa langue naturelle. Ce que nous savons actuellement ne permet pas de préjuger le succès ou l'échec de la tentative mathématique. Si le linguiste ne peut rivaliser en toute circonstance, bien entendu, avec la rigueur de l'algébriste, il n'y a pas lieu cependant de juger ses méthodes caduques. Il est légitime bien au contraire de les considérer comme validées lorsqu'elles répondent au double souci d'*efficacité* et d'*économie*. Elles doivent donc, pour le moins, *a*) améliorer la connaissance des *systèmes logiques* qui sous-tendent le fonctionnement du langage ; *b*) lorsqu'il s'agit d'un texte, en assurer la *lisibilité* ; *c*) au plan métathéorique, définir des procédures aisément *reproductibles*.

VII. Systèmes de description

Le point *a*) implique une meilleure identification des unités de phrase et des unités de discours. La notion de synapsie renouvelle, par exemple, la nomenclature des constituants de phrase [20]. Ceci nous rappelle que la langue n'est connue qu'au travers de l'activité métalinguistique du chercheur. Si l'on ajoute qu'une description dépend du point de vue choisi, il sera nécessaire d'*évaluer* les résultats présentés en fonction de la théorie qui les

19. N. Chomsky, G. A. Miller, *L'analyse formelle des langues naturelles*, Paris, 1968, p. 168.
20. Elle nécessite une opposition nouvelle, de caractère sémantique, entre catégorie (composition synaptique) et espèce (composition ordinaire) ; cf. E. Benveniste, *BSLP*, LXI (1966), pp. 91-93. On se souvient que Katz et Fodor croient pouvoir constituer un dictionnaire formel sur la base de la composition (*Cahiers de Lexicologie*, 1966, II, 67).

fonde. Ainsi, pour en rester au niveau 3 (phonique et prosodique), selon les systèmes mis en place les descriptions peuvent varier considérablement. Telle unité change entièrement de statut d'une analyse à l'autre. Le son [R] reconnu comme une liquide par R. Jakobson devient une glide après l'analyse scientifique (expérimentale) menée à bien ces dernières années par P. Delattre. La question se pose maintenant de savoir comment articuler ce système à trois classes (consonnes, voyelles et sonantes[21]) avec le système traditionnel à quatre classes des *Preliminaries to Speech Analysis* de R. Jakobson, Fant et Halle (consonnes, voyelles, liquides et glides). Des règles de phonologie générative devront sans doute être repensées[22]. Sur le plan qui nous occupe, celui de la description d'un texte poétique, le choix se fera entre deux modèles contradictoires du son [R] :

Traits	Classement articulatoire [R] liquide	Classement acoustique [R] glide
consonantique . .	+	+
vocalique	+	—
continu	—	+

Le premier type de classement est utilisé par N. Ruwet[23]. On peut se demander pour quel modèle opter. Avant de répondre, il faudrait éprouver le modèle acoustique, ce qui n'a pas été fait, et délimiter le domaine de validité des deux systèmes. Par contre, il est possible dès maintenant de noter les défauts des modèles matriciels qui nous sont proposés et d'en tirer quelques conclusions. Le plus grave est sans doute leur hermétisme. Un lecteur de bonne volonté devrait pouvoir sans trop de mal interpréter les données phonologiques. Nous mettons en doute que le lecteur de N. Ruwet dans l'étude citée y réussisse promptement. Nous voyons une raison

21. Les sonantes incluent les nasales et les glides. Une glide ne comporte ni « bruit », ni « discontinuité » et une bande périodique relie chaque formant de transition.
22. Cf. l'étude de S. A. SCHANE sur « L'élision et la liaison en français », *Langages,* 8 (1967), particulièrement pp. 39-40.
23. Dans * « Limites de l'analyse linguistique en poétique », in *Langages,* 12 (1968), p. 58.

à ce manque : la faiblesse des *définitions*. Par exemple, quelle valeur attribuer aux traits /compact/ et /diffus/? L'opposition entre eux est fondamentale si l'on en croit Jakobson [24]. Elle n'en est pas moins imprécise. J. Mac Cawley dans son article sur *Le rôle d'un système de traits phonologiques dans une théorie du langage* esquisse un historique des avatars de cette opposition [25]. Voici l'utilisation qui en est faite par N. Ruwet (*op. cit.*) pour l'analyse des *consonnes* [ʒ], [p], [f], [k] et des *voyelles* [u], [y], [ɔ̃], [œ]. L'auteur entend décrire « avec une grande précision » la structure phonique du vers célèbre :

Le jour n'est pas plus pur que le fond de mon cœur.

Soit, en considérant deux des quatre variations *systématiques* retenues par N. Ruwet [26] :

	ʒ	u	p	y	f	ɔ̃	k	œ
compact	+	—	—	—	—	—	+	—
diffus	0	+	—	+	—	—	0	—

Les deux références de l'analyse semblent être l'étude de R. Jakobson extraite des *Selected Writings* de 1962 et le livre de M. Halle : *The Sound Pattern of Russian* (1959). Dans le système de Halle, « les consonnes [+ diffus] sont marquées [— compact] et les consonnes [— diffus] sont marquées [+ compact] [27] ». Ainsi [p] ne devrait pas être [— compact] et [— diffus]. Pourquoi l'auteur a-t-il retenu néanmoins deux dimensions (compact et diffus)? Et s'il est vrai que deux dimensions sont utilisées, il reste à nous expliquer pourquoi le segment [ʒ], par exemple, n'est pas spécifié par rapport au trait diffus. En effet, autant [ʒ] et [k] sont [+ compact], autant [p] et [f] sont, en principe, [+ diffus]. La notation attendue serait donc pour [p] et [f] [+ diffus] et [0 compact]. Du côté des voyelles, chacune spécifiée par deux traits, rien de très clair non plus. Sans doute, il est possible d'introduire un moyen terme dans l'analyse. Les médianes ([œ], [ɔ̃], ici) sont alors

24. Le chapitre « Phonologie et phonétique » des *Essais de linguistique générale* est extrait du vol. I des *Selected Writings*, La Haye 1962.
25. Cf. *Langages*, 8 (1967), pp. 112-123.
26. A savoir : compact/non compact, continu/discontinu, grave/non grave, diffus/non diffus.
27. J. MAC CAWLEY, *op. cit.*, p. 116.

[— compact] et [— diffus]. Faut-il comprendre cependant qu'une voyelle « diffuse » comme [u] est marquée d'une manière redondante [+ diffus] et [— compact]? Si oui, on s'étonne que le même raisonnement ne vaille plus pour [p], traditionnellement l'analogue de [u]. Ces quelques exemples suffiront à illustrer nos difficultés de lecture. Nous ne sommes pas certain qu'elle aura été plus aisée pour d'autres. Admettons cependant l'insuffisance des définitions comme un mal inévitable dans la mesure où sont combinées, sans la rigueur nécessaire, les données de la physiologie articulatoire et celles de l'acoustique [28]; admettons aussi que ces tâtonnements ont leur importance épistémologique ; il reste une difficulté d'ordre à la fois théorique et méthodologique : comment à partir de traits *phonologiques* « décrire » une structure *phonique?* Les plans sont tout différents : l'un renvoie au texte manifesté, l'autre à la structure textuelle. Dès lors, le modèle acoustique, par son moindre écartement des modèles de surface, nous paraît beaucoup plus approprié que n'importe quel autre à l'analyse du texte manifesté. N. Ruwet voit (*op. cit.*) dans « les relations d'équivalence dégagées dans (son) analyse phonologique du vers de Racine [...] une illustration » du principe de projection de l'axe paradigmatique sur l'axe syntagmatique. L'imprécision des définitions comme l'inadéquation du modèle phonologique motivent à nos yeux, bien au contraire, une grande réserve. Si nous nous sommes étendu sur cet aspect de la description, c'est qu'il est généralement peu discuté par manque d'informations. En outre, le niveau phonique était un des plans, répétons-le, où la linguistique pouvait « d'ores et déjà » procéder à des descriptions « d'une grande précision, et, du même coup, discréditer certaines hypothèses, ou en mettre d'autres en relief [29] ». Il faut en rabattre, en fait, et construire avec patience un *objet* qui, encore une fois, *n'est pas une donnée.*

VIII. Dissonances et consonances prosodiques

Une telle construction offre d'ailleurs de sérieuses difficultés. Les connaissances acquises ne nous permettent pas, par

28. *Ibid.*, p. 118.
29. N. Ruwet, *op. cit.*, p. 57.

exemple, d'analyser correctement le rapport entre *syllabe inaccentuée* et *syllabe accentuée.* Rappelons-nous l'exemple III. La description concernait les segments accentués des lexèmes *crient* et *musiquent.* Comment définir le statut de la première syllabe inaccentuée [my —] et l'équilibre entre les deux voyelles fermées [y] et [i], entre les trois consonnes [m], [z], [k], entre les consonnes et les voyelles, enfin entre l'expression sonore elle-même et la signification du lexème ? Nous sommes davantage armés pour travailler sur des termes moyens que sur la chaîne acoustique proprement dite. Il est donc indispensable d'avancer nos hypothèses avec une extrême prudence.

Est-ce un hasard? Les vers *isolés* cités par N. Ruwet [30] se terminent par une voyelle longue suivie de [ʀ] :

Malherbe : Et les fruits passeront la promesse des fleurs.
Racine : Le jour n'est pas plus pur que le fond de mon cœur.
Baudelaire : Le navire glissant sur des gouffres amers.

L'une des raisons de la vie seconde que certains vers mènent en dehors de leur contexte dans la mémoire du public pourrait bien être leur charge *harmonique*, calculée en fonction de la présence, de l'intensité et de la durée des ondes périodiques. On remarquera que la syllabe finale de chaque vers comporte une voyelle ouverte qui sous l'accent s'allonge devant une sonante. Il ne serait peut-être pas absurde de dire, mais il faudrait de nombreux examens pour esquisser une démonstration, que dans le mot [myzik], le mouvement est inverse : successivement les sons du dissyllabe passent du plus sonore au moins sonore pour les consonnes et du moins aigu au plus aigu pour les voyelles :

Consonnes	sonante [m]	⟶	constrictive [z]	⟶	occlusive [k]
Voyelles	[y]	⟶	[i]		

Il suffit de faire un pas de plus pour voir dans le mot [myzik] une sorte d'idéogramme, de figure sonore paradoxale du passage

30. « Sur un vers de Ch. Baudelaire », in *Linguistics,* 17 (1965), pp. 70, 74 ; « Limites de l'analyse linguistique en poétique », *op. cit.*, p. 57.

de l'harmonie à son contraire. Ainsi [ʒú :ʀ] et [nɥí] pour Mallarmé avaient étrangement échangé leurs qualités phoniques naturelles. Il n'est pas besoin de poursuivre : le lecteur s'est déjà rendu compte que de tels exercices sont périlleux, faute d'un savoir correctement établi. On pourrait aussi observer que cette représentation de l'harmonie est bien traditionnelle. Mais, justement, nos critiques choisissent des auteurs traditionnels et, dans cette perspective, les références au rôle de la « modulation dans une composition musicale [31] » ou encore à l'économie d'un « mouvement de sonate [32] » leur paraissent aller de soi. Nous les pensons aventurées. S'il n'est pas impossible de décrire le système des sons, avec, il est vrai, une marge d'incertitude ; s'il est évidemment beaucoup plus hasardeux de chercher à caractériser, par exemple, les *dissonances* (ou discordances) de G. Apollinaire en les opposant aux *consonances* de Racine ou de Baudelaire, nous restons, ce faisant, dans les limites de la langue. Mais comment valider le passage d'un système de signes et de règles, objet d'étude de la linguistique, à un autre « système » sémiotique, comme l'esthétique ? Nous ne le savons pas. Pour les mêmes raisons, le linguiste se doit, en bonne politique, d'accueillir avec quelque réserve les trouvailles de l'analyste-poète [33] qui fait du *nénuphar* (Victor Hugo : « Dans l'a*ff*reux cimetière *F*rémit le nénu*ph*ar... ») « une efflorescence irrésistible, car ' nénuphar ' est l'ouverture syllabique d' ' affreux ', ouverture phonétique et ouverture métaphorique... » Certes, le lecteur sensible au fait poétique appréciera le commentaire, mais le linguiste ne s'inclinera que devant une démonstration. A l'occasion d'un fait semblable et pour corroborer comme en passant une équivalence sémantique entre « les amoureux *fer*vents » (vers 1) et « les chats [...] *fri*leux » (vers 4), R. Jakobson et Cl. Lévi-Strauss se contentent de noter la paronomasie [fɛʀ ... fʀi]. En effet, une analyse linguistique incluant les phonèmes ne nous permet pas d'aller plus loin. Par contre, un analyste adoptant

31. R. Jakobson et Cl. Lévi-Strauss, « *Les Chats* de Ch. Baudelaire », *op. cit.*, p. 19.
32. N. Ruwet, « Limites de l'analyse linguistique en poétique », *op. cit.*, p. 70.
33. H. Meschonnic, « Problèmes du langage poétique de Hugo », *op. cit.*, p. 136.

le « langage critique moniste [34] », saurait-il se refuser au plaisir d'ajouter qu'il y a chez Baudelaire à l'inverse de chez Hugo non plus « efflorescence irrésistible » mais « repliement irrépressible » ? La formule est parodique, nous le savons, mais nous ne la croyons pas impossible. Disons que pour éviter tout abus de métalangage, obligation est faite au descripteur de justifier ses formules, ce qui ne laisse pas de poser, à chacun, bien des problèmes de définition...

IX. Les faiblesses de la description linguistique

Le premier objectif proposé était d'améliorer la connaissance des systèmes logiques qui sous-tendent le fonctionnement du langage. Or, les exemples cités dans les pages précédentes ont montré *a*) que les données de l'analyse acoustique concernant le français étaient soit ignorées, soit inexploitées ; *b*) que les définitions attachées aux théories linguistiques « modernes » étaient fluctuantes et souvent contradictoires ; *c*) que le discours de type métalinguistique utilisé par les analystes n'était, trop souvent, ni vérifiable ni reproductible.

Comme, en général, ces inconvénients s'additionnent, la description linguistique du fait poétique, bien loin d'être rigoureuse comme elle devrait l'être, est entièrement ou partiellement arbitraire. Rappelons les raisons les plus manifestes de cet échec :

1) Les connaissances linguistiques d'inégale valeur suivant le niveau considéré. L'acoustique est devenue, grâce à P. Delattre en particulier, une science expérimentale [35] ; les autres niveaux de la langue relèvent de la théorie et sont soumis de ce fait au critère évaluatif de la simplicité et de la généralité. La disparate est suffisamment prononcée pour rendre problématique la tentative « moniste », en soi idéale, d'H. Meschonnic.

34. H. Meschonnic, « Pour la poétique », in *Langue française,* 3 (1969), p. 19.

35. Ajoutons que l'article de 1968 de P. Delattre amène à corriger plusieurs développements du texte paru en 1965. P. Delattre n'a pas eu le temps de composer comme il le désirait un « Manuel d'acoustique à l'usage des poètes ».

2) L'habitude quasi générale de considérer le fait poétique comme déjà identifié et par conséquent reconnaissable. Il ne reste plus que des problèmes d'explicitation, tâche dévolue à une « poétique générative[36] ». Les « poèmes » mécaniquement engendrés seront acceptés ou rejetés par les lecteurs suivant qu'ils les jugeront fidèles ou non aux règles de la poétique. C'est prendre, nous semble-t-il, le problème à l'envers et il n'est pas certain que cette démarche, partant de trop loin (cf. les réserves de N. Ruwet, 1968, *op. cit.*), puisse nous apprendre à identifier le poétique.

3) La sélection de textes versifiés, comme si la poésie, par nature, devait se conformer à des patrons métriques. Souci d'homogénéité, dit J. Cohen[37]. Une telle sélection nous semble dictée, au contraire, par un certain type de culture où la rhétorique avait la part belle. Le phénomène du « poème en prose » et, plus généralement, des textes contemporains, réputés inclassables, est alors escamoté ; inversement, les premiers textes d'étude (Baudelaire, Louise Labé...) non seulement sont versifiés, mais surabondent d'éloquence. Faut-il le dire ? Il n'est nullement prouvé que ces deux aspects soient significatifs de la poésie. Le choix, enfin, de vers isolés pose d'intéressants problèmes psychologiques, mais la démarche ne manque pas de paraître boiteuse lorsque, pour les séparer de leur contexte, quelque artifice est nécessaire.

L'entreprise de description, après ces critiques, est-elle désespérée ? Certainement oui, si l'analyste se plaît à multiplier les difficultés par une méconnaissance, volontaire ou non, de la limite de ses pouvoirs. Il est raisonnable par contre de chercher des *domaines de validité* et de s'y tenir. Le principe d'équivalence est efficace dans son emploi : la *reconnaissance des modèles de surface*. Grâce à lui, il est possible d'identifier et de décrire, de niveau à niveau, des unités homologables. Son application stricte est de plus une garantie du caractère explicite de la démonstration. Mais son champ d'action est étroit : capable de révéler des *points* d'équivalence et de juxtaposer d'innombrables cas d'es-

36. Voir, dans *Essais de sémiotique poétique*, pp. 180-206, T.A. VAN DIJK, * « Aspects d'une théorie générative du texte poétique ».
37. Dans *Structure du langage poétique*, Flammarion 1966, p. 11.

pèce, il est tout à fait impropre à constituer un *système d'équivalences.*

X. Pour une grammaire du discours poétique

On a dû noter, sans doute, que les descriptions que nous avons commentées obéissaient, au moins implicitement, à une idée directrice : la recherche de la signification. Cependant, faute de modèles sémantiques suffisamment élaborés, elle ne peut qu'achopper. La réflexion linguistique a mis l'accent ces dernières années sur la nécessité d'*analyser avec rigueur les divers systèmes sémiotiques* et, plus généralement, de poursuivre l'étude des « rapports logiques... reliant des termes coexistants et formant système [38] ». Ainsi l'analyse de la langue effectuée nous confronte à une *logique organisatrice* et non à un choix arbitraire (E. Benveniste). Sur le plan transphrastique, d'autres modèles logiques sont nécessaires. La réflexion sur une grammaire du discours poétique se situe, nous semble-t-il, à un niveau intermédiaire entre les modèles de surface et les modèles que nous appellerons fondamentaux. Son objet est de définir un ensemble de règles de discours non redondantes et peu nombreuses (une axiomatique). Il est vraisemblable que le système logique des *Illuminations* de Rimbaud, par exemple, est très *lacunaire*. On remarquera que S. R. Levin a fait, de son côté, une constatation du même ordre concernant les modèles de surface (« in a poem a specially restricted kind of code is usual [39] »). Des règles de combinaison seront proposées, puisqu'il s'agit « de spécifier, puis de prévoir les arrangements particuliers à un type de discours [40] ». C'est une voie parmi d'autres pour la caractérisation du fait poétique. Avantage concret qui comptait parmi les objectifs à atteindre : la connaissance du code permet de *lire* le texte analysé (*lire* signifiant : reconnaître un vocabulaire et une grammaire, c'est-à-dire des unités et des

38. SAUSSURE, *Cours de linguistique générale,* Paris, 1964, p. 140.
39. S. R. LEVIN, *op. cit.,* p. 41 : « dans un poème on utilise un type de code particulièrement restreint ».
40. Voir *supra,* p. 77.

classes, leurs règles d'agencement [morphologie] et de fonctionnement [syntaxe]). Le rôle de la lecture est donc ici de valider la théorie. Si cette procédure a l'avantage de présenter les éléments d'une typologie du discours poétique sans perdre de vue le texte manifesté, elle ne peut éviter le recours à des modèles fondamentaux seuls capables de subsumer l'ensemble des propriétés du fait poétique. D'où l'espoir de J. Kristeva de trouver dans la structure orthocomplémentaire de Dedekind un instrument de travail lui permettant de « rendre compte de cet incessant va-et-vient entre le logique et le non-logique, le réel et le non-réel, l'être et le non-être, la parole et la non-parole qui caractérise ce fonctionnement spécifique du langage poétique (qu'elle a appelé) *écriture paragrammatique* [41] ». Ajouter le projet de grammaire narrative d'A.-J. Greimas donnerait peut-être l'impression que ce dernier modèle fondamental a la puissance nécessaire pour effectuer toutes les opérations prévues aux niveaux antérieurs [42]. Ce serait être dupe des mots que nous employons. En fait, chaque théorie dessine son domaine de validité sans prévoir automatiquement un passage de l'une à l'autre ; *a fortiori* elles ne sont pas traduisibles l'une dans l'autre. Situés à des niveaux différents, leurs présupposés sont souvent incompatibles et les critères d'évaluation ne sont pas les mêmes. Pour nous (*supra*, p. 89), le critère de lisibilité est applicable et répond au désir d'efficacité que nous exprimions en commençant cette étude ; pour J. Kristeva (*op. cit.*), la théorie multiplie les champs de réflexion et allie les contradictoires ; elle échappe de ce fait, par sa disparité même, au critère de falsifiabilité. C'est une tentative qui se situe volontairement hors de la pensée scientifique traditionnelle. On pourrait en dire autant de l'orientation qu'H. Meschonnic a donnée à sa recherche. Par contre, les critères de simplicité et de généralité s'appliquent fort bien à la théorie exposée par A.-J. Greimas dans *L'Homme,* 1969. Il reste à prouver que d'une telle axiomatique peuvent se déduire des théorèmes (des phrases).

Si l'on se réfère à l'état d'avancement des études poéti-

41. Dans « Poésie et négativité », in *L'Homme,* 2 (1968), p. 54.
42. « Eléments d'une grammaire narrative », in *L'Homme,* 3 (1969), pp. 71-92.

ques, il n'y a pas de raison d'être particulièrement optimiste, ni cependant de s'étonner. Suivons en cela la leçon fondamentale de Saussure : la recherche ne consiste pas à combiner en système des éléments préalablement connus. S'il en était ainsi, on aurait lieu de s'inquiéter des retards pris à la description. La recherche consiste, tout au contraire, à *lier l'identification des unités à la connaissance des modèles logiques qui les intègrent*. C'est la démarche même du *Mémoire*, déjà cité, et c'est celle qui nous semble, dans l'état actuel de notre savoir, la plus « scientifique » et la seule qui s'impose.

RÉSUMÉ

Lire un texte est une opération qui présuppose la délimitation de *n* champs de validité. Une lecture « totale » est utopique.

Le principe d'équivalence est opératoire lorsqu'il s'agit de constituer des modèles de surface (linguistique de la phrase).

L'analyste change de plan s'il veut décrire les structures de discours. De nouvelles procédures sont alors nécessaires et avec elles d'autres articulations logiques et sémantiques et d'autres modèles (linguistique du discours).

L'analyste veillera enfin à ce que les procédures utilisées obéissent aux critères d'économie, de vulnérabilité et de reproductivité.

6 SÉMANTIQUE DU DISCOURS POÉTIQUE*

« Les Colchiques » de Guillaume Apollinaire

Le pré est vénéneux mais joli en automne
Les vaches y paissant
Lentement s'empoisonnent
Le colchique couleur de cerne et de lilas
Y fleurit tes yeux sont comme cette fleur-là
Violâtres comme leur cerne et comme cet automne
Et ma vie pour tes yeux lentement s'empoisonne

Les enfants de l'école viennent avec fracas
Vêtus de hoquetons et jouant de l'harmonica
Ils cueillent les colchiques qui sont comme des mères
Filles de leurs filles et sont couleur de tes paupières
Qui battent comme les fleurs battent au vent dément

Le gardien du troupeau chante tout doucement
Tandis que lentes et meuglant les vaches abandonnent
Pour toujours ce grand pré mal fleuri par l'automne

(Ce texte est disposé selon l'édition Gallimard, Bibliothèque de la Pléiade, 1965, p. 60.)

« Les démonstrations sont les yeux de l'âme. »
SPINOZA.

Notre projet étant de nature linguistique, nous rappellerons dès l'abord qu'une langue est une structure informée de

* *Littérature,* 6 (1972). Ce texte a également été publié par le *Centro Internazionale di Semiotica e di Linguistica,* Università di Urbino, prépublication n° 13, 1972 (avec une note de Maria VAILATI).

signification (E. Benveniste) ; que le « sens » n'est pas un donné mais que toute lecture suppose une construction et une théorie.

Lire, ce sera pour nous *reconnaître une distribution ordonnée d'unités et de classes de signification.* Autrement dit, il s'agit de mettre en place un système relationnel traduisant au plus juste le fonctionnement sémantique des *Colchiques.* Ajoutons que notre objectif ne serait pas tout à fait atteint, si nous n'étions pas capable de proposer, ne serait-ce que tentativement, quelques éléments d'une *typologie du discours* poétique de G. Apollinaire. Nous entendons par là que notre étude doit être, à certains moments, suffisamment abstraite pour nous permettre de dégager des *schémas structurels* utiles à la lecture d'autres textes relevant du même langage (du même système secondaire).

Pratiquement, le linguiste désireux d'analyser le discours poétique a le choix aujourd'hui entre trois grandes voies de recherche, d'ailleurs inégalement fréquentées : les deux premières conduisent à la *sémantique générative* et à la *sémanalyse* ; l'autre, à la *sémantique structurale.* Si nous faisons ce partage, c'est qu'à dire vrai les trois disciplines n'en sont pas au même stade de développement. La sémantique générative et la sémanalyse, en effet, ne bénéficient pas encore des applications systématiques qui nous permettraient d'en apprécier la fécondité. La dernière, la plus avancée et de beaucoup la moins ambitieuse, a fourni d'ores et déjà un grand nombre de descriptions et suscité bien des commentaires critiques.

Nous avons voulu à notre tour, sur un texte souvent commenté, éprouver les procédures de cette sémantique, dessiner un domaine de validité, nous servir de méthodes économiques, répétables et vulnérables, c'est-à-dire soumises à évaluation logique, et finalement, forcer, au moins sur le plan de la linguistique du discours, l'intelligibilité du texte.

Pour la construction de nos modèles interprétatifs, nous nous sommes fondé sur l'étude et la mise en rapport de trois niveaux hiérarchisés. C'est en fonction du niveau dominant, les *relations sémantiques* (ici, uniquement, sujet/objet ou agent/patient), que seront considérés comme marqués les traits distinctifs de l'*énoncé* (plans phonique et prosodique, grammatical et lexical) et ceux de l'*énonciation*, en particulier, dans notre texte, les référentiels à une situation de discours.

*

Appliquée aux premiers vers, l'analyse prédicative nous permet de transposer l'énoncé :

« Les vaches y paissant
Lentement s'empoisonnent »

sous la forme d'une relation sémantique comportant une fonction réfléchie, *f*, /se tuer/, et un aspect non accompli, *na* (temps présent ; adverbe « lentement »).

Soit :

I) f_{na} /tuer/ [les vaches ; elles-mêmes (sujet) (objet)]

Ces deux vers n'en formaient qu'un dans la version originale de 1907[1]. La coupure en deux hémistiches entraîne un boîtement de la rime, sans que le vers cependant se défasse tout à fait. Un jeu compensatoire insistant sur les assonances et les allitérations maintient une unité :

pɛ - sɑ̃ || lɑ̃ - tə - mɑ̃ - sɑ̃ - pwa - zɔn

La cohésion de l'énoncé est encore assurée par la répartition en chiasme des accents, portant sur une voyelle orale ([á] de *vaches)*, une nasale ([ɑ̃́] de *paissant)*, une nasale ([ɑ̃́] de *lentement)* et une orale ([ɔ́] de *s'empoisonnent*).

On remarquera que les notes de résonance de ces quatre voyelles, moyennes ou mates [a] et mi-basses ou mi-graves [ɑ̃,ɔ], facilitent un effet de synesthésie : « la tonalité sourde des phonèmes graves [est associée] avec la pesanteur » comme, dans d'autres textes, « la tonalité vive des phonèmes aigus [est associée] avec la légèreté[2] ».

NB. Avec P. Delattre (« Les attributs physiques de la parole et l'esthétique du français », *Revue d'esthétique,* XVIII, 1965, p. 240,

1. Cf. M. Décaudin, *Le dossier d' « Alcools »*, Paris, Minard, 1965, pp. 107-108.
2. R. Jakobson, « A la recherche de l'essence du langage », *Diogène 51* (1965), p. 35. L'auteur néglige la distinction phonème *vs* son.

et « La radiographie des voyelles françaises et sa corrélation acoustique », *French Review,* XLII, I, 1968, p. 61), nous distinguerons les attributs physiques de la parole (fréquence, intensité, durée) de leurs corrélations subjectives. Ainsi, pour la fréquence, un accord de notes élevées paraît aigu. D'où ce tableau simplifié :

Objectif	Subjectif
fréquence	*timbre*
élevée	/aigu/
moyenne	/mat/
basse	/grave/

Grammaticalement, l'ordre /déterminé + déterminant/ du vers 2 (Les vaches (déterminé) y paissant (déterminant)) s'inverse au vers 3 : /déterminant + déterminé/ (Lentement s'empoisonnent) : autre chiasme. De même, si l'on considère maintenant la disposition typographique, on voit l'une au-dessus de l'autre les syllabes en écho[3] :

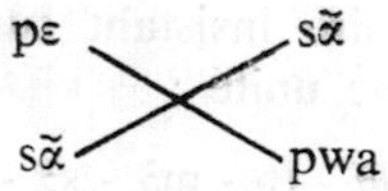

Toutefois, l'hémistiche « Lentement s'empoisonnent » (v. 3) est devenu, d'une version à l'autre, une séquence autonome. Prosodiquement, il se distingue du vers 2. En effet, rythmiquement égal, il repose sur une mesure à trois temps notée par Apollinaire sous la forme conventionnelle de l'anapeste / ʊʊ - /[4]. On sait qu'une telle mesure, qui sert de base au tétramètre classique, est propre à ralentir le débit du discours. Nous noterons, de plus, que le vers 7, conclusif de la strophe 1 et le vers 15, conclusif du poème, adoptent le même patron rythmique.

NB. Pour le vers 7, il faut signaler le léger suspens produit par l'[ə] instable (P. Delattre) de vie [víə] : « les muettes peuvent être prononcées mais pourraient ne pas l'être... », dit Mme M. J. Durry, (*Guillaume Apollinaire, Alcools,* SEDES 1964, II, 151) ; cf. aussi H. Bonnard, *Etude du langage poétique*, Ed. Barré-Touquet, 1967, ch. 2. Il n'est d'ailleurs pas un des termes employés en ce domaine (égalité rythmique, mesure à trois temps, tétramètre...) qui ne soient aisément piégés. Le livre d'H. Meschonnic (*op. cit.*, p. 72) contient à ce sujet d'utiles mises en garde.

3. « Echo entravé » pour [pɛ/pwa] selon la proposition d'H. MESCHONNIC, *Pour la poétique,* Gallimard 1970, p. 82, note.
4. M. DÉCAUDIN, *op. cit.*, pp. 16-17.

Si nous voulons rassembler ces notations et en proposer la correspondance subjective, nous dirons que le vers 3 (le groupe verbal qui a fourni la fonction et l'aspect) est de timbre voilé (nasalité), plutôt grave (accord des notes de résonance), de forme récurrente (allitérations, assonances) et de rythme égal et lent (anapeste). C'est donc l'étude de l'axe des conventions (S. R. Levin) qui nous fournit peut-être un début de justification de ce que nous ressentons intuitivement comme un accord entre la forme linguistique et le référent (l'univers sémiologique).

En effet, si l'arbitraire du « signe » linguistique est la règle, il existe dans toutes les langues des cas marginaux sur lesquels rêvent les usagers, poètes ou non. Par exemple, dans la langue anglaise, Mallarmé comme Bloomfield ou Jespersen ont noté ces *sémio-phonèmes* que sont fly, flap, flit, flutter, etc. On peut parler à ce propos de configurations sémiologiques (E. Benveniste). Si l'*isomorphisme* systématique est utopique, il n'en reste pas moins que sur tel ou tel point précis de la chaîne du discours, le poète fait comme si une motivation du signe était réalisable [5].

Nous admettrons donc, avec les réserves nécessaires, que le vers 3 postule une correspondance biunivoque entre la forme linguistique (contenu et expression) et le référent ; ou encore, en restreignant notre point de vue à la forme de l'expression, que le rythme et le timbre conjoints offrent une modalité « musicale » appropriée à la fonction non accomplie que nous avons posée.

Si nous cherchons non des termes mais des *relations*, l'identité formelle des vers 3 et 7 suscite maintenant notre intérêt. Nous l'avons dit, c'est le même patron rythmique ; c'est en partie le même lexique ; c'est enfin la première fois qu'apparaît le rapport Je/Tu (« *Ma* vie pour *tes* yeux... »). Il est clair que la formulation suivante est dès lors possible : de même que les vaches s'empoisonnent lentement, de même celui qui dit *Je*, le poète (que nous désignerons symboliquement par *Ego*) s'empoisonne lentement. Soit :

II) f_{na} /tuer/ [Ego ; lui-même]

5. Sur l'isomorphisme compris comme l'une des tâches de la poétique, voir J.-C. CHEVALIER, « *Alcools* », *d'Apollinaire. Essai d'analyse des formes poétiques,* Paris, Minard, 1970, pp. 98 et 105.

A ce stade de l'analyse, il est sans doute avantageux de substituer à ces deux fonctions réfléchies une fonction transitive comportant un *agent* et un *patient* distincts. Nous y sommes conduits par l'étude des équivalences. En effet, les *yeux* et les *colchiques* reçoivent même fonction et même qualification. Les deux termes peuvent donc se définir l'un par l'autre ; le colchique a « Couleur de cerne » et les yeux sont « violâtres comme [le] cerne » des colchiques. Notons qu'à partir du vers 4 nous entrons dans un univers mythique. C'est le seul univers où il soit possible de coordonner deux attributs appartenant à deux *isotopies* contradictoires [6]. Le colchique, par l'intermédiaire de sa couleur, conjoint les catégories de /l'humain/ et du /végétal/ :

$$\frac{\text{cerne}}{\text{lilas}} \simeq \frac{\text{/humain/}}{\text{/végétal/}}$$

L'analyse de la fonction permettra de corriger ce qu'il y avait d'ambigu dans l'écriture de la relation I). Les vaches ne s'empoisonnent pas elles-mêmes, mais sont empoisonnées *par* les colchiques. Si nous changeons d'isotopie, nous présenterons l'agent sous une autre forme syntaxique : ma vie *pour* tes yeux s'empoisonne (opposition : par/pour). La fonction des *colchiques* et des *yeux* n'en reste pas moins identique, nous semble-t-il. Les *colchiques* (agent) sont aux *vaches* (patient) ce que les *yeux* (agent), c'est-à-dire *Tu*, sont à *Ego* (patient).

$$\frac{\text{/humain/} \quad \text{(majuscules)}}{\text{/non-humain/} \quad \text{(minuscules)}}$$

et

$$\left[\frac{A_1}{a_1} \text{ (agent) ; } \frac{A_2}{a_2} \text{ (patient)}\right]$$ [7],

6. Isotopie, c'est-à-dire, « faisceau de catégories sémantiques redondantes, sous-jacentes au discours considéré » (A.-J. GREIMAS, *Du Sens*, Ed. du Seuil, 1970, p. 10).

7. La proportion $\frac{x}{y}$ marque un rapport métonymique où le terme inférieur est la figure du terme supérieur.

nous résumerons ainsi les relations sémantiques de la première strophe :

$$\text{III) } f_{na} \text{ /tuer/ } \quad \left[\frac{A_1 \quad \text{(Tu)}}{a_1 \quad \text{(colchiques)}} \; ; \; \frac{A_2 \quad \text{(Ego)}}{a_2 \quad \text{(vaches)}}\right]$$

*

A cette séquence *initiale*, nous ferons correspondre la séquence *finale* [8] de façon à reconnaître s'il y a eu ou non transformation de contenu d'une séquence à l'autre. Les vers 1 et 15 serviront de repère. Dans les deux occurrences, le lieu (un pré) et le temps (l'automne) n'ont pas changé. La qualification même du *pré* est restée analogue [9], malgré la différence de construction grammaticale. En effet, là où le vers 1 coordonne (« vénéneux *mais* joli »), le vers 15 juxtapose (« mal fleuri »). Sans doute, il y a d'abord une démarche analytique et, pour conclure, une synthèse. Cependant, si nous choisissons un terme commun pour « vénéneux » et « mal », par exemple, le sémème /dysphorique/ et le sémème /euphorique/ pour « joli » et « fleuri », nous pourrons poser l'*équivalence* suivante [10] :

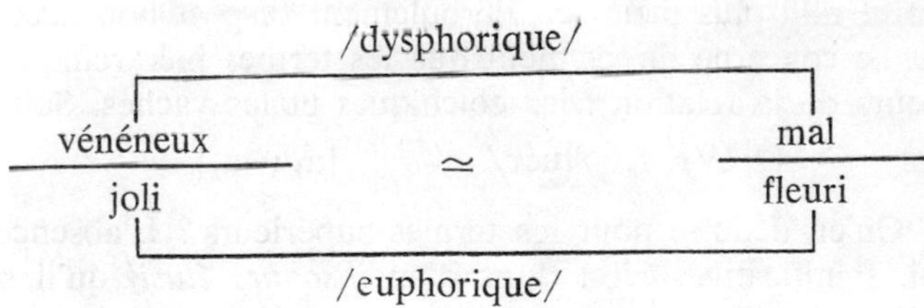

L'élément sémantique différentiel est introduit par le prédicat : « ... les vaches *abandonnent Pour toujours...* ». Du coup, une autre dimension temporelle nous est donnée. Pour

8. Cette opposition *début* vs *fin*, désormais classique, s'avère souvent opératoire comme nous nous sommes efforcé de le montrer ailleurs pour les *Illuminations* de Rimbaud ou *l'Etranger* de Camus.
9. Nous considérons la reprise de « Le pré... » par « ... ce *grand* pré... » comme une marque secondaire (cf., en linguistique, le trait d'emphase).
10. Sémème : ce terme du langage descriptif est devenu usuel. On le définira ici comme une unité sémantique complexe ; voir, plus bas, note 13.

l'analyser, il suffira de mettre en rapport les deux références au temps que comporte le texte. Soit :

$$\frac{\text{/tout/}}{\text{/partie/}} \simeq \frac{\text{pour toujours}}{\text{cet automne}} \begin{matrix}\text{(v. 15)}\\ \text{(v. 6)}\end{matrix} \simeq \frac{\text{/duratif/}}{\text{/non duratif/}}$$

Des deux interprétations possibles : (a) les vaches abandonnent pour toujours *ce* grand pré (ce qui n'exclut pas qu'elles reviennent paître d'autres prés), et (b) les vaches abandonnent pour toujours ce grand pré (parce que, empoisonnées, elles vont « mourir »), c'est cette dernière signification qui nous paraît la seule recevable, compte tenu de la logique du récit.

NB. « Une manière de récit », dit sans plus M.-J. Durry qui ne voit pas le « Pour toujours » (*op. cit.*, II, p. 154). R. Faurisson, quant à lui, glose : « ...plus tard, en fin de journée, le gardien du troupeau ramène ses vaches à l'étable *pour toujours,* c'est-à-dire pour tout l'hiver » (« Notes sur *Alcools* », *l'Information littéraire,* 1, 1967, p. 39).

Le lecteur qui nous a suivi jusqu'ici aura sans doute fait la remarque suivante : s'il est vrai que le processus de mort est considéré désormais dans son achèvement (aspect accompli, *a*) et non plus dans son déroulement (aspect non accompli, *na*), il ne concerne directement que les termes hiérarchiquement inférieurs de la relation : les colchiques et les vaches. Soit :

$$\text{IV)}\ f_a\ \text{/tuer/} \qquad [a_1\,;\ a_2]$$

Qu'en déduire pour les termes supérieurs ? L'absence est, en soi, significative. C'est donc d'un *discours élusif* qu'il s'agit. En effet, il est entendu que la mort atteint « directement » l'objet /non-humain/ (les vaches) ; mais si nous changeons d'isotopie, nous voyons que rien n'est dit sur le succès de la fonction /tuer/, et, corollairement, sur l'échec de la relation d'amour. On ne saurait donc parler en ce cas que de *mort litotique*, puisque, pour les personnes, la « mort » n'est pas posée, mais présupposée (v. *infra*, p. 129).

Arrivés à ce point de l'analyse, nous dirons que le récit est composé de deux séquences. Soit :

$$\text{V)}\quad \begin{array}{c|ll} \text{I} & f_{na}\ /\text{tuer}/ & \left[\dfrac{A_1}{a_1} ; \dfrac{A_2}{a_2}\right] \\ \hline 2 & f_{a}\ /\text{tuer}/ & \left[a_1 ; a_2\right] \end{array}$$

NB. Pour M.-J. Durry, « la dernière strophe suggère que si les troupeaux peuvent quitter le pré toxique, le poète ne peut abandonner l'être dont il sent en lui couler le poison » (*op. cit.*, II, p. 154). Le point de vue de R. Faurisson n'est pas très éloigné : « Notre gentil poète s'assimile [aux] vaches broutantes et ruminantes [...] lui aussi se plaint de ne pouvoir continuer à s'empoisonner lentement et à ruminer. » Le commentateur poursuit en donnant « l'idée » du poème : « il a bien fallu que je m'arrache à tout cela ; berçant mon cœur d'une chanson douce et triste, mais quelle peine ! — et j'entre dans l'hiver » (*op. cit.*, p. 39).

*

Le fait est paradoxal : menée sur le plan du récit, l'analyse n'a rien retenu de la seconde strophe ni du début de la troisième. Et pourtant de nouveaux acteurs apparaissent dont le statut doit être défini. Dès lors, diverses questions se posent. Allons-nous attribuer une ou plusieurs fonctions aux « enfants de l'école » et au « gardien du troupeau » ? Faudra-t-il instituer entre eux un rapport et lequel ? Vont-ils ou non occuper une place dans les deux séquences déjà décrites ?

NB. Les commentateurs littéraires font preuve ici d'une assez grande discrétion. Ainsi M.-J. Durry ignore le gardien du troupeau et ne voit qu'anecdote dans « l'irruption bruyante des écoliers » (*op. cit.*, p. 153). Pour R. Faurisson il s'agit plutôt, semble-t-il, de marquer différents moments d'un « spectacle champêtre » : la sortie de l'école d'abord, puis, « en fin de journée », le retour des bêtes à la ferme. D'autres ont vu dans la présence des enfants le signe de la jalousie d'Apollinaire envers le maître d'école de Bennerscheid (cf. M. Décaudin, *op. cit.*, p. 108). Ainsi, « la structure du poème [...] reste anecdotique, sentimentale... » (M.-J. Durry *op. cit.*, p. 154). Mais qu'est-ce, au juste, qu'une « structure sentimentale »?

Nous mettrons d'abord en relation les énoncés symétriques, après avoir fait un relevé des identités et des oppositions. Le vers 8 et le vers 13 présentent la même construction grammaticale selon l'ordre /déterminé + déterminant/ : « les enfants de l'école », « le gardien du troupeau » ; puis, de nouveau, /déterminé + déterminant/ : « viennent avec fracas », « chante tout doucement ». Nous noterons que les syntagmes nominaux ont encore le même patron rythmique (« anapestique »). L'activité de ces acteurs est, sur un point, semblable : le gardien chante ; les enfants jouent de l'harmonica (vers 9). Nous traduirons cette similitude des fonctions par un sémème, soit :

f /faire de la musique/

Et cependant, les modalités *(m)* sont opposées [11], ainsi que nous en convainc la relation lexicale entre les fins de vers : *fracas* vs *doucement*. Si le mouvement des enfants est rapide, celui du vacher, accompagnant par son chant le départ des bêtes, est supposé lent puisque les deux procès sont concomitants : il chante, « *Tandis que* lentes et meuglant les vaches abandonnent... ».

Notons encore la disposition des rimes : « fracas » rime avec « harmonica », associant ainsi, dans la forme du contenu, le bruit à la musique. La strophe 2 se termine sur le mot « dément » ; le premier vers de la strophe 3 donne la correspondance sonore : « doucement ». Les deux strophes sont ainsi opposées comme la /brutalité/ (*cf.* « fracas », « démence ») à la /douceur/ (« tout doucement »).

Nous sommes ainsi amené à tenter une qualification plus précise des modalités des deux strophes. Nous reconnaissons dans la dernière un groupement des sonorités analogue à celui que nous avions relevé et analysé dans la première strophe (vers 2-3). Les assonances y jouent aussi sur les nasales. Les voyelles sous l'accent, de timbre identique [ɑ̃], sont disposées selon l'ordre : long/bref/long/bref. Soit :

ʃɑ̃́:t. . . . . mɑ̃́ (v.13)
lɑ̃́:t. . . . . glɑ̃́ (v.14)

Pour qualifier cette chaîne sonore, nous reprendrons certains des termes qui nous avaient servi pour le vers 3 : harmonie voilée et forme vocalique récurrente. Ajoutons que si le rythme

11. On appelle *modalité* une « assertion complémentaire portant sur l'énoncé d'une relation » (E. BENVENISTE, « Structure des relations d'auxiliarité », *Acta Linguistica Hafniensia,* IX, I [1965], p. 10). Le modèle V a donné la relation primaire. Les modalités prosodiques seront considérées comme des assertions complémentaires.

« anapestique » relevé au vers 3 fait ici défaut, il est d'autres moyens d' « attarder le mouvement » (M.-J. Durry) : précisément les voyelles longues mais aussi le lexique (« lentes » renvoie à « lentement ») et l'allongement de l'alexandrin (le vers 14 comporte 14 syllabes) concourent à produire le même effet de lenteur.

En regard, les vers 8 et 9 nous paraissent bâtis sur un tout autre modèle. Si nous restreignons l'étude des traits distinctifs aux points de la chaîne présentant un cumul de marques, nous retiendrons les combinaisons :

kɔ́. . . . . ká (v.8)
'ɔk. . . . . ká (v.9)

En prenant comme référence les triangles vocalique et consonantique de R. Jakobson (et cela, pour leur valeur exemplaire, quelles que soient les critiques qu'on peut leur adresser), nous proposerons une qualification à cet ensemble phonique. Comme les sons (vocalique et consonantique) occupent à peu près la même position à la pointe des triangles, ce qui traduit une intensité forte et une fréquence moyenne (autrement dit, des notes de résonance mates pour [a] et [*k*] et mi-graves pour [ɔ] ; comme les voyelles sont brèves et que la consonne [*k*] est bruyante, sourde, aspirée [12] (à ce trait fait écho l'aspiration précédant le ɔ des « hoquetons » notée ['ɔ]), nous dirons que cet ensemble sonore se caractérise par son intensité, sa matité, sa brièveté ; par la clarté (la non-nasalité), et pour la consonne seulement, quatre fois reprise, par l'aspiration, la sourdité et le bruit.

Nous avons sans doute une vue maintenant plus précise sur ce que seraient les modalités prosodiques des deux strophes. Si nous nous fondions sur les ensembles étudiés, nous définirions le premier (v. 8-9) par la rapidité, la clarté et le retour de la même consonne aspirée, sourde, bruyante ; le second (v. 13-14),

12. Les occlusives sourdes (*p,t,k*) sont légèrement *aspirées* en français ainsi que le font apparaître les expériences de parole synthétique. Il y a, d'autre part, deux catégories de consonnes : les unes, dans leur émission, sont accompagnées de *bruit* (occlusives et constrictives); les autres excluent le *bruit* (sonantes, c'est-à-dire les trois nasales et les cinq glides (l, R, j, ɥ, w). Cf. P. DELATTRE, « From Acoustic Cues to Distinctive Features », *Phonetica 18* (1968), pp. 217, 227 et *supra,* p. 100.

par la lenteur, le timbre voilé et le retour de la même voyelle mi-grave.

Ainsi nous serions tenté de dire que l'analyse de ces deux ensembles nous donne un second exemple d'*isomorphisme.* En effet, si la modalité caractérisante de la dernière strophe est convenablement traduite par le sémème /harmonie/, comme celle de la seconde strophe par /désharmonie/ (P. Claudel), nous pouvons mettre en parallèle les qualifications *(Q)* et les modalités *(m)* correspondantes[13] :

m	/désharmonie/	/harmonie/
Q	/brutalité/	/douceur/

La question est maintenant de savoir si l'étude des vers 10 à 12 n'infirmera pas notre hypothèse de travail. Faire l'analyse de l'activité des enfants (ils cueillent les colchiques) semble ne mener à rien ; par contre, il est tout de suite fructueux de reprendre sur nouveaux frais le rapport entre la femme aimée et les colchiques. Autrement dit, autant l'énoncé multiplie les attributs de a_1 *(les colchiques)* et de A_1 *(Tu)* en enchaînant les propositions subordonnées, autant il est avare sur le sujet grammatical « enfants ».

NB. Pour R. Faurisson, si les enfants cueillent les colchiques, c'est qu'ils sont « ingénus » : « ils ne se doutent pas que ces fleurs sont dangereuses : elles sont tellement jolies ! » (*op. cit.,* p. 39).

Avant de poser une quelconque relation sémantique, nous voudrions d'abord étudier la construction de deux énoncés :

a) « les colchiques qui sont comme des mères Filles de leurs filles ». Le tour est bien connu en français. On lit ainsi dans la préface écrite par La Fontaine pour ses *Contes* : « Cet Espagnol qui se piquait d'être fils de ses propres œuvres ». Soit :

13. Pour cette notion d'*harmonie,* voir les travaux de P. DELATTRE et *supra,* pp. 100-101, 107, 108. Ces sémèmes axiologiques nous ont paru préférables par leur moindre degré de généralité à la catégorie qui les englobe : *euphorie* vs *dysphorie* (cf. A.-J. GREIMAS, *Sémantique structurale,* Larousse, 1966, pp. 86-87, 138, 226 et *Du Sens,* Ed. du Seuil, 1970, p. 178).

C'est la figure du cercle. Il en est de même ici :

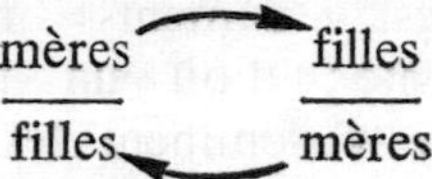

Les mères engendrent des filles qui, à leur tour, deviennent mères qui engendrent des filles qui deviennent mères, etc. L'identité par le multiple. La femme aimée est à la fois ici et là, unique et pourtant « plurielle ».

NB. Par comparaison, nous ferons état de trois commentaires littéraires. Le premier cherche des *sources,* l'autre l'*anecdote,* le dernier le *symbole.*

1. « Allusion possible à quelque particularité botanique des colchiques. Mais les ouvrages modernes de botanique ne permettent pas de l'éclairer. L'esprit fureteur d'Apollinaire a dû piquer dans quelque livre curieux ce détail bizarre, qui est devenu pour lui inséparable de l'idée de colchique. Il note ici cette association d'idées, qui reste sans rapport avec le thème du poème » (R. Lefèvre, *Alcools,* Nouveaux Classiques Larousse, 1965, p. 64).

2. « Ces " mères, filles de leurs filles ", sont des mères de famille si outrageusement fardées et coquettes qu'on les prendrait pour... les filles de leurs filles » (R. Faurisson, *op. cit.,* p. 39). Le mérite de « cette trouvaille » revient d'ailleurs à une tierce personne.

3. Quant à M.-J. Durry, elle associe les « générations florales » à la venue des enfants qui « sont la fleur de l'humanité » : « ils peuvent apparaître dans ce poème au moment où est évoqué le fourmillement extrême de ces colchiques » (*op. cit.,* p. 37 et 153).

b) « tes paupières [...] battent comme les fleurs battent au vent dément ».

Le syntagme nominal « vent dément », en conjoignant des isotopies contradictoires, nous introduit derechef dans un univers mythique :

vent	isotopie ¹	/non-humain/
dément	isotopie ²	/humain/

Ce « vent dément » fait battre[14] les fleurs (isotopie ¹) comme la femme aimée fait battre ses paupières (isotopie ²).

14. « Les fleurs battent au vent dément » est en quelque sorte un énoncé passif dont la forme converse est : « le vent dément fait battre les fleurs » ; cf. J. DUBOIS, *Grammaire structurale du français, le verbe,* Larousse, 1967, p. 82.

Il y a lieu de faire intervenir ici une première hypallage. Ce n'est pas le vent qui est « dément » mais l'action dont il est l'agent qui est violente ; d'où un transfert du sujet au verbe → le vent agite violemment les fleurs. De même, en changeant d'isotopie, on proposera l'équivalence : Tu fais battre follement tes paupières [15]. La seconde hypallage concerne la relation sémantique Sujet/Objet. La démence, en effet, est moins le fait du sujet *Tu* que de son objet *Ego* ; moins, ici, de la femme aimée que de son amant [16].

NB. M.-J. Durry dit sans s'expliquer : « Empoisonnement, palpitation convulsive, folie vont de pair » (*op. cit.*, p. 154).

La forme de l'expression, sur les plans phonique et prosodique, offre un dernier exemple d'*isomorphisme*. La construction du vers 12 est, à cet égard, remarquable. « Fleurs » figure au centre du vers. C'est la seule voyelle longue : [*floé*:R]. De chaque côté six syllabes brèves (vers de 13 syllabes). Le mouvement paraît d'autant plus rapide dans les deux hémistiches que la syllabe centrale présente un temps de stabilité plus long. Notons encore que le mot [*bát*] a suffisamment de qualités phoniques pour jouer à l'occasion le rôle d'un *sémio-phonème*. En particulier, la progression régulière des notes de résonance vers l'aigu est nettement marquée :

aigu			t
mat		á	
grave	b		

Ainsi, pour nous, « les enfants de l'école » (par rapport à la fonction d'agression conclusive de la strophe 2), comme « le gardien du troupeau » (par rapport à la « mort », explicite ou implicite selon l'isotopie, de la strophe 3), ne sont autres que des actants de transition [17] dont la fonction est modale. Aux

15. On n'oubliera pas que *Tu* est à la fois unique et multiple.
16. Comparer (*Pléiade*, 1965, p. 850) :

Tu n'étais pas venue et j'entendais ton rire
Mais ta bouche était là ses suçons de vampire
Cerceaux rouges roulaient sous mon regard dément.

La bouche joue ici le rôle des paupières dans *Les Colchiques,* mais c'est la même *fonction d'agression répétée* où *Tu* est l'agent et *Ego* le patient.
17. Un actant correspond à une classe d'acteurs.

premiers, [*Am*], il revient d'introduire une modalité prosodique, /désharmonie/, qui anticipe sur la violence (l'agression répétée de la femme sur l'homme qui l'aime) ; au second, [*An*], d'annoncer, sur un mode mineur, /harmonie/, la mort litotique d'*Ego*. Enfin, si nous voulons tenir compte de la similitude des patrons phonique et prosodique, nous nous servirons de la même notation modale pour caractériser les strophes initiale et finale. Soit :

VI)	Strophe 1	Strophe 2	Strophe 3
Actants de transition et modalités	∅ /harmonie/	[Am] /désharmonie/	[An] /harmonie/
Actants primaires	f_{nn}/tuer/	$\left[\frac{A_1}{a_1} ; \frac{A_2}{a_2}\right]$	f_n/tuer/ $[a_1 ; a_2]$

Nous considérerons que ce modèle à deux niveaux figure le fonctionnement invariant du discours des *Colchiques* ou encore son *sens linguistique*.

Pour conclure, insistons sur deux traits distinctifs de la pratique d'Apollinaire telle que nous l'avons analysée : le discours *élusif* et les *actants modaux* de fonction narrative nulle :

1) Apollinaire omet certaines articulations logiques du récit ou mieux il n'avance l'un des termes de la relation que pour souligner plus fortement l'absence de son complémentaire, celui-là même qui affirme la mort du narrateur. Cette représentation de l'échec (ici, la mort litotique), Apollinaire, dans d'autres poèmes, la monnaye par divers procédés syntaxiques ou sémantiques. Il importe seulement que soit toujours maintenue la *distance* qui sépare Ego de l'objet de son désir (v. *supra*, p. 29).

2) Le rôle de cette nouvelle classe d'actants que nous avons introduite (actants dits de transition) consiste à *transposer*, sur le plan des modalités, les fonctions narratives dévolues aux actants primaires. Rappelons à cette occasion que l' « ex-

pression » et le « contenu » ne sont pas des substances mais des *formes* susceptibles d'échanger leurs valeurs selon le système qui les intègre.

Ces deux facteurs, remarquons-le, concourent à produire le même effet d'*évidement* à certains points du texte poétique.

7 LA LETTRE ET LES IDÉOGRAMMES OCCIDENTAUX *

> Ils remplacent le raisonnement par l'association d'idées, le fait par l'affirmation et la preuve par l'illustration.
>
> P. CLAUDEL,
> *Journal I*, Pléiade, 1968, p. 208.

La spéculation sur les lettres est traditionnelle. Cette simple constatation serait déjà de nature à forcer l'intérêt du linguiste. Qu'il s'agisse de la civilisation chinoise ou indienne, de l'alphabet Jâffr des Arabes ou de la Kabbale hébraïque, les témoignages abondent. Il est du reste remarquable que des religions et des idéologies par ailleurs si souvent opposées s'efforcent toutes de satisfaire à cette commune passion : la découverte des symboles.

Mais qu'est-ce au juste qu'une lettre ? Le terme est souvent ambigu. En français, par exemple, comme en chinois, il renvoie tantôt au graphisme, tantôt à la sonorité. Saussure lui-même, si soucieux pourtant de définition, installe au moins momentanément l'équivoque lorsqu'il voit dans « *l'attachement à la lettre* » le premier principe de la poésie indo-européenne. Il faut prêter un peu d'attention au contexte des *Anagrammes* pour se rendre compte que le savant comparatiste s'attache en fait à la sonorité et exclut le graphisme. Il est sans doute moins étonnant de voir des écrivains de nos jours perpétuer la confusion. Et cela, peut-être, à dessein. Ph. Sollers propose ainsi

* *Poétique,* 11 (1972).

des combinaisons de mots telles que : « la retenue graphique du son » ou « le relief vocal des lettres » qui dérangent ou déplacent (au sens propre) le lecteur « logocentrique », c'est-à-dire cartésien. J. Kristeva dira avec une apparente négligence : « l'élément graphique ou phonique », marquant par le biais de cette disjonction inclusive (*ou*, *vel*), qu'il est possible d'envisager le signifiant sous ses deux formes, écrite *et* orale, ou seulement sous l'une d'entre elles. L'esprit dès lors prévenu, il nous sera plus facile de suivre l'exégète de *Nombres* qui, pour illustrer telle phrase « tenue sur la note O/U », donne en exemple des mots comme : « émission, lointain, son, pouvoir », où il n'y a, vocalement, pas trace de [o] ni de [y]. Si on ne les entend pas, du moins on peut les lire[1].

Eh bien, cette confusion, Paul Claudel n'a pas manqué de la commettre avec d'autres présupposés issus, il va sans dire, d'une « matrice idéaliste[2] ». Notons d'abord que, pour Claudel, le langage est « une espèce d'écriture sonore » ; il dit aussi, à l'inverse, que les lettres fournissent « l'arsenal de la parole écrite ». Ce sont des propositions qui sont liées, comme celles de Ph. Sollers ou de J. Kristeva, par une relation d'équivalence. Unité graphique et/ou phonique. Un tel point de vue, faute de démonstration, reste du domaine des opinions indécidables. Il arrive ainsi que l'écrivain ou le philosophe rêvent sur le langage en croyant l'analyser. Freud ne faisait pas autrement lorsque, comme il était de mode à son époque, remontant aux « origines du langage », il recourait à l'étymologie pour « expliquer » l'anglais *with-out*[3]. Mais l'erreur de Freud est en soi éclairante. Sa démarche, comme celle des écrivains déjà cités, consiste à postuler une certaine correspondance entre le monde, le sujet et le langage. Mieux, tout se passe généralement comme s'il fallait gorger de sémantisme, de « motivation », un système linguistique que nous nous étions accoutumés à regarder comme une algèbre. C'est une occasion de vérifier une nouvelle fois

1. Pour J. KRISTEVA, le français comporte « cinq voyelles fondamentales [...] I-E-O-U-A ». Voir Σημειωτική, *L'engendrement de la formule*, Le Seuil, 1969, pp. 305-309 et *Théorie d'ensemble*, Le Seuil, 1968, p. 319.
2. Σημειωτική, *op. cit.*, p. 302.
3. J. LACAN a salué, dans une note du *Séminaire sur « La lettre volée »*, « la rectification magistrale » apportée par E. Benveniste « à la fausse voie » où Freud s'était engagé (*Ecrits I*, Le Seuil, Points, 1970, p. 31).

la justesse de cette remarque de L. Hjelmslev : « Le système linguistique, même s'il est dénué de ' raison ' (et peut-être plutôt à force d'être dénué de ' raison '), parle toujours à l'imagination et la dirige[4]. »

Ce n'est pas que le linguiste refuse l'idée d'une motivation. Bien au contraire : chacun se rappelle l'opposition célèbre entre arbitraire et motivé, avancée à plusieurs reprises dans le *Cours de linguistique générale*. On remarquera d'abord que cet aspect traditionnel de la théorie linguistique n'est pas caduc. Il réapparaît régulièrement chaque fois qu'il faut traiter de sémantique. On notera aussi qu'une telle notion peut se développer dans deux directions différentes. En effet, dire qu'un signe est motivé, c'est ou bien affirmer l'existence d'une relation entre le signe et la « réalité » (rapport extrinsèque) ; ou bien c'est affirmer l'existence d'une relation liant le signe au système qui l'intègre (rapport intrinsèque). Saussure rejette la première acception (le signe est arbitraire) et retient la seconde (le signe est motivé). Si l'on recourt maintenant à ce critère de la motivation pour expliciter le rapport de la parole à l'écriture, on ne saurait soutenir bien longtemps que les deux systèmes sont équivalents. E. Benveniste a montré qu'on passait du premier (système de la parole) au second (système de l'écriture) par une série d'abstractions ; il serait vain de mettre sur le même plan deux expériences linguistiques totalement distinctes dans leur principe. L'écriture n'est donc pas, comme le laisseraient croire certains passages du *Cours de linguistique générale*, une « représentation[5] », mais une conversion, un transfert de la parole ; c'est un moyen pour la langue de s'interpréter elle-même[6]. On peut sans doute parler encore de motivation, mais dans ce sens précis que l'écriture permet de catégoriser la parole, de la sémiotiser (rapport intrinsèque). On le voit, dans cette perspective, il n'est jamais question d'établir une correspondance entre la langue et la « réalité ». Et pourtant le locuteur usant

4. *Essais linguistiques,* Copenhague, 1959, p. 215.
5. C'est cette leçon que semble suivre Ph. SOLLERS quand il donne la définition commune de l'« écriture » : « l'écriture phonétique en usage dans notre culture [...] correspond à une représentation de la parole » (*Théorie d'ensemble, loc. cit.*).
6. Sur la relation d'interprétance, voir E. BENVENISTE, *Semiotica,* 2 (1969), p. 131.

de sa langue maternelle pose spontanément le problème exactement à l'envers ; il n'imagine pas que sa langue puisse être arbitraire. Pourquoi dire « fromage », s'exclame une paysanne de langue allemande, quand « Käse » est beaucoup plus naturel : « Käse ist doch viel natürlicher ! [7] » S'il est capable de s'exprimer dans des langues différentes, *a fortiori* s'il est bilingue ou trilingue, le parleur aura même l'impression qu'il modifie la substance des choses en passant d'une langue à l'autre : quand je prononce *fromage*, dit C. Lévi-Strauss, je m'imagine une « pâte grasse », assez lourde, onctueuse, peu friable, de saveur épaisse ; avec *cheese*, le fromage s'allège ; il devient frais, un peu aigre et s'escamote sous la dent [8].

Les positions sont donc clairement marquées. Là où le linguiste institue un écart (écart primaire entre l'univers et la langue ; écart secondaire entre la parole et l'écriture), l'usager, dans sa pratique, ne voit naïvement ou ne veut voir que conjonction et équivalence : « Le monde et moi, dit P. Claudel, faisons partie d'un ensemble homogène [9]. » Tel est le postulat que nous pouvons considérer avec quelque raison comme un trait universel de la « fonction poétique ».

*

Les progrès de la linguistique du discours et de la sémantique relationnelle nous permettent d'entreprendre maintenant, dans de bonnes conditions théoriques et méthodologiques, des études sur des textes représentatifs de « l'état poétique du langage [10] ». Par la place qu'elle donne à la motivation (rapport extrinsèque), l'œuvre de P. Claudel nous paraît à cet égard riche de possibilités. Jusqu'à la fin de sa vie, « l'artiste en mots » a rêvé sur le graphisme des lettres. Son *Journal* en témoigne. Mais surtout il s'est efforcé de donner un tour théorique à sa rêverie, en particulier dans trois articles : *Idéogrammes occi-*

7. R. Jakobson, *Diogène,* 51 (1965), p. 26.
8. *Anthropologie structurale,* 1958, p. 107.
9. *Œuvre poétique,* Pléiade, 1957, p. 153.
10. L'expression est de G. Genette, *Figures II,* Le Seuil, 1969, p. 152. On trouvera aux pages 146 à 152 une analyse à la fois précise et suggestive du rapport de motivation.

dentaux (1926), *L'harmonie imitative* (1933) et *Les mots ont une âme* (1946) [11].

Mettre en correspondance des systèmes graphiques aussi différents que ceux du chinois et du français relève, *a priori*, de la gageure. On peut même se demander si la tentative a quelque sérieux. Paul Claudel en est conscient. Il sait trop « ce que les philologues pourraient [lui] objecter. Leurs arguments seraient encore plus accablants contre la valeur symbolique du signe écrit que contre celle du signe phonétique [12] ». A l'entendre, il ne s'agirait que d'un amusement convenable les jours de pluie. Pourtant, deux observations nous incitent à prolonger notre examen. On peut penser d'abord, et il me semble à bon droit, que la permanence de son intérêt vise à autre chose qu'à distraire un esprit ennuyé ; d'autre part, il est clair que le système linguistique lui-même donne prise à des interprétations de type idéographique. Un exemple qui vient tout de suite à l'esprit est celui des homophones. Pour les différencier, nous dit Claudel, il a fallu que « nos ancêtres » en étudient « l'anatomie orthographique ». C'est le cas de *hêtre* et de *être*, de *mon* et de *mont*, de *haut* et de *eau*, etc. L'orthographe y pallie les insuffisances de la parole. Ainsi, quand « la simple détonation à l'oreille » se révèle inopérante pour la compréhension d'un lexème, l'orthographe prend le relais ; c'est qu' « une certaine représentation graphique [...] nous empêche de confondre des sons semblables mais de sens différents [13] ». Les graphèmes sont donc susceptibles d'exercer une fonction diacritique, reconnue, il va sans dire, par le lecteur ou l'écrivain, mais encore par le locuteur. Ces exemples et d'autres, bien sûr, manifestent à l'envi la tendance à l'autonomie du système graphique [14]. D'autre part, dans notre écriture pseudo-phonétique, les complications de l'orthographe rendent vite malaisé ou impossible le rapport entre la lettre et le son. Quelle correspondance établir entre les six graphèmes de *oiseau* et les quatre phonèmes de [wazo] ? entre les quatre graphèmes d'*œil* et les deux phonèmes de [œj] ?

11. Recueillis dans les *Œuvres en prose,* Pléiade, 1965, pp. 81 à 110.
12. *Op. cit.,* p. 90.
13. *Œuvres complètes,* Gallimard, XVIII, 1961, pp. 457-458.
14. Voir « Les représentations graphiques du langage », par E. Alarcos Llorach, in *Le langage,* Pléiade, 1968, pp. 513-568.

Aucune, en toute rigueur [15]. On le voit, tout se passe comme si, en écrivant *œil* ou *oiseau*, nous exécutions un dessin particulier où les lettres (les traits du dessin) se combinent pour former une sorte de caractère spécial auquel convient un contenu déterminé.

C'est donc pour ainsi dire par une pente naturelle que les langues alphabétiques tendent à retrouver les conditions d'une écriture idéographique [16]. Pour l'Occidental, il s'agira de reconnaître dans le graphisme d'un mot la transcription visuelle d'une définition. L'exercice est donc relativement abstrait comme il l'est en chinois. Si Confucius, au dire du P. Wieger, sans doute l'informateur principal de Claudel, déclare que « le signe figurant le chien en est le parfait dessin », c'est que, « pour le Sage, une représentation peut être adéquate sans chercher à reproduire l'ensemble des caractères propres à l'objet. Elle l'est lorsque, de façon stylisée, elle fait apparaître une attitude estimée caractéristique ou jugée significative d'un certain type d'action ou de rapports [17] ». La voie est donc toute tracée ; l'écrivain et le lecteur devront découvrir, à l'intérieur d'un système de relations : 1) le principe organisateur, 2) les composants graphiques en petit nombre qui le figurent concrètement. Voilà, nous semble-t-il, les deux idées maîtresses présidant à la naissance de l'idéogramme occidental. Mais qui jugera de la validité de l'idéogramme ? En Chine, « les signes graphiques, dans leur ensemble, sont solidaires d'un certain ordre de civilisation [18] ». Cette relation de solidarité définissait la langue chinoise en tant que pratique signifiante parmi d'autres, par exemple, l'étiquette ou la magie des souffles. Aucune langue occidentale ne peut se prévaloir de remplir une fonction comparable et donc d'être soumise à un tel contrôle. Un décret

15. Par contre, dans les alphabets latin ou arménien, « les distinctions réelles sont reconnues, chaque lettre correspond toujours et seulement à un phonème, et chaque phonème est reproduit par une lettre toujours la même ». Ce sont « des exemples admirables de notation qu'on appellerait phonématique » (E. BENVENISTE, *Problèmes de linguistique générale*, 1966, p. 24).

16. Il y a écriture idéographique lorsqu' « un caractère *spécial* est affecté à chaque mot ». Voir M. GRANET, *La pensée chinoise*, Albin Michel, 1968, p. 42.

17. *Op. cit.*, p. 49. Le commentaire est de M. Granet.

18. *Ibid.*, p. 51.

pouvait augmenter d'un millier d'idéogrammes le volume du lexique si l'Empereur avait jugé indispensable de définir entre les choses et leurs dénominations un équilibre nouveau. Les manipulations de Claudel, visant à retrouver dans des signes arbitraires comme *toi*, *toit*, *soi*, *soie*, *soit*, etc., les figures d'une narration, échappent à toute sanction. Aucune autorité sociale n'avait qualité pour répondre à cette question de l'inventeur : « ... je me suis demandé si par hasard, dans ces interprétations qui me venaient à l'esprit, à une large quantité de fantaisie et d'arbitraire ne se mêlerait pas une parcelle de vérité[19]. » Cela dit, il serait faux de penser que le système chinois ne laisse aucune place à l'interprétation individuelle. Bien au contraire, et c'est un nouveau bénéfice pour le poète : « Chacun, ou plutôt chaque école, isole, définit et regroupe à sa manière les éléments dont la combinaison a, prétend-on, formé le caractère ; chacun, d'après l'orientation de sa pensée ou d'après les besoins du moment, trouve le sens du rébus[20]. »

L'écriture idéographique cumule par conséquent les avantages : elle délivre l'idée tout en demeurant concrète ; elle nourrit indéfiniment la vie imaginaire sans laisser d'agir directement sur le monde. Insistons sur ce point. La langue chinoise toute préoccupée, dirait-on, d'efficacité offre des figures, écrites ou parlées, également adéquates à la réalité : « Cette figuration concrète impose le sentiment qu'exprimer ou plutôt figurer, ce n'est point seulement évoquer, mais susciter, mais réaliser[21]. » Ainsi, savoir le nom, c'est créer ou posséder la chose ou l'être. On se rendra maître, par exemple, d'un génie par une danse rituelle aussi bien que par la représentation de l'idéogramme correspondant : « Qui possède l'emblème agit sur la réalité[22]. » Supposons maintenant que le dessin du mot occidental fonctionne comme un emblème graphique : il provoquera, à l'instar de l'écriture chinoise, « l'apparition d'un flux d'images qui permet une sorte de reconstruction étymologique des notions[23] ». Dès lors, celui qui trace le mot juste

19. *Œuvres complètes,* XVIII, *loc. cit.*
20. M. Granet, *op. cit.,* p. 50.
21. *Ibid.,* p. 24.
22. *Ibid.,* p. 274.
23. *Ibid.,* p. 50.

de la langue originaire (c'est le mythe toujours vivace de l'ὀρθότης ὀνομάτων) se dit possesseur d'un savoir et d'un pouvoir étranges à nos yeux, assurément. Et pourtant, « est-il si absurde, remarque Claudel, de croire que l'alphabet est l'abrégé et le vestige de tous les actes, de tous les gestes, de toutes les attitudes et par conséquent de tous les sentiments de l'humanité ?[24] ». Dans cette perspective, la lettre est conçue non seulement comme le support d'une pluralité ou même d'une infinité de significations, mais, dotée d'un dynamisme propre, elle nous transforme ici et maintenant. Quelque chose en nous s'adapte, se façonne sous son impulsion. P. Claudel postule : « Nous devenons ce que nous nommons[25]. » Transposons : Nous devenons ce que nous écrivons. Il suffit à Claudel de dessiner l'une après l'autre les trois lettres /m + o + i/ et, affirme-t-il, « me voici debout entre deux parois... » (qu'il s'agisse de la majuscule ou de la minuscule, de M ou de m, l'effet est le même) ; « I est un flambeau allumé. O est le miroir qu'est la conscience : à moins que l'on ne préfère y constater un noyau, ou cette fenêtre ouverte par où se communique la lumière intime[26]. » Nous reviendrons sur cette polysémie du O. Constatons pour l'instant que le poète (il faut prendre ici le mot dans son sens prégnant) fait comme si l'imaginaire était le support de la réalité : « Nous devenons (momentanément) ce que nous faisons par l'imagination[27]. » Sans doute, à première vue, tout peut être dit. Mais au fur et à mesure que nous multiplierons les analyses, nous verrons que ce que nous prenions pour un accès de fantaisie s'ordonne à l'intérieur d'un ou deux champs sémantiques. C'est ce processus de régulation que nous aimerions faire apparaître peu à peu.

Prenons d'abord un mot comme NUIT (notons ici les majuscules). Il provoque, semble-t-il, le commentaire. V. Hugo y voit un paysage : N, c'est la montagne ; U, la vallée ; I, le clocher ; T, le gibet. « Et le point, c'est la lune. » L'imagerie est d'époque. Par contre, sous la plume d'un critique contemporain qui sait faire la part de la réflexion linguistique, les

24. *Œuvres complètes,* XVIII, *loc. cit.*
25. *Œuvres complètes,* XXI, p. 53.
26. *Œuvres en prose,* pp. 92-93.
27. *Œuvres complètes,* XXI, p. 53.

graphèmes, signes formels, sont interprétés comme autant de qualités. Le « double effet de minceur et d'acuité » déjà produit, nous dit-on, par *u* et *i* (en minuscules, cette fois) est encore accru par « la présence contiguë des jambages du *n* initial et de la hampe du *t* final[28] ». Claudel, lorsqu'il se représente le mot en majuscules, reconnaît dans le N « la fermeture ; les deux poteaux avec la barre ; U, encore la fermeture, les deux parois à droite et à gauche qui empêchent de voir autre chose que le ciel et l'étoile : I ; T, le ciel et la terre communiquant[29] ». Lorsqu'il voit le mot en minuscules, la barre du *t* est devenue le tracé essentiel ; c'est l'instrument qui permet au marin de tenir le cap, « de [lire] au ciel la direction infaillible[30] ». Même si l'on retire la lettre de tout contexte, elle demeure signifiante, quoique sur un autre plan. C'est qu'elle est une espèce d'archigraphème ; entendons par là qu'elle combine les deux tracés nécessaires à toute écriture occidentale : le vertical et l'horizontal : « Dans l'écriture européenne, la ligne est horizontale et la lettre toujours verticale (c'est le contraire du chinois). Seule la barre du *t* vient accentuer de temps en temps le sens du discours[31]. »

Avant d'aller plus loin, nous pouvons déjà tirer de notre analyse quelques enseignements utiles :

1) la *lecture* de l'idéogramme occidental se fait de gauche à droite ; c'est le cas de /moi/ et de /nuit/, mais il conviendra de se demander s'il s'agit là d'une règle générale ;

2) le choix de la *typographie* a, d'ordinaire, une évidente portée sémantique ; de fait, le T majuscule n'induit pas la même signification que le t minuscule ;

3) la lettre *intégrée* n'est autre qu'un élément narratif et la lettre *isolée* relève d'un sémantisme quasi abstrait.

On peut douter dans ces conditions qu'il existe des règles nous autorisant à colloquer à l'idéogramme claudélien (dans sa totalité ou pour chacun de ses éléments) une signification appropriée et stable. Dans un idéogramme chinois, une figure

28. G. Genette, *Figures II,* 1969, p. 113.
29. *Journal II,* Pléiade, 1969, p. 744.
30. *Œuvres en prose,* p. 88.
31. *Ibid.,* p. 89.

se forme ou se défait à partir de « symboles » constants : /femme/ + /enfant/ donne *bon* ; *commencement* = /habit/ + /couteau/, etc. Dira-t-on pareillement *soi* = /spirale/ + /miroir/ + /flamme/ ? C'est la construction proposée par Claudel. Mais comment ne pas admettre le plus souvent une marge d'indécision ? Voici, à titre d'exemple, plusieurs lectures de l'idéogramme /toit/. En 1926 : « N'avons-nous pas là une représentation complète de la maison à laquelle ne manquent même pas les deux cheminées ? O est la femme et I l'homme, caractérisés par leurs différences essentielles : la conservation et la force ; le point de l'i est la fumée du foyer ou, si vous aimez mieux, l'esprit enclos et la vie intime de l'ensemble[32]. »

A la même époque, août-septembre 1926 : « Rien ne manque à l'image, même les deux cheminées : l'o est l'œuf, la bouche, l'i est l'âme du foyer, la vie enclose[33]. »

En 1933 : « Les deux barres du T donnent les versants de cet abri dont les deux montants de la même lettre forment les parois. Le O, c'est la table où la famille prend ses repas et le I, c'est le feu ou le foyer avec la légère fumée qui s'en élève[34]. » Dans le texte intitulé : *La figure, le mouvement et le geste dans l'écriture en Chine et en Occident*[35], /toit/ est traduit ainsi : « La double feuille protectrice abrite une table et une lumière ou un feu. » La lettre t ou T à ce compte, c'est une cheminée ou une paroi ou une feuille protectrice ; le O, c'est la femme ou un principe, « la conservation », ou encore l'œuf, la bouche ou une table ; I ou i, c'est l'homme ou l'idée correspondante, « la force », ou bien encore l'âme du foyer, la vie enclose.

Claudel, pourtant, s'est efforcé de donner une sorte de

32. *Œuvres en prose*, p. 82. On remarquera que Claudel, en passant d'une typographie à l'autre, double certains points de la figure.
33. *Journal I*, Pléiade, p .730.
34. *Œuvres en prose*, p. 101.
35. *Œuvres complètes*, XVIII, 454-457. Claudel s'inspire de la thèse du Père TCHANG TCHENG-MING : *L'Ecriture chinoise et le geste humain*, Paris, 1937. C'est précisément à ce père que J. Kristeva accorde le mérite, qu'il partage d'ailleurs avec un autre Jésuite, J. Van Ginneken, de subvertir « le raisonnement idéaliste », platonicien, responsable d'une valorisation indue de la parole. Les deux pères affirment, à l'encontre de l'opinion commune, dit-elle, « l'antériorité de l'écriture par rapport au langage vocal » (*op. cit.*, p. 136, note 25).

guide de lecture dans la conclusion des *Idéogrammes occidentaux.* Il est possible, affirme-t-il, de déterminer le point d'ancrage de « la représentation symbolique principale[36] ». Le français privilégierait ainsi le centre du mot : c'est le cas de *o* dans /noir/ (c'est-à-dire « l'âme ou le soleil enfermé entre quatre parois... » ou encore « un miroir qui reflète le flambeau ») ; de *b* dans /arbre/ (où *b* est l'arbre lui-même se dressant « au milieu de l'île typographique, pareil à un cyprès »), etc.[37]. En va-t-il différemment de /moi/ analysé tout à l'heure ? La lecture pourrait prendre appui sur le *o*, « le miroir qu'est la conscience », et se déployer ensuite vers la gauche et la droite. Dans /nuit/, ne faut-il pas prendre le *i*, « le regard à l'étoile », comme le principe organisateur de l'idéogramme ? Ainsi le regard se déplace à partir d'un foyer ou bien selon le sens « naturel », de gauche à droite. Les deux lectures sont complémentaires. On dirait que, dans sa pratique sémiotique, Claudel agit à l'exemple du peintre : il fait venir au premier plan telle ou telle figure qui sur le moment lui paraît fournir le « signe essentiel » : « D'ailleurs et naturellement il conviendrait de faire dans chaque mot la distinction du signe essentiel et de ce que j'appellerai le tissu conjonctif, du corps et du vêtement[38]. » Il n'abolit pas pour autant les autres figures : il les voile pour ne pas distraire son attention et la nôtre.

Mais une telle opération est-elle toujours praticable ? ou, sous une autre forme : est-ce au niveau de l'enchaînement graphique que le lecteur (ou le scripteur) repère le symbole principal ? Dans l'idéogramme /toit/ les deux graphèmes *t* sont nécessaires pour que la « diphtongue » *oi* prenne toute sa valeur. D'autre part, le couple *o* + *i* n'est guère dissociable si l'on y voit, comme Claudel, le miroir et la lumière ou mieux encore le symbole de la femme et de l'homme. Comment reconnaître dans l'idéogramme d'/ami/ « celui qui reçoit » et « celui

36. *Œuvres en prose,* p. 89.
37. L'anglais *tree* ou l'allemand (sous la forme *baum*) tirent l'arbre en avant ; voir *Œuvres en prose,* p. 84. La diversité de la représentation graphique ne nous empêcherait pas d'imaginer un arbre « archétypal », suivant en cela C. Lévi-Strauss qui, dans le texte précité de l'*Anthropologie structurale,* nous proposait avec humour un « fromage archétypal ». Le processus analytique est analogue ici et là.
38. *Œuvres en prose,* p. 89.

qui donne », c'est-à-dire un *o* et un *i* entourant la lettre *m*, la main qui les réunit, si le lecteur ne sait pas que le *a* résulte de l'addition de l'*o* et du *i* ? D'où cette formulation quelque peu étrange : { (o + i) + m + i } → /ami/. En effet, qu'est-ce que le *a* sinon un *o*, mais « élargi, majoré, souligné par le trait latéral comme par un doigt qui montre [39] » ?

« — ami !
encore un idéogramme
une main
qui réunit celui qui reçoit et celui
qui donne
et le résultat de cette union
l'i collé à l'o
a
!

Que l'on considère seulement une dizaine d'analyses idéogrammatiques et l'on se persuadera aisément qu'il suffit de peu d'archétypes pour interpréter les récits qui nous sont offerts.

Constatons d'abord que toutes les lettres de l'alphabet sont réductibles à des transformations de l'I et de l'O, autrement dit de la *droite* (verticale, horizontale ou oblique) et du *cercle*, de l'unité et de tout. Il n'y a pas d'éléments plus petits. Le *V*, sur sa pointe, n'est rien autre que « l'unité en train de se partager en deux comme des aiguilles de pin. Valeur : équilibre [40] ». Le *P*, « c'est la réunion d'une verticale et du cercle, d'un contemplateur et de l'horizon, d'un sens et d'une fermeture, d'une direction rectiligne au travers de l'Infini et de l'Infranchissable [41] ». *B*, « c'est l'unité qui rejoint les deux mondes [42] », etc. On pourrait ainsi suivre les avatars de cet alphabet mystique, de la première à la dernière lettre, de l'alpha à l'oméga :

« *A*, le principe, l'angle divergent relié par l'*esprit* prolongé indéfiniment par deux de ses côtés.

Ω, le retour de tous côtés vers lui-même sans que ses

39. *Œuvres en prose*, p. 91.
40. *Journal II*, p. 807.
41. *Œuvres en prose*, p. 799 ; idéogramme de /Plaine/.
42. *Œuvre poétique*, p. 951 ; lettre isolée.

prolongements parviennent complètement à le circonscrire[43]. »

L'unité dans A se dédouble comme dans V, sa réplique inverse et, pour ainsi dire, affaiblie, puisqu'il lui manque le trait d'union, « l'esprit », qui maintient l'angle divergent[44]. Quant à O, nous savons que l'une de ses traductions est précisément l'oméga :

« Entre l'alpha et l'oméga, l'initiale de Marie : M aime A M O[45]. »

Il faut dire aussi que c'est en passant de l'O à l'Ω que nous expérimentons charnellement le divin : « Le O, emblème de la perfection, si on vient à y pratiquer une coupure, devient le Ω oméga, où l'on peut pénétrer[46]. »

Notre réflexion est donc constamment ramenée vers le cercle et la droite, autrement dit, vers ces éléments minimaux complémentaires dont nous observons qu'ils se présentent à nous *isolément* dans l'alphabet ou *juxtaposés* dans le mot, ou encore plus mystérieusement *combinés* dans une sorte de figure d'engendrement. Revenons sur ces deux derniers aspects.

Juxtaposés, les graphèmes OI forment, nous dit Claudel, une « diphtongue » et même « le type de toute diphtongue humaine [47] ». Il est sans importance ici que la dénomination soit impropre, puisqu'il n'existe plus de diphtongue en français moderne. Ce qui sollicite par contre notre attention, ce sont les raisons d'un statut préférentiel. A l'évidence, la juxtaposition de ces lettres symbolise le nécessaire accord de la femme et de l'homme, ou, si nous laissons de côté les images pour atteindre les concepts, l'union de la conservation et de la force, comme nous l'enseignait plus haut l'idéogramme /toit/. Autre modalité voisine : O étant « le principe femelle », I est « le phallus ». La lettre grecque Φ, c'est « le destructeur des deux, l'engendreur [...] le serpent », le passage à l'unité. Suivie de OI (ΦOI), c'est encore « le serpent [...]

43. *Journal I,* pp. 214-215.
44. Le A se lit aussi de bas en haut, à la manière de Ruysbroek, *Œuvres complètes,* XXVI, p. 398.
45. *Journal II,* p. 576.
46. *Ibid.,* p. 509.
47. *Œuvres en prose,* p .82.

le dieu phallique [48] ». La diphtongue OI, cette diphtongue « typique », pour reprendre une épithète de Claudel, devient tout naturellement le support d'une symbolique de l'amour sexuel. Une telle démarche de la part du poète ne nous étonnera guère si nous nous rappelons qu'il relevait dans son *Journal* l'alliance entre « les plus profonds mystères religieux » et l'amour sexuel, « le mystère des mystères [49] ».

Nous réservions pour conclure une lettre qui, par ses propriétés, résume et contient en puissance toutes les autres, l'X, l'initiale de Christ en grec : « Elle est au centre de toutes mesures et de toute création [50]. » Mais plutôt qu'à cette affirmation par trop générale, nous nous intéresserons au développement où Claudel montre sans ambiguïté les liens de la droite et du cercle avec l'X : « X c'est [...] un carrefour, le point de rencontre de quatre directions. Je le compare à un cœur qui aspire et qui refoule jusqu'à leurs extrémités une correspondance équilibrée de conséquences. Les quatre angles que ses deux branches déterminent, constituent le principe de toute géométrie plane, tandis que, devenant ailes par la rotation, ils créent la sphère [51]. » Grâce à cette croix, on trouve enfin parachevées les figures du cercle et de la droite, car « la croix a produit le cercle parfait stipulé par son double diamètre [52] ». Il y a ainsi à l'œuvre dans l'alphabet, sous-jacente aux traits manifestés, une relation d'ordre, d'engendrement. Il faut reconnaître, « par-dessus toutes les figures particulières, une série de figures générales et symboliques, que l'on pourrait presque comparer à celles de la géométrie ou *schémas*... [53] ». C'est pourquoi Claudel fait une si grande place aux notions de motif, de type, de patron, de caractères, à « l'innombrable prolifération de la géométrie [54] », à la mesure, au rapport, à la valeur, bref, au *système* et à ses constituants. Par-delà les formes disparates et éparses de la signification, Claudel traite les lettres et aussi les

48. *Journal I*, pp. 19-20. Notes de lecture d'après un livre d'orientation ésotérique : *The Perfect Way or the Finding of Christ.*
49. *Ibid.*, p. 658.
50. *Œuvres complètes,* XVIII, p. 458. Voir *infra*, p. 158.
51. *Ibid.*,
52. *Œuvres complètes,* XX, pp. 158-159.
53. *Œuvres complètes,* XXI, p. 82.
54. *Ibid.*, p. 216.

nombres[55] comme il fait l'histoire, en hiéroglyphes détenteurs de « sens » : « Chaque forme, chaque mouvement, chaque ensemble fournit son hiéroglyphe[56]. » Il faut donc les déchiffrer, puis les intégrer dans un ensemble qui soit un principe de classification et d'interprétation. Dès lors, l'imagerie de l'idéogramme, son « icônicité », importe peu : « Que d'autres découvrent dans la rangée des Caractères Chinois, ou une tête de mouton, ou des mains, les jambes d'un homme, le soleil qui se lève derrière un arbre. J'y poursuis pour ma part un lacs plus inextricable[57]. »

C'est de ce point de vue qu'il convient de considérer, me semble-t-il, la « découverte[58] » de l'idéogramme occidental par Claudel. Pour lui comme pour le Sage chinois, le pictogramme, l'icône, n'est qu'une amorce. L'essentiel ne consiste pas à chercher dans le langage la représentation formelle du monde, mais à retrouver en soi, malgré les modalités diverses de l'écriture et les fluctuations du récit, la *trace*, à la fois matérielle par le dessin et abstraite par l'idée, d'un développement équilibré de l'histoire universelle : « Ce n'est qu'en faisant les choses qu'on en apprend le secret[59]. »

55. Un seul exemple : dans le nombre 10, la droite s'allie au cercle ; transcrit en chiffre romain, X, « c'est deux unités qui se traversent, c'est deux bâtons inclinés l'un vers l'autre qui multiplient en se raturant réciproquement. C'est tout à fait comme zéro qui est à la fois le signe de rien et celui de la multiplication, de l'unité qui se réintègre en s'élargissant quand elle atteint un certain terme ». *Œuvres complètes*, XXVI, p. 101. De même le nombre chinois peut revêtir une double valeur : quantitative et symbolique. (M. Granet, *op. cit.*, p. 128.)
56. *Œuvre politique*, p. 87.
57. *Ibid.*, p. 46.
58. *Œuvres complètes*, XVIII, p. 455.
59. *Œuvres en prose*, p. 861.

8 LE SYSTÈME DES MODALITÉS ET L'ANALYSE TRANSFORMATIONNELLE DU DISCOURS

« La Ville » de Paul Claudel

(Première et deuxième version)

Paul Claudel, *La Ville*, première et deuxième version.

Les références au texte de *La Ville* sont dans le corps de la page. Elles renvoient à l'édition critique établie par J. Petit, Mercure de France (1967).

Abréviations utilisées :
V. 1 : première version (1893)
V. 2 : deuxième version (1901)
Ap. I : fragments du brouillon de la première version (non datée)
Ap. II : manuscrits de la deuxième version (1894-1895)
Ex. : *V. 1,* 163/2 se lira : *La Ville,* première version, p. 163, ligne 2.

Pour les autres œuvres de Paul Claudel, les références renvoient :

1) à l'édition de la *Pléiade* (abréviations : *OP, Œuvre poétique* (1957) ; *O. Prose, Œuvres en prose* (1965). *Th. I* et *Th. II, Théâtre I* (1960) et *Théâtre II* (1963). *Journal I* (1968) et *Journal II* (1969).

2) aux *Œuvres complètes* publiées par Gallimard (Tomes I à XXVI ; abréviation : *OC*).

3) au *Bulletin de la Société Paul Claudel,* 13, rue du Pont-Louis-Philippe, Paris, IVe (abréviation : *BSPC*).

Ex. : *OP, AP,* 157 (1907) se lira : *Œuvre poétique, Art poétique,* p. 157, texte publié en 1907.

SOMMAIRE

La pratique du langage

INTRODUCTION

Le point de vue linguistique : le « discours ». La notion de système. Les relations logiques. Leur agencement.

La description que nous proposons ici au lecteur ne relève ni de la critique littéraire ni de l'histoire des textes. Il ne sera donc pas question des sources biographiques et bibliographiques ; pas davantage des idées ou des thèmes poétiques, religieux ou politiques de P. Claudel.

Nous nous sommes efforcé de bâtir notre étude en fonction des buts et des méthodes de la *linguistique du discours*. Une telle linguistique, maintenant bien connue, implique que nous mettions en évidence les relations logiques unissant les « objets » linguistiques les uns aux autres ; on sait que ces objets sont construits et non donnés, et que leur agencement forme système (v. *supra*, p. 26 et sq.).

Dans la perspective de la sémiotique textuelle, les termes privilégiés sont ceux qui assurent l'organisation de la phrase et d'abord le verbe, défini par E. Benveniste « comme l'élément indispensable à la constitution d'un énoncé assertif fini[1] ». Dans le discours claudélien, certains verbes tels *savoir, pouvoir, vouloir* nous ont paru mériter une attention particulière. Autour du pivot verbal prennent place des acteurs, ou mieux des classes d'acteurs, dénommées *actants* ; ils assument la fonction syntaxique ou sémantique de sujet et

1. E. Benveniste, *Problèmes de linguistique générale*, Gallimard, Paris, 1966, p. 154.

d'objet ou encore de destinateur et de destinataire du message linguistique. Il devrait donc être aisé de déterminer les actants. Toutefois, si une définition correcte procède de fonctions et de qualifications constantes, le lecteur aura vite fait de remarquer qu'il lui est impossible d'en avancer seulement une qui fût convenable, avant d'avoir réussi l'analyse des *transformations* et l'identification des « *opérateurs* » dont le rôle est justement de modifier le statut des actants d'une séquence à l'autre. D'autre part, les deux parties prenantes au dialogue, le *Je* et le *Tu*, interviennent elles-mêmes pour classer leurs énoncés selon qu'elles les considèrent vrais ou faux. Cette « distance mise par le sujet entre lui et son énoncé[2] », mais aussi par tout acteur jugeant les énoncés d'autrui, nous l'étudierons dans *les modalités de l'énonciation*. Il nous restera à prendre une vue d'ensemble des deux versions de *La Ville*. Un examen de l'*agencement des séquences* nous en fournira l'occasion.

On aura remarqué que seules les procédures d'analyse dépendent directement de la linguistique contemporaine. Des notions ou des concepts sous-jacents, beaucoup seraient acceptables par un créateur comme P. Claudel. Il en est ainsi de la notion de *système*. Relisons d'abord cet avertissement méthodologique de Saussure que l'on trouvera dans le « fameux chapitre du *Cours* [... réunissant], comme dans le foyer d'une lentille, les idées constitutives de la linguistique analytique[3] » : « ... c'est une grande illusion de considérer un terme simplement comme l'union d'un certain son avec un certain concept. Le définir ainsi, ce serait l'isoler du système dont il fait partie ; ce serait croire qu'on peut commencer par les termes et construire le système en en faisant la somme, alors qu'au contraire c'est du tout solidaire qu'il faut partir pour obtenir par analyse les éléments qu'il renferme[4]. » De fait, la prédominance de l'ensemble sur les parties est une idée familière à P. Claudel. Un principe de l'*Art poétique* tel que : « *Connaître, c'est cons-*

2. J. DUBOIS, *Grammaire structurale du français : la phrase et les transformations,* Larousse, Paris, 1969, p. 6.
3. L. HJELMSLEV, *Essais linguistiques,* Nordisk Sprog-og Kulturforlag, Copenhague, 1959, p. 102.
4. F. DE SAUSSURE, *Cours de linguistique générale,* Payot, Paris, 1964, p. 157.

tituer cela, sans quoi le reste ne saurait être » est révélateur d'une recherche qui n'est pas sans rapport avec le schématisme kantien. Et P. Claudel ajoute :

> « Nous éprouvons que cette connaissance comporte des degrés divers de précision ou de nécessité. Il y a une nécessité d'ordre absolu : *le tout ne saurait être dans ses parties*[5]. »

Bien entendu, le système n'est pas donné et il revient au chercheur-poète de l'enserrer peu à peu dans un corps de définitions. Cet effort de découverte et d'identification, une pièce de théâtre a la vertu de le reproduire au fil des scènes dans un temps restreint. Ainsi le lecteur de *La Ville* n'est pas surpris d'entendre dans la bouche d'un des principaux acteurs, Coeuvre, cette définition de l'histoire :

> « Ce que nous appelons l'histoire
> N'est pas une succession d'images variées, mais le développement, à mesure que les choses sortant du temps cessent de lui appartenir,
> D'un ordre et d'une composition. » (*V*. 2, 377/23.)

En rapprochant un texte de doctrine comme *L'Art Poétique* d'un drame qui fournit à l'auteur, et ce par définition, le moyen de s'expliquer[6], nous voyons bien que les deux lectures se recoupent : ici et là, il s'agit de *constituer un objet de connaissance*. C'est le propos unique du linguiste ; c'est l'un des objectifs fondamentaux poursuivi par P. Claudel. S'il était besoin de nous en convaincre, il suffirait de prendre la peine de relire, par exemple, cette lettre de 1924 (Claudel vient d'achever le *Soulier*) :

> « C'est bon de travailler aussi comme je le fais maintenant, sans aucun souci du public ni m'inquiéter aucunement si ce que je fais est bien ou mal, sera compris ou pas compris, dramatique ou non, etc., uniquement la préoccupation d'arriver au *but*, qui est la *découverte de la pensée*, car le travail artistique est cela, une *découverte*,

5. *O. P., AP*, 157 (1907).
6. Grâce au drame, dit P. Claudel, « quelque chose a été tiré au clair. On s'est expliqué comme vous dites », *O. Prose*, 450 (1955).

et non pas une invention, encore moins une fabrication. C'est ainsi que je travaillais autrefois[7]. »

Nous étions donc amené presque naturellement à examiner si une telle concordance entre les buts de la linguistique du discours et la recherche poétique claudélienne était fondée. Sans préjuger la réponse, disons que la similitude du projet, quels que soient les moyens mis en œuvre, ne nous a pas semblé un handicap, bien au contraire.

I. LES FONCTIONS PREMIÈRES DE L'ÉNONCÉ

L'identité des actants (personnes et objets) ;
le savoir, le pouvoir et le vouloir.

Puisque toute recherche sur le système sémantique passe par l'identification des unités et des classes du discours[1], nous nous demanderons pour commencer comment P. Claudel construit ses définitions.

L'acteur claudélien procède habituellement par interrogations comme s'il était soucieux de se voir attribuer au plus vite sa fonction spécifique et la qualification correspondante. Ainsi, dès les premiers vers de *Tête d'Or*, Cébès donne à son énoncé la forme « canonique » :

« Je ne sais rien et je ne peux rien. Que dire ? que faire ? »

Puis, un peu plus loin :

« Qui suis-je[2] ? »

Nous appellerons canonique la relation instituée entre le *savoir* et le *pouvoir*. Nous admettrons comme hypothèse de travail qu'il y a là entre deux fonctions une suite ordonnée que nous pouvons exprimer sous la forme : le *pouvoir* présuppose le *savoir*. Le même texte de *Tête d'Or* nous permet d'identifier aussitôt les deux effectuations principales du *pouvoir* :

7. Lettre à E. Sainte-Marie-Perrin, 21-2-1924, d'après *Le Monde*, 27-7-1968. C'est nous qui soulignons.

1. Voir *supra*, pp. 70-72, 88-89, 115-116.
2. *Th. I*, 31-32 (1890) ; la seconde version conserve le même énoncé, *ibid.*, 171-172 (1901).

le *dire* et le *faire*, c'est-à-dire la parole et l'acte. Les fonctions cardinales une fois posées, vient alors la question sur l'identité : « Qui suis-je ? » Ainsi se trouve exprimée de façon claire la corrélation entre la qualification (l'/être/ de l'actant) et sa fonction (son /faire/). Les deux opérations bénéficient d'ailleurs chez P. Claudel d'un statut particulier. A l'/être/ est applicable ce qu'il appelle la « connaissance », au /faire/, « l'intelligence » ; d'un côté, « une estimation de la forme », de l'autre, « une évaluation de la force[3] ».

*

Sur ce point, la structure de *La Ville* n'est pas différente ; on y relève de multiples questions sur l'identité des personnes et des choses. Retenons pour l'instant celles qui concernent *Coeuvre*.

Qualification.

Coeuvre reprend à son compte la question de Cébès :

« Qui suls-je ? » (*V. 1*, 155/20.)

C'est le même texte que l'on peut lire dans les brouillons :

« Qui suis-je ? » (*Ap. I*, 392/16.)

Mais les difficultés d'une définition sont traduisibles par des énoncés de forme différente : là, interrogative, ici, affirmative :

« Je suis celui dont on ne sait ce qui il est. »
(*Ap. I*, 392/16-17.)

Le contenu est équivalent, la redondance manifeste ; avec cette réserve cependant : le second énoncé est une sorte d'acte linguistique qui mime sur le plan formel une quête métaphysique encore mal assurée. Les exemples en sont nombreux et reconnaissables aisément : le lexique, la syntaxe, le rythme et la phonie du vers sont combinés avec si peu d'égards pour les habitudes du lecteur que l'énoncé lui paraît frappé de maladresse[4].

3. *OP* (*AP*), 180 (1907).
4. Cf. notre paraphrase d'un énoncé de Ly, in *Le français moderne* (1967), 58/59-61/62.

Fonction (le *dire* et le *faire*).

La reconnaissance suppose ensuite qu'une *fonction* caractérisante soit attribuable à Coeuvre comme tout à l'heure à Cébès. Sans doute, pour un actant comme le « poète » [Ly-Coeuvre], on s'attendait que le *dire* importe plus que le *faire* et que la proportion s'inverse pour l'homme d'action, ingénieur ou politique, représenté, par exemple, par la classe /Avare-Besme-Lambert/.

C'est ce qui se passe apparemment, si l'on en croit cette interrogation de Coeuvre :

> « Quel homme mettant sa main à ma bouche aura de moi une parole qui serve ? » (*V. 1*, 155/20.)

Mais la notion capitale de *service* peut revêtir une forme abstraite et donc de grande extension :

> « Je n'ai point de rôle parmi les autres. » (*Ap. I*, 392/18.)

Et finalement, Coeuvre se reconnaît tout à la fois « privé de la grâce d'agir et de parler. » (*Ap. I*, 392/21.)

Dans la seconde version, la recherche de l'identité est toujours au premier plan, mais les conditions formelles sont différentes. C'est par l'entremise du dialogue que chacun à son tour est provoqué à donner la définition que son interlocuteur requiert. Etrange exercice !

Ainsi Besme interrogeant son ami Coeuvre sur sa qualification et sa fonction :

> « Qui es-tu et à quoi est-ce que tu sers ? » (*V. 2*, 302/15.)

s'empresse de répondre à sa place :

> « Tu n'es même pas ce bouffon qui monte sur sa chaise pour amuser le public. » (*V. 2*, 302/17.)

Telle est, en effet, l'image apparemment négative de Coeuvre reçue parmi les hommes. Autre image conventionnelle qu'il appartient maintenant, c'est le jeu du dialogue, à Coeuvre de refléter : Besme questionne :

« Et que dis-tu, moi, Besme, que je suis ? »
(*V. 2*, 305/19.)

et Coeuvre comble son attente :

« (Tu es) Saturne, patron des ingénieurs et des lieux plantés d'arbres », etc. (*V. 2*, 305/21.)

Ces identifications peuvent être aussitôt récusées ou paraître par la suite erronées, comme nous le verrons dans notre chapitre sur les modalités de l'énonciation. Pourtant, l'interlocuteur joue un rôle, sur le moment, indispensable : celui de « reflet » ou de « confident » ou encore de « contrechant » propre à faire valoir un thème musical. Tous ces termes sont extraits de la *Conversation sur Jean Racine* dont voici un passage caractéristique :

« Quelle bonne idée [...] de condenser en un seul personnage toute la réplique, comme un reflet évocateur, que chacun de nous, au moment voulu, a besoin de se procurer hors de lui-même ! de me permettre, si je peux dire, de m'habiller de mon écho[5] ! »

Ainsi, l'acteur, aidé de son double provisoire ou rejeté par son antagoniste, réussit à fixer, le temps d'une scène ou d'un acte, sa position dans l'ensemble, ne serait-ce que *négativement*. Affirmer que l'on est, « par les rues de cette ville, un objet d'étonnement et de dérision » (*V. 2*, 310/28), c'est retenir une exclusion comme trait définitoire. Coeuvre étonne, mais aussi Avare, dans la mesure où il n'a pas de lien avec les autres, où la relation destinateur/destinataire ne s'établit pas. Sans communication avec autrui ni avec le monde, il est dans l'impossibilité d'effectuer l'*échange*, ce que figure l'immobilité de l'arbre.

« ... comme le chêne de Zeus qu'emplit le vent prophétique [...]
Je ne bouge point du lieu [...]
Et c'est pourquoi, inutile dans la vie, je ne sens pas mon feuillage étranger à la mort. » (*V. 2*, 312/10-18.)

5. *O. Prose*, 449 (1955).

L'identité négative de Coeuvre résulte d'une absence manifeste et pour lui cruelle de fonctions et de qualifications, ou, ce qui revient au même, de son incapacité à les *définir*. Trois interrogations résument à nos yeux tout le débat :

« quelle est ma place entre les hommes ? de quel tout
suis-je la partie ? et en dehors de moi-même
A quoi est propre cela que je suis proprement ? »
(*V. 2*, 310/30-32.)

*

D'autres personnages, tels Ly, Besme, Avare, Thalie, etc., nous permettraient d'analyser derechef cette importante fonction de la reconnaissance. C'est la même problématique pour chacun. Mais nous savons bien que la question des définitions ne peut être résolue par une simple multiplication d'exemples. Elle implique, en fait, que nous ayons établi le système des actants et, pour ce faire, nous ne saurions échapper à une exploration des rapports unissant les fonctions premières du *savoir*, du *pouvoir* et du *vouloir*.

Contentons-nous pour l'instant de noter un souci identique de la *composition* ; il revient à chaque acteur (personne ou chose) de trouver sa place dans un ensemble défini, nous voulons dire soumis à des règles. Dès les premières lignes de la seconde version, *Lambert* postule une relation de solidarité entre les pièces de ce vaste échiquier que nous propose le monde :

« Tout
Importe. Le mouvement de rien dans une aire donnée
N'est livré au hasard, ni le pas humain. »
(*V. 2*, 289/10-13.)

C'est avec prédilection que son regard parcourt et inventorie les formes de l'espace. Nous avons eu l'occasion de dire au sujet des *Idéogrammes occidentaux* la place du trait et du cercle, de l' « évidence géométrique [6] », dans les constructions de P .Claudel ; Lambert retient, lui, les figures complexes de

6. L'évidence géométrique de la croix succède au buisson de figures entremêlées in *OC*, XIX, 312 (1938). Voir *supra*, p. 144.

la spirale et de l'entrecroisement. Il a la faculté d'aller du visible à l'invisible, de voir

> « ... d'un coup
> Le dessin des esprits avec celui des oreilles. »
> (*V.* 2, 293/20-21.)

De même *Pasme,* entrant dans un café, « étudie la forme des oreilles » (*Ap. II,* 406/13).
Le mouvement de deux hommes qui se rencontrent puis s'éloignent l'un de l'autre est représenté par un objet à deux dimensions : le métier à tisser. L'image a souvent servi à P. Claudel :

> « Ils se séparent. L'un croise l'autre
> Comme le fil la trame. » (*V.* 2, 289/7-8.)

Ou bien, dans une sorte de ballet, ils dessinent en marchant le symbole mathématique de l'infini :

> « Ça se promène, suivant l'allée qui a la forme d'un 8. »
> (*V.* 2, 290/20-21.)

Empêchées par ce mouvement qu'elles ne savent arrêter, les personnes s'entrecroisent sans avoir jamais le temps d'apprendre l'une de l'autre qui elles sont et ce qu'elles font :

> « Cherchant à se joindre, ils n'y peuvent parvenir ;
> Plus ils sont proches, plus le mouvement est précipité. »
> (*V.* 2, 290/4-5.)

On dirait l'observation d'un physicien ou d'un naturaliste ; il est vrai que par ce regard Lambert se désigne comme un « savant » :

> « Je suis (le mouvement, le pas humain) d'un œil aussi attentif que le savant, dans un tourbillon, étudie la giration des fétus. » (*V.* 2, 290/1-2.)

La même qualification vaudrait pour son frère *Besme* qui assigne identiquement aux personnes et aux « choses de la matière » l'obligation d'accomplir le travail correspondant à la définition de leur être.
Les choses d'abord :

> « De toute substance que je saisis entre mes mains, je suis

prêt à dégager les éléments, à relever les propriétés et les fonctions.
Et, comme d'un nombre soumis aux opérations d'une éternelle arithmétique,
Je sais qu'aucune part de cette somme qu'il est n'est inutile ou vaine... »

Les hommes ensuite :

« Et de même chaque être vivant a sa tâche prescrite avec sa provision d'énergie.
Voilà qui est certain et satisfaisant. »

(*V. 2*, 302/5-14.)

On trouverait avec d'autres acteurs de *La Ville*, soit inanimés (le jardin, la lune...), soit animés (les paons blancs...), de nouveaux exemples d'*identités positives*. Il ne faudrait pas en conclure hâtivement qu'il y a deux groupes opposés : d'une part celui de Coeuvre et de la masse indifférenciée des habitants, et de l'autre celui de Besme, de Lambert et de certains « objets ». Ce que vient d'énoncer Besme est là pour nous mettre en garde. Il exprime une *règle universelle* : « toute substance... », « chaque être vivant... », etc. Comment se fait-il alors que, placé dans le monde, Coeuvre échappe à « l'ordre de ses lois et [à] la composition de son branle » (*V. 2*, 316/25-26) ? Besme donne, en fait, sa vérité ; celle qui tient à son statut, mais aussi, et d'une manière imprévisible, à une « instance » de parole chaque fois particulière[7]. Le temps de quelques répliques et, changeant de perspective, il a perdu toute assurance et même, dirait-on, tout savoir. Le fait est déconcertant ou plutôt le serait si l'on poursuivait une recherche thématique. Par contre, une analyse des transformations trouve précisément dans ces variations d'identité sa meilleure justification.

*

Les objets, il est vrai, ne connaissent pas de semblables vicissitudes. Le *jardin* de Besme, lieu unique de l'action au cours de l'acte I, procure du début à la fin, on aimerait dire, loyalement, en unisson avec « la Lune fleurie » (*V. 1*, 144/31),

7. Cf. E. BENVENISTE, *op. cit.*, p. 251.

« la munificence de la Paix » (*V. 1*, 147/19-20). A quoi attribuer cette fonction bienheurante, jamais démentie, que le Jardin partage avec la Lune ?
Assurément à ses propriétés visuelles et olfactives tout d'abord :

> « L'endroit
> Est merveilleux pour le nombre des roses. »
> (*V. 1*, 130/9-10.)
>
> « Les fleurs nouvelles te rendent, Lampe du Sommeil, l'encens. » (*V. 1*, 144/16-17.)

Mais mieux encore à ses propriétés logiques, c'est-à-dire au type de relation qu'il entretient avec l'Univers. Quand Paul Claudel nous dit que le jardin se propose à nous

> « Comme un bouquet disposé dans un vase profond », (*V. 2*, 301/18)

il y a sans doute, par métonymie, glissement du contenant au contenu, du jardin à ses fleurs, mais il y a aussi indication de la figure construite et de la position, de la position *juste*, occupée par un élément (le jardin) dans un ensemble déterminé (le monde). Quand les conditions favorables sont réunies comme ici, il y a *échange* (c'est le rôle concret de l'encens) entre la terre et le ciel, entre ce lieu qui occupe

> « Une certaine place dans l'ombre, comme un poème submergé dans la pensée » (*V. 2*, 301/16-17)

et l'astre « Porte-Lumière » (*V. 1*, 143/22).

Nous n'examinerons pas ici les transformations que le jardin et la nuit réussissent à opérer sur tel ou tel acteur, mais nous pouvons identifier dès maintenant les propriétés les plus générales du couple actantiel [Jardin-Nuit].

Et d'abord, la fermeture. Le jardin est fermé :

> « Partout. Il y a un fossé et un mur. »
> (*V. 1*, 132/27.)

C'est la raison première de l'attrait qu'il exerce sur des personnages aussi apparemment étrangers l'un à l'autre qu'Avare (*V. 1*, 135/21) et Besme. « Fermé » est le premier qualificatif qui vienne à la bouche du Maître du jardin lorsqu'il accueille un ami :

> « Soyez le bienvenu, Coeuvre, dans mon jardin fermé. »
> (*V. 2*, 301/9-10.)

On le sait, l'idée de fermeture est familière à P. Claudel. C'est aussi bien l'arche close, la maison ou la cité fermées. Dans chaque cas, on est tenté de reprendre ce commentaire de l'*Apocalypse*, tant il nous semble de grande portée :

> « Il ne s'agit pas d'une clôture adventice et extérieure, mais d'une nécessité intrinsèque comme l'ensemble infrangible de ces propriétés qui constituent une figure géométrique[8]. »

Le jardin est donc un lieu privilégié. Il offre la meilleure des protections contre le monde, même s'il est incapable de tout arrêter. C'est le sens de cet avertissement d'Avare :

> « ... entends
> Ce mugissement que tes murs n'empêchent pas d'entrer. »
> (*V. 1*, 135/14.)

En fait, le jardin orne le « château » de la cité où Besme trouve une solitude complète (*V. 1*, 139/12). Mieux, par une sorte de fièvre obsidionale, Besme a multiplié les défenses autour de lui, comme autant de cercles concentriques : les murs de sa « chambre de pierre » d'abord, puis ceux du château, puis ceux du jardin (*Ap. II*, 414/23). Et cependant il ne refuse l'accès de sa propriété à personne, hormis aux révoltés :

> « Entre chez moi
> Qui le demande. Mais je ne souffrirai pas
> Qu'on trouble notre lieu de repos avec une violence sauvage. »
> (*V. 1*, 133/20-24.)

En regard de cette « fermeture » relative[9], la ville paraît « ouverte », comme si la multitude était vouée à l'insécurité :

> « Au Nord, au Sud, tu ne verrais que ce lieu trouble !
> par centaines, par milliers et centaines de milliers

8. *OC*, XXV, 360 (1952).
9. In *Ap. II*, 419/23/28, Besme se contente de dire qu'il ouvre les portes de temps à autre.

Les hommes se sont réunis pour être ensemble, ils campent ici. » (*Ap. I*, 392/1-4.)

Nous avons choisi ce texte (d'autres sont moins explicites) parce qu'il nous permet d'illustrer exemplairement l'écart entre le Jardin, « fermé », et la Ville, même munie de ses remparts traditionnels (*V. 1*, 139/17). Le mot « rempart » a d'ailleurs disparu dans la seconde version. La « Ville des hommes », « le lieu humain », « s'étend autour de » Besme sans que les limites soient marquées (*V. 2*, 306/25-28).

Rappelons, pour conclure, les vertus de la clôture intrinsèquement nécessaire. Quand il s'agit d'une cité, seule la fermeture lui permet de « vivre la conscience de sa propre identité, sans quoi elle ressemblerait, nous dit la Sagesse, à ce discours des insensés qui se répand de toutes parts... [10] ».
La citation est de 1952, mais elle nous renvoie au *Journal* de 1906 :

« Sicut urbs patens et absque murorum ambitu, ita qui non potest in loquendo cohibere spiritum suum [11]. » (*Prov.*, XXV, 28.)

Nous pouvons retenir ce rapport entre la clôture, l'identité et le bon usage de la parole ; nous en aurons besoin pour l'identification des actants. Revenons pour l'instant au critère *topologique*. L'écart entre ces deux points de l'espace théâtral, la Ville et le Jardin, est encore marqué par des indications de mise en scène. Le jardin occupe dans la première version une position centrale : « Un très grand jardin dans le milieu de Paris » (*V. 1*, 129/1). C'est une relation d'inclusion (englobé/englobant). Dans la seconde version, la perspective est changée et renvoie à un autre type d'opposition. P. Claudel situe dans l'espace le jardin et la ville aux deux points extrêmes d'un axe vertical : le haut et le bas. Soit :

10. *OC*, XXV, 359 (1952).
11. *Journal I*, 37 (1906). Les éditeurs du *Journal* invitent à bon droit à faire ce rapprochement et donnent la traduction : « Comme une ville ouverte et sans enceinte de murailles, ainsi est celui qui ne peut en parlant dominer sa pensée » (voir p. 1067).

« Les jardins de Besme sur une hauteur d'où l'on découvre la Ville. » (*V.* 2, 289/1.)

Résumons ces relations topologiques :

Jardin	englobé ou haut	espace clos
Ville	englobant ou bas	espace ouvert

On a déjà remarqué que le jardin était lié à la nuit. Nous voudrions expliciter maintenant cette couplaison et l'associer à une autre qui lui fait pendant : le couple actantiel [Ville-Jour].

L'action du premier acte, quelle que soit la version choisie, se joue entre le crépuscule et l'aube. C'est dans ce temps que tous les personnages trouvent ou croient trouver leur identité (*être soi-même*). Ailleurs, pendant le jour, il n'y a qu'effusion et dispersion. Il faut attendre que la nuit soit tombée pour que le jardin acquière son statut. Le lieu « à midi est désert » (*V. 1*, 152/8). Arrivés à « la fin extrême du jour » (*V. 1*, 129/3), Ly et sa femme recherchent l'endroit le plus obscur du jardin. D'où ce dialogue :

Ly. — « ... Fait-il clair encore ? Est-ce la nuit, enfin ? »
Madame Ly. — « Tu vois ! à peine si l'on distingue les grandes herbes ; c'est la nuit. »
Ly. — « Tout le jour, je me suis passé de moi-même ! »
(*V. 1*, 132/6-9.)

Ainsi la quête de l'identité implique un certain temps et un certain lieu ; le Même ici, l'Autre là. Du reste, dans *être soi-même*,

« le terme double *soi-même* a une valeur d'authentification ; il ajoute à soi l'adjectif de comparaison en qui il se certifie identique dans toutes les portions de sa durée [12]. »

On pourrait par un autre chemin (la description de « l'idéo-

12. *OP* (*AP*), 183 (1907).

gramme » *même*[13]) fournir une analyse comparable. C'est encore le sens de la question que se pose anxieusement Besme :

> « En quoi est-ce que je suis moi-même continuel ? »
> (*V.* 2, 308/9.)

Maintenir son identité, voilà donc le gage de la réussite. Réciproquement, être « disjoint » de soi-même, c'est être perdu. Le *Tao* et précisément ces paroles de Lao-Tzeu, aimées de P. Claudel, offriront à Ly l'écho convenable :

> « Moi seul, je suis silencieux et disjoint. [...] Je parais éperdu et accablé comme si je ne savais où aller[14]. »

Le jardin lié à la nuit forme ainsi un couple actantiel au pouvoir bénéfique. Quelques exemples pris dans la seconde ou la première version suffiront sans doute à emporter la conviction. C'est le même jeu de qualifications. Pour le Coeuvre de la seconde version, comme pour Ly tout à l'heure, le jardin « trempe dans la nuit » et « donne lieu à s'y enfoncer » (*V.* 2, 301/19-20). L'ombre y est « douce » aux « yeux meurtris ». C'est donc moins le temps et le lieu de la parole que du silence ou du chant ; si Ly reprend souffle, épuisé par l'épreuve du jour, Coeuvre, lui, remercie sur cette « note O », l'une des préférées de P. Claudel[15] :

> « O ténèbres, que votre accès est plein de consolation ! »
> (*V.* 2, 301/23-24.)

Inversement, la Ville est liée au jour, à sa lumière « impitoyable » (*V.* 2, 301/22) ou encore « trouble » et menaçante (*V.* 2, 328/5-6). Le jour est « impur » (*V.* 1, 131/15). C'est donc par une sorte d'imposture que la Ville, se substituant à l'ordre naturel, produit pendant la nuit une « lumière fabriquée » (*V.* 2, 290/27) et, pour ainsi dire, injuste. Il ne peut s'agir,

13. *Journal I,* 876 (1929).
14. *O. Prose,* 844 (1926). On trouvera dans le *Catalogue J. Doucet,* 13 (1965), une première traduction de ce texte datée approximativement de 1896.
15. *Journal II,* 772 (1951) : « Rêve délicieux : une f[emme] chante d'une manière ineffablement suave, sur la note O, en bâteau populaire, sous le clair de lune. » Dans son analyse des *Grandes Odes*, G. ANTOINE a étudié nombre de ces phrases commençant par O » (*Les Cinq Grandes Odes de Claudel,* Lettres Modernes, Paris, 1959, pp. 41, 42, 91).

en effet, dans ce lieu d'injustice, que d'une « rambleur inique » (*V. 1*, 135/15 et *V. 2*, 290/28) et une telle lumière porte en soi sa condamnation[16] :

« Que je vive assez », répète Avare passionnément, « pour
voir cette lumière éteinte ! »
(*V. 2*, 290/29-30 et 291/1-2.)

Après avoir connu

« l'affreuse agitation
De la Ville » (*V. 2*, 301/21-22)

où

« Tout le jour
Tout le jour, il a fallu parler ! »,
(*Ap. II,* 412/10-11),

les « affamés » de silence cherchent refuge dans le jardin de Besme (*Ap. II*, 412/9).

Pour Ly :

« C'est ici le repos où ceux qui de ce qui de cette vie est fait
Sont las, ne parlent pas. » (*V. 1*, 136/28-30[17].)

Nous pouvons donc bien dire, si l'on veut maintenant résumer clairement les propriétés opposées de ces deux actants-deixis[18], qu'au pouvoir bénéfique de l'un, [Nuit-Jardin], correspond le pouvoir maléfique de l'autre, [Jour-Ville].

Le Jardin, par l'importance accordée aux plantes, aux fleurs et aux fruits, aux couleurs et aux odeurs (celles des roses, des lys, des sureaux, etc.), à la composition des formes aussi, est le lieu de la /beauté/ ; la Ville « aride » (*V. 2*, 310/3), de la /laideur/. /Douceur/ et consolation d'un côté, /violence/ et oppression de l'autre. /Repos/ et « munificence de la Paix » (*V. 1*, 147/19), figurés en quelque sorte par la tranquillité des

16. Le mot « rambleur » est d'origine champenoise. Il appartient au vocabulaire familier de P. Claudel : « *Rambleur* désigne la lueur d'un incendie, d'un coucher de soleil, les lumières d'une ville, etc., se reflétant dans le ciel nocturne. » (*BSPC* 32, 34-35).

17. Cf. note 4, p. 155.

18. Ce type de signe linguistique fait intervenir solidairement les dimensions du temps et de l'espace.

paons (*V. 1*, 152/22 et *V. 2*, 312/26-27), à l'intérieur ; dehors, mouvement désordonné, /agitation/. Ici, parole volontaire ou /silence/ ; là, /bruit/ ou parole obligée. Car,

> « pendant le jour nous ne cessons pas d'entendre la phrase avec une activité acharnée ou par tourbillons, que tissent sur la portée continue tous les êtres reliés par l'obligation du chœur [19] ».

Reprenons, en résumé, les principales relations classématiques :

Couple [Nuit-Jardin]	Couple [Jour-Ville]
/beauté/	/laideur/
/douceur/	/violence/
/repos/	/agitation/
/silence/	/bruit/

La réconciliation de l'être avec lui-même et avec ce qui l'entoure (personnes et choses), condition — somme toute — du « bonheur », présuppose d'ailleurs un accord plus large, une sorte de fusion de la Terre et du Ciel. Une métamorphose suffit parfois à noter la conjonction. C'est sous cet angle que nous lirons certains passages déjà relevés : le ciel recevra, par exemple, les attributs de la terre et voici « la Lune fleurie » (*V. 1*, 144/31) ; ou bien, la nuit ayant fait basculer le ciel, les hommes ne sauront plus s'orienter ni distinguer le haut et le bas :

> « La nuit nous ôte notre preuve, nous ne savons plus où nous sommes [20]. »

Alors, le jardin « trempant » dans la nuit est :

> « Comme un bouquet disposé dans un vase profond. »
> (*V. 2*, 301/18.)

La nature tout entière s'ingénie à maintenir l'harmonie de l'univers : de même que les fleurs rendent à la nuit l'encens, de même les êtres humains, par l'adoration et la louange,

19. *OP*, 108 (1907).
20. *OP*, 108 (1907).

reconnaissent « d'un juste retour » le don de la paix (*V. 1*, 147/13-20 et *V. 2*, 313/24-25) :

> « Une parfaite tranquillité est commune au grand Ciel et à la Terre. » (*V. 1*, 315/11-12.)

Bien entendu, cet accord se brise avec le jour. Les hommes, dès lors obligés de « se passer d'eux-mêmes », selon l'expression de Ly, attendent avec impatience le retour de la nuit et surtout du sommeil qui, seul, délie les « esclaves » (*V. 2*, 314/29).

Nous prenons ainsi peu à peu la mesure d'un récit cyclique où « harmonie » et « dysharmonie » alternent suivant le rythme naturel de la nuit et du jour. Et, précisément, ce que les personnages redoutent, c'est que le jour qui vient soit comme tous les autres jours, qu'il ne ramène aucun changement (*V. 1*, 143/5-8), aucune raison d'espérer.

	RECIT CYCLIQUE				
	Avant	Après	Avant	Après	etc.
Actants-deixis	[Jour-Ville]	[Nuit-Jardin]			
Actant personnel On/Je	Altérité	Identité			
Posé	/malheur/ f/Q négatives	/bonheur/ f/Q positives			
Présupposé	Disjonction Terre $\vee$ Ciel	Conjonction Terre $\wedge$ Ciel			
	Ø	Temps et lieu de l'instance de parole Acte I			

Recherche d'une pertinence

Nous avons noté, à propos de Coeuvre et de Besme, qu'il était difficile de leur accorder un statut, tant ils paraissaient varier au cours de l'acte. Sans doute, le rôle du récit est-il de fournir des réponses aux questions posées : « Que sais-je ? Que puis-je ? Qui suis-je ?... », d'assurer, comme nous l'avons dit dans l'introduction, « le développement [...] d'un ordre et d'une composition » ; toutefois, les tâtonnements de l'auteur d'une version à l'autre manifestent de l'embarras, comme sur un autre plan, les affirmations suivies presque aussitôt de dénégations des personnages. Et précisément, l'agencement des séquences, le dédoublement d'un actant en deux acteurs ou, inversement, la disparition d'un protagoniste sont autant d'opérations qui rendent malaisées des solutions simples. Nous renvoyons pour mémoire au [Besme] de la première version qui se divise dans la seconde en [Besme-Lambert] ou au couple [Ly-Coeuvre] s'unifiant dans la seconde version en [Coeuvre]. Il faudra donc, après avoir examiné avec une certaine précision les fonctions premières (le *savoir*, le *pouvoir* et le *vouloir*) et les relations qui les unissent, nous efforcer de mettre en place un *système des modalités*. C'est en fonction de ce principe de pertinence que nous résoudrons les problèmes posés par l'identification des actants. Plus exactement, nous apprendrons à connaître un actant non seulement en cherchant la réponse aux questions qu'il se pose en tant qu'acteur ou que d'autres lui posent : à savoir, pour simplifier : Que peut-il ? Que sait-il ? mais nous aurons à nous demander si la réponse fournie est de l'ordre de la vérité (dimension de l'*être*) ou de l'ordre du mensonge (dimension du *paraître*). C'est à ce moment-là, nous semble-t-il, qu'intervient d'une manière décisive la fonction du *vouloir*. L'actant, en effet, peut s'affirmer comme /Je/ et se reconnaître l'auteur du procès dont il est le siège ; il peut aussi refuser cette paternité et affirmer du même geste que l'auteur du procès est un autre, en ce cas toujours indéfini, que nous symboliserons par le pronom /on/. Ce n'est pas moi qui parle, dit Coeuvre ; on parle à travers moi.

La relation canonique [/savoir-pouvoir/]

1) *Le pouvoir*

Pour se faire une idée du *pouvoir* d'un actant, il suffit d'analyser les transformations dont il est la cause, de le juger « à sa démarche propre, à cette activité spéciale qui est la raison d'être de sa construction[21] ». L'acte, nous pensons ici aussi bien au *faire* qu'au *dire*, révèle l'être en le « suivant » : *operatio sequitur esse*.

Etre un opérateur en puissance est déjà en soi un signe suffisant. De ce fait, le poète occupe parmi les hommes une place particulière :

> « Tu n'es pas, affirme Ly, comme aucun de nous, mais tu te tiens chez nous avec un pouvoir de changement. » (*Ap. I*, 394.)

Le poète ne peut rester indifférent à l'exercice de sa fonction spécifique, la plus apparente du moins, celle du /*dire*/. Y renoncer serait pour lui perdre toute identité et priver les hommes de l'espoir d'une transformation heureuse. C'est le sens de cette supplique de Ly :

> « Ne médite pas de te taire et de retirer tes mains du milieu de nous, ô toi qui te tiens ici avec un pouvoir de changement ! » (*V. 1*, 155/12-14.)

La relation unissant les hommes au poète s'analyse à l'évidence en termes de besoin ; la relation du poète aux hommes, en termes de fonction. Dans cette structure d'*échange*, « l'objet » transmis ou désiré, nous le dénommerons : /bonheur/ :

$$D_1 \longrightarrow O \longrightarrow D_2$$ [22]

(le /*poète*/) (le /*bonheur*/) (/l'*homme*/)

A partir d'un relevé des effets, on peut évaluer la force et le caractère euphorique du pouvoir poétique. En voici les vertus spécifiques telles que les ressent Besme. Tu es, dit-il à Ly, première forme du poète,

> « comme un enfant
> Merveilleux, caresse, récompense des parents ;
> Car si tu poses tes mains sur le cœur
> Elles l'empêchent de battre, causant un saisissement comme celui de l'eau froide. » (*V. 1* ; 137/13-17.)

21. *OC*, XXI, 53 (1938).
22. D_1 = destinateur ; O = objet ; D_2 = destinataire.

Voilà pour l'évocation du charme et de la force. L'affirmation de l'euphorie, nous la trouvons dans la seconde partie de l'analyse de Besme. Le poète donne la paix aux hommes :

> « Quand tu parles ainsi qu'un homme qui se souvient, J'écoute ; et c'est comme une branche quand un oiseau pose dessus.
> O toi qui seul d'entre tous les hommes fais entendre un langage paisible ! » (*V. 1*, 137/27-31.)

« Paisible » annonce, à la manière d'une prolepse, le résultat de la transformation. L'importance du don et l'étrangeté de ce *pouvoir* (réservé à un seul, notons-le) impliquent que l'on attribue au */dire/* poétique des propriétés tout à fait extraordinaires. Aussi bien, puisqu'il n'y a pas d'images capables de représenter un phénomène d'essence mystérieuse, Besme, pour qualifier le */dire/* de Coeuvre, alliera les contradictoires [23] : « chant sans musique » et « parole sans voix » (*V. 2,* 303/25). On comprend ainsi que la fonction spécifique du poète, son *pouvoir*, est de nature musicale. Le poète est celui qui fait naître « l'accord » entre le tout (le monde) et la partie (l'homme) ; mais il faut préciser ce point : il s'agit moins de l'harmonie des choses situées dans un espace immuable que de leur mouvement concertant, de leur mélodie :

> « Par le moyen de ce chant sans musique et de cette parole sans voix, nous sommes accordés à la mélodie de ce monde. » (*V. 2,* 303/25-26.)

Donnons le schéma de ce pouvoir de changement :

Avant	Tr. [24]	Après
Inquiétude (*V. 1,* 146/15-16)	opérateur : le */dire/* actant : le poète O : les hommes	Paix (*V. 1,* 155/10, *V. 2,* 303/23)

23. Les oxymores sont fréquents dans le texte de P. Claudel.
24. Tr. = transformation. L'opérateur désigne le *moyen* de la transformation, l'actant son *sujet* et O son *bénéficiaire* (objet résultatif). Soit la paraphrase : « le poète par son */dire/* transforme les hommes ».

Nous avons dit que les hommes étaient les bénéficiaires de la transformation. Interrogeons cependant les termes de la relation. Dans ce rapport, ce n'est pas l'individu qui est concerné, mais la personne ; seule, « la rencontre de la face humaine » (*V. 1*, 171/16) garantit la valeur de l'échange. Il en va tout autrement dans la relation qui unit les hommes au couple actantiel [Lambert-Besme]. Lambert, le politique, et Besme, l'ingénieur, exercent sans partage leur double domination. Le premier est un « puissant politique », un « chef d'hommes », un « pasteur de cités » (*V. 2*, 293/4-6) ; chez le second, que l'on peut appeler « avec vérité [...] le Père de la Ville » (*V. 2*, 306/3-4),

> « La contenance, la barbe, le feu de l'œil décèlent
> Saturne, patron des ingénieurs et des lieux plantés d'arbres. » (*V. 1*, 139/4-5 et *V. 2*, 305/20-23.)

Sa puissance est telle que, dans la ville, il n'est pas « un ongle qui ne remue pour [lui] » (*V. 1*, 139/6-7) ; mieux, il n'est pas de pensée qui ne lui soit assujettie :

> « O Coeuvre, tu disais tout à l'heure que je saurais assujettir la poussée de la source et de la sève ;
> Mais celle de la pensée est plus forte, et c'est dans la mienne que toute la Ville
> Trouve le principe de son activité et de sa vie. »
> (*V. 2*, 306/20-24.)

De ce point de vue, Lambert, qui, rappelons-le, n'existe pas dans la première version, est une doublure. Il n'a pas les marques extérieures de la puissance, dont la barbe. Le détail a son importance. C'est aussi à son frère qu'il revient de fixer une sorte de topologie de la puissance. « Celui qui regarde de haut en bas, dit ailleurs P. Claudel [25], il domine et il possède. » Besme est à la fois au centre et au-dessus. « La Ville des hommes s'étend autour de [lui] » (*V. 2*, 306/27) et des « millions de têtes [...] grouillent à [ses] pieds » (*V. 2*, 307/4). Bref, il a été « constitué entre les hommes » au-dessus de tous et de tout (*V. 2*, 307/14).

25. *O. Prose*, 843 (1926).

2) *le savoir.*

Qu'est-ce donc que le *savoir* sinon cette capacité du sujet de reconnaître sa place et sa fonction dans un ensemble homogène ? Et qu'est-ce que le *pouvoir* sinon l'acte par lequel le sujet vérifie son *savoir* ? Nous aurions par conséquent une vue incomplète des deux *pouvoirs* examinés, celui du poète Coeuvre et celui du politique Lambert ou du scientifique Besme, si nous ne les rattachions à des *savoirs* correspondants. De même, en inversant la démarche, nous sommes fondé à dire : le savoir implique le pouvoir, puisqu' « il n'est de véritable savoir que celui qui peut se changer [...] en acte [26] ».

Cette solidarité posée, si l'un des termes de la relation canonique [/savoir-pouvoir/] est nié, la suite devient fautive ; autrement dit, il suffit d'un non-pouvoir ($\overline{\text{pouvoir}}$) pour que le savoir devienne à son tour négatif ($\overline{\text{savoir}}$). Un exemple nous est fourni lorsque Lambert décrit les hommes cherchant à se rencontrer, à constituer entre eux un échange et n'y pouvant parvenir (*V. 2*, 290/4).

Ce n'est pas le désir qui leur manque, mais la plupart ne savent pas comment reconnaître leur identité respective. Nous verrons d'ailleurs que les deux versions diffèrent profondément sur ce point. Car enfin les couples nombreux de la première version ont un privilège : précisément, être couples. Ils ont réussi parce qu'ils ont su former « le nœud indémêlé de la Reconnaissance » (*V. 1*, 150/22). Dans la seconde version, ce *savoir* est presque perdu : seul le couple formé par Lâla et Coeuvre en fait état et encore, d'une manière bien ambiguë. Second exemple : si Ly, le poète-précurseur « aime à ne point parler » (*V. 1*, 154/4), — au point d'avoir juré de se taire (*V. 1*, 137/1) —, c'est que la science qu'il croyait acquise lui échappe. Incapable de former l'ample discours nécessaire pour assurer l'homme dans la paix, il reporte ses espérances sur Coeuvre :

> « Pour moi, je fais un bruit, mais lui, pensais-je, on l'entendra,
> Parce que comme un grand arbre il rendra un ample discours. » (*V. 1*, 155/1-3.)

26. P. Valéry, *Pléiade II*, Gallimard, Paris, 1966, p. 738 (1926).

Rappelons aussi *Tête d'Or*. Quand le roi a été blessé mortellement, il est empêché physiquement de poursuivre sa quête. Et pourtant, ce non-pouvoir (pouvoir), Tête d'Or l'interprète en termes d'erreur (savoir) :

« Je ne peux pas ! je ne peux pas ! Je ne suis pas un dieu ! En quoi ai-je manqué ? Où est ma faute [27] ? »

On comprend dans ces conditions la minutie avec laquelle les actants définissent l'objet de leur savoir. Une définition juste implique un pouvoir correct. Mais remarquons ceci : dans la dialectique claudélienne, accorder le savoir et le pouvoir à l'un, c'est les dénier à tous les autres, comme s'il était nécessaire de poser d'abord une relation d'exclusion. Prenons comme exemple Lambert. Ses affirmations sont claires : il revendique un *savoir* et un *pouvoir* politiques absolus. Aucun partage n'est concevable :

« Pour moi, je sais ce qu'il faut faire et je n'accepterai point d'avis. »
(*V. 2*, 318/7-8.)

Lorsque les délégués de la bourgeoisie viennent le chercher, il prend à tâche de souligner leur ridicule faiblesse de pensée. S'ils n'ont rien pu faire, c'est que leur savoir était nul ; tout juste un acquiescement à cette entité positiviste : « La logique-des-choses » (*V. 2*, 321/10). Et de répéter :

« Je n'admets point d'avis ni de remontrance, mais je ferai seul
Ce qui me semblera bon et opportun. »
(*V. 2*, 322/22-24.)

Le savoir et le pouvoir de *Besme* ne se partagent pas non plus. A force de puissance et de richesse, le Père de la Ville a mérité les surnoms de « Saturne » et de « nouveau Prométhée » dont le gratifie Coeuvre (*V. 2*, 305/22 et 25). Seul, il a su, lui, « le plus sage et le plus fort » (*V. 2*, 318/29), remonter des effets aux causes, connaître, lui dit son frère, « chaque chose dans son acte et dans son opération par quoi, étant nécessaire, elle est » (*V. 2*, 319/9-10). Notons en passant que Besme pose

27. *Th. I*, 146 ; de même, dans la seconde version, 281 (1890-1901).

l'acte avant l'être. Nous avons donc la converse de l'adage scolastique cité plus haut sous la forme *operatio sequitur esse*. Mais, comme le souligne P. Claudel, « on pourrait dire aussi bien que l'*être suit l'agir* ; et que pour interroger ce comparant [animé ou non] nous avons tout d'abord à lui demander ce qu'*il fait*, ce qu'*il fait là*, comme un personnage dans une pièce [28] ». Besme n'a pas procédé autrement. Il est donc naturel qu'investi du savoir le plus exact et le plus étendu, il se sente lié à la Ville par une relation d'engendrement. C'est lui qui l'a faite ; de lui elle a tout reçu, biens matériels et sipirituels ; l'eau « et le mouvement, et la lumière » ; et la pensée, encore :

« ... c'est dans la mienne que toute la Ville
Trouve le principe de son activité et de sa vie. »
(*V. 2,* 306/23-24.)

Signe éclatant de sa réussite : l'or, monnayé en « jouissance universelle, pareille à une considération de l'esprit » (*V. 2,* 307/10-12). C'est que bonheur et richesse sont liés. « Seul heureux, seul libre », affirme Besme :

« Car
La nécessité soumet, attache les hommes l'un à l'autre.
Et moi, étant riche, je suis seul. »
(*Ap. II,* 415/22-23.)

Mais comment apprécier la structure de l'*échange* mise en place par Besme ? Que vaut ce « don » qui pourrait être dénommé, comme celui du poète, /bonheur/ ? :

D_1	$\longrightarrow$	O	$\longrightarrow$	D_2
(le /*savant*/)		(le /*bonheur*/)		(les /*hommes*/)

Le rapport en effet n'est plus de personne à personne, mais de maître à esclave, et l'on sait quelle parole l'esclave tient contre son maître :

« Que la gangrène noire
Lui fonde le bras jusqu'à l'épaule ! »
(*V. 1,* 134/26-27.)

28. *OC,* XXI, 407 (1953) ; cf. aussi *OP, AP,* 144 (1907). La pensée de P. Claudel offre une continuité remarquable.

Besme possède la Ville et la Ville lui donne en retour la lumière, « comme la mer femelle ! » (*V. 1,* 139/22 et *V. 2,* 306/26). Il est le véritable destinataire du procès de communication :

> « Par moi, pour moi, la Ville des hommes s'étend autour de moi,
> Afin que je connaisse la joie et qu'ils reçoivent de moi l'assistance. » (*V. 2,* 306/27-30.)

Besme se donne ainsi la Ville comme objet de jouissance. Soit cette nouvelle représentation :

$$D_1 \longrightarrow O \longrightarrow D_2$$

(*Par moi*) (*la Ville*) (*Pour moi*)

C'est donc à bon droit que Besme peut s'enorgueillir :

> « ... j'ai été fait un dieu ». (*V. 2,* 306/32.)

Avec le poète (Ly ou Coeuvre), le *savoir* prend une autre dimension. Déjà, nous l'avons vu, le *pouvoir* poétique ne se laissait pas analyser rationnellement. Il suffisait à chacun que le /*dire*/ du poète opérât la transformation désirée :

> « Mes larmes coulent », atteste Ly le précurseur,
> « Quand j'entends le son heureux de la lyre [de Coeuvre]. » (*V. 1,* 151/21-22.)

Certes, ce pouvoir présuppose un certain savoir et Coeuvre l'analyse ; mais si on l'interroge à la manière des savants sur l'origine de sa science, il devra admettre qu'elle lui échappe comme à tout un chacun :

> « ... je ne saurais expliquer d'où je retire ce souffle. » (*V. 2,* 304/1.)

Pour un homme comme Besme, habile à pénétrer les causes, le phénomène est irritant. Au regard de sa propre science, que vaut celle du poète ? Presque rien :

> « Tu sais peu de choses et je ne t'appellerai point sage... » (*V. 1,* 137/25.)

Et pourtant, le fait est là, irréductible : Besme ressent lui aussi le *pouvoir* de Ly ou de Coeuvre : il écoute et se trouve accordé au monde :

> « Tu n'expliques rien, ô poète, mais toutes choses par toi nous deviennent explicables. » (*V. 2,* 303/27-28.)

Il faudra donc faire sa place à un autre type de connaissance — mais s'agit-il encore de « connaissance » ? — capable de se substituer, le moment venu, à la taxinomie, science de Besme ; accepter que celle-ci satisfasse « la curiosité du comment » et celle-là « notre sensibilité au pourquoi [29] ». De ce savoir poétique, Besme commence par noter l'étrangeté. C'est son caractère différentiel le plus apparent. Puisque aucune définition, « image abstraite du fait » (*V. 2*, 354/23), ne saurait lui convenir, Besme aura recours, tout comme Lâla, aux images de la profondeur, faute de mieux. Pourquoi les paroles de Coeuvre ne fournissent-elles point d'instruction au sage ? C'est que « leur lieu » se perd « dans de profondes ténèbres comme une tige » (*V. 2,* 302/22). Ou bien encore c'est que les paroles émanent du poète « comme jaillit l'eau de la terre » (*V. 2,* 303/16). Lâla, en reprenant clairement les mêmes comparaisons, insiste sur le « contact » du poète avec la Nature :

« ... comme un fleuve qui sort de la bouche de la terre,
Les paroles intelligibles, comme de l'eau, jaillissent de la profondeur de votre pensée.
Et par elles nous remontons, comme à une source, vers vous. »
(*V. 2,* 310-/21-25.)

L'origine mystérieuse de ce *savoir* et de ce *pouvoir* contribue donc à faire de Coeuvre une sorte de prodige. C'est du moins ainsi qu'il est présenté par Besme dans la première version, et avec quelle force ! :

« C'est comme une jument blanche dans le soleil,
C'est comme un cheval dans le blé ! »
(*V. 1,* 151/8-9.)

Nous t'avons vu, ajoute Ly,

« tout à coup [...] obscurcir le soleil. »
(*V. 1* 155/7-8.)

Il n'est pas nécessaire d'insister : l'apparition de Coeuvre est de l'ordre des phénomènes « surnaturels ». Evénement, sans doute, mais plus encore : Avènement, dirait P. Claudel [30].

29. *OC,* XXI, 401 (1953).
30. Voir *OC,* XXIV, 81 (1951).

De quoi donc est fait son *savoir* ? Et si nous ne pouvons pas nous prononcer sur la nature d'un savoir dont nous ignorons l'origine, quel est du moins son *objet* ? A cette question, les deux textes répondent assez bien.

Le *savoir* de Besme est fondé sur la métonymie ; celui du poète relève de la métaphore. L'ancienne logique règle le premier ; la nouvelle, le second [31]. Besme, « de toute substance qu'il saisit entre [ses] mains, [est] prêt à dégager les éléments, à relever les propriétés et les fonctions » (*V. 2*, 302/5-7). Il ne faudrait pourtant pas s'imaginer que le savant reste confiné dans son laboratoire ; il est en même temps la pièce maîtresse d'un vaste atelier, une machine dont « le mouvement » est nécessaire à toutes les autres (*V. 2,* 319/7-8). Car dans la perspective « mécaniciste » de cette science de la contiguïté, il s'agit avant tout de bien agir sur le monde [32] :

> « Et je me tiens ici comme la roue motrice qui tourne sur elle-même et à qui la courroie s'attache,
> Et où par toute la Ville vient prendre vie le peuple des tours, des scies, des marteaux et des meules, rang sur rang, étage sur étage, le monde des broches et des métiers. »
> (*V. 2,* 306/17-19.)

Le poète a une autre tournure d'esprit. Non qu'il néglige l'objet du savant, « les choses de la matière » (*V. 2*, 302/4), mais le regard qu'il jette sur le monde est orienté à d'autres fins. Il vise moins des agencements particuliers que la syntaxe d'ensemble. Il cherche donc à « saisir en même temps », ou encore à « saisir un principe et son travail [33] », bref, à comprendre l'ordre du monde. D'où cet avertissement lancé à Besme : Ne confonds pas les catégories (*V. 2,* 303/6) :

> « O Besme, pour comprendre ce que je suis et ce que je dis,
> Il t'est besoin d'une autre science.
> Et pour l'acquérir, oubliant un raisonnement profane, il te suffit d'ouvrir les yeux à ce qui est. »
> (*V. 2,* 302/24-28.)

31. Voir *OP, AP,* 143 (1907).
32. Voir *OC*, XXI, 401 (1953).
33. *OP, AP,* 179 et 181 (1907).

Il n'est pas suffisant de dire : si cette feuille jaunit, c'est que « la terre occupe telle position sur son orbite » et que « les canaux obstrués se flétrissent » (*V. 2*, 302/30 et 31) ;

> « Elle jaunit pour fournir saintement à la feuille voisine qui est rouge l'accord de la note nécessaire. »
> (*V. 2*, 303/1-2.)

De même, le jardin du maître de la Ville n'est pas seulement un jardin : c'est « un bouquet disposé dans un vase profond » (*V. 2*, 301/18). Ou encore :

> « La rose ou le pavot signe rouge l'obligation au soleil d'autres fleurs d'être blanches ou bleues. Tel vert ne saurait pas plus exister à lui seul qu'une masse sans ses points d'appui. Chaque note de la gamme appelle et suppose les autres...[34] »

En effet, dans le champ de la métaphore (science des substitutions), « toutes choses sont présentes », de sorte qu'« entre le futur et le passé il n'y a suite que sur un même plan » (*V. 2*, 303/2-3). Le voilà donc cet ensemble homogène qu'il était nécessaire au poète de postuler. Ce n'est plus l'orientation unique, le parcours obligatoire imposé par Besme aux hommes : tout rapport de domination exclut un échange véritable. Bien au contraire, il s'agit de rendre autant que l'on a reçu : c'est ce double trajet qu'illustre bien l'image du *miroir* avancée par Coeuvre. Sans doute, il en est toujours un qui donne et un qui reçoit, mais les deux protagonistes sont devenus en quelque sorte égaux. Que serait « l'Etre qui nous a créés », si nous n'étions là pour lui restituer ce qu'il nous a donné, sa « gloire » (*V. 2*, 303/10-13) ? Un tel échange suppose accord des volontés et besoin réciproque :

> « Quand, ouvrant les yeux pour la première fois, je vis le monde, dans la fraîcheur de sa feuille,
> Paraître dans une proportion sublime, avec l'ordre de ses lois et la composition de son branle, et dans la profondeur de sa fondation,
> Comme un homme qui adore et comme une femme qui admire, je tendis les mains,

34. *OP, AP*, 154 (1907).

> Et comme un Miroir d'or pur qui renvoie l'image du feu tout entier qui le frappe,
> Je brûlai d'un désir égal à ma vision, et, tirant vers le principe et la cause, je voulus voir et avoir ! »
> (*V. 2*, 316/23-33.)

L'/avoir/ est le garant du /voir/ ; ou bien encore l'/avoir/ est l'effet dernier à partir duquel nous remontons la chaîne des causes. Et qu'est-ce que ce /voir/ dont parle constamment P. Claudel si ce n'est l'organe du /savoir/ ? Il y a, d'ailleurs une variante à ce texte :

> « Un désir entra dans mon ventre, et tirant vers le principe et la cause, je voulus avoir et savoir. »
> (*Ap. II*, 423/19-20.)

Or, nous ne l'ignorons pas, analyser des mots du discours (*voir, avoir, savoir*) sous-entend que nous définissions le système des relations logiques et sémantiques qui les intègrent. Proposons dès maintenant, ne serait-ce que pour fixer les idées, le parcours du /savoir/ à l'/avoir/. Nous mettrons entre parenthèses les mots du lexique et entre barres obliques les catégories impliquées :

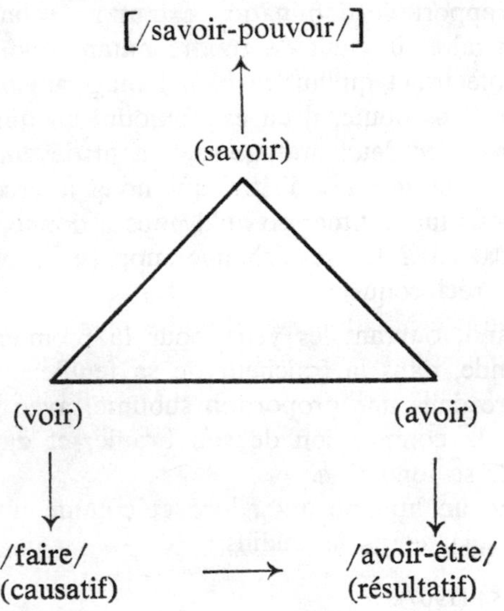

Remarquons d'ailleurs que le /voir/ est le trait différentiel de toute connaissance :

> « Claude Bernard voit des mouches s'acharner sur des débris de foie, et aussitôt le couple mouches-sucre s'établissant dans son esprit, il découvre la fonction glycogénique du foie. Charles Nicolle attribue sa principale découverte sur le typhus à la vision d'une porte fermée. Victor Hugo distingue d'un regard dans la tête d'un mouton un élément dont il nous fait reconnaître la valeur panique : c'est la *Brebis Epouvante*. Mallarmé définit la poésie ' l'hymne des relations de tout avec tout '[35]. »

Ainsi le statut du *savoir* et du *pouvoir* varie selon l'objet et l'étendue de la vision. Pourquoi Tête d'Or a-t-il réussi dans son entreprise « héroïque » ? Parce qu'il voyait et, donc, qu'il savait. Et Cébès aussitôt de déduire les raisons de son échec :

> « Et moi, je ne vois pas et je ne sais pas !
> Qu'aurais-je pu faire[36] ? »

C'est encore une fois poser la relation d'implication : $\overline{\text{/savoir/}} \longrightarrow \overline{\text{/pouvoir/}}$: A savoir nul, pouvoir inexistant.

Quant à Coeuvre, Besme et Lambert, ils ont bien reçu tous les trois le « don » de la vision (*V. 2,* 293/19-21 et 307/18). Mais c'est sans doute Coeuvre qui réalise le mieux les conditions de l'échange : « il y a au fond de lui un miroir affamé de répercussion. Il y a faim en lui d'être un miroir à Celui qui Est[37]. » P. Claudel pense ici à Moïse et non à Coeuvre, mais les deux personnages se rejoignent curieusement dans l'univers poétique. Ce n'est pas par hasard que l'image du miroir comporte ici et là des valeurs identiques. L'idéal, en effet, serait de rendre sans déformation ni affaiblissement aucun la Lumière reçue. Et même, pour être tout à fait satisfaisant, il faudrait que l'échange soit, par exemple, un acte aussi naturel que celui de la respiration. C'est le sens de la question de Besme à Coeuvre :

35. *OC*, XXI, 421 (1953). Cf. ici même p. 206.
36. *Th. I,* 78 et 217 (1890-1901).
37. « Dans la Bible », ajoute P. Claudel, « Etre et Voir ne sont pas loin d'être synonymes. » *OC,* XXIII, 214 (1949).

« Où est cet échange, cette mystérieuse respiration dont tu parles ? » (*V. 2*, 304/18.)

Mais enfin, seul « l'Esprit » peut être défini comme « une espèce de respiexpiration [38] », car il entre dans ses attributs de maintenir son identité. Pour l'homme, par nature, « disjoint », il n'existe pas de procédure aussi parfaite. Sans doute il a des « aperceptions foudroyantes [39] », mais, ordinairement, c'est par essais successifs qu'il apprend à constituer une table de parasynonymes : *respirer, échanger,* mais aussi *dialoguer, aimer.* Tel est le savoir du poète qu'il lui faut transmettre aux hommes, car il sait qu'il est un être de relations et qu'il ne peut réussir isolément l'échange. L'harmonie du tout, êtres et choses, est nécessaire au succès de chacun.

C'est pourquoi Coeuvre, dans la première version, délivre deux enseignements complémentaires. L'un concerne les exigences de l'amour :

« Je vous donnerai ce prétexte, sauvages !
[...] tout, toujours ! » (*V. 1*, 153/5-6-10.)

L'autre, l'identification du désir :

« L'amusement suffit à l'enfant, mais l'âge viril ose concevoir le
Désir qui est capable d'être satisfait. »
(*V. 1*, 154/25-27.)

Alors que les jeunes gens étaient, jusqu'à l'intervention de Coeuvre, incapables de se reconnaître, cette parole du poète suffit à les instruire. C'est ainsi que Laure, tout d'un coup délivrée de son personnage ancien de « mauvaise petite fille » qui « [se] comptai[t] [elle]-même pour le tout » (*V. 1*, 153/17-18), discerne en Laurent l'être à qui se livrer (*V. 1*, 152/9-10) :

« Et voici que, ce soir,
Certes à nous, cœurs durs, une parole plus douce
Nous a été apprise avec solennité. — Ecoute,
Pour toi ; en tout

38. *OC,* XX, 224 (1932).
39. *OC,* XXI, 421 (1953).

Je te serai soumise [...] et voici que je te serai pour toujours fidèle. » (*V. 1,* 153/18-24.)

Puis l'un des jeunes gens, Nicaise, jouant le rôle du porte-parole d'un chœur antique, tire la leçon de l'événement. C'est un chant de victoire, un hymne solennel, dédié au temps présent :

« ... Majesté de ce monde, salut ! O vous qui êtes avec moi,
le temps nouveau, l'âge nouveau !
Disons, de celui-ci absurde
Issus : Salut au siècle nouveau ! »
(*V. 1,* 153/30-33.)

Le *savoir* et le *pouvoir* du poète sont ainsi magnifiés ; grâce à lui, l'entrée dans une sorte de Terre promise est devenue possible :

Avant	Tr.	Après
Monde ancien « absurde » (*V.1,* 153/32)	opérateur : le */dire/* actant : le poète O : l'homme	Monde nouveau (*V.1,* 153/31-33)

Dans la seconde version, le *savoir* à communiquer ne revêt pas la forme sans doute trop abstraite du « précepte » (*V. 1,* 153/6) ou « des sentences et des similitudes » (*C. 98,* 311/31). Il s'agit plutôt pour Coeuvre de transmettre l'expérience d'un contact charnel avec le monde. Sa pensée, il la définit

« ... comme un jardin où l'on entre,
Pour voir ce qui est poussé depuis la veille... »
(*V. 2,* 311/6-7)

et puisqu'

> « ... il n'est rien de nous-mêmes qui ne soit susceptible de communication », (*V. 2*, 311/18-19)

il proposera, à la manière d'une paysanne

> « Qui s'en va voir et choisir ce qu'elle pourra porter au marché le samedi,
> Les volailles et les œufs, et le beurre, et le fruit, et les légumes, et les fleurs », (*V. 2*, 311/10-13)

la parole-nourriture (*V. 2*, 311/20), le « mot soluble et délectable », bref, l'aliment propre à « repaître comme un profond estomac la mémoire et l'intelligence » (*V. 2*, 311/31-33). Assurément, un tel savoir, aucun maître ne pouvait le lui donner (*V. 2*, 312/7) ; c'est de la nature elle-même qu'il suit les conseils (*V. 2*, 316/10)[40].

Il reste maintenant à nous demander si cette analyse de la relation canonique [/savoir-pouvoir/] ne doit pas être profondément révisée en fonction d'une troisième modalité, le /vouloir/.

Le vouloir

Le vouloir négatif et les modalités négatives ; les substituts *ça* et *on*. Le vouloir positif et les modalités positives ; le substitut *Je*. Le savoir régulateur du vouloir. La problématique d'Avare. Le vouloir régulateur du savoir.

Nous avons dit plus haut (p. 169) que la modalité du /vouloir/ constituait le /Je/ en actant personnel. C'est un statut auquel ne peuvent prétendre la majorité des hommes. On dirait qu'un premier partage s'est effectué au stade du désir origi-

40. L'œuvre de P. Claudel fournit de nombreux exemples de ce « savoir charnel ». Marthe s'offre en nourriture à Louis Laine comme Ysé à Mesa (*Th. I*, 720 (1900) et 1029 (1906). Le prêtre lui-même « est quelqu'un de mangé » (*OC*, XXI, 221, 1947).

naire ; d'un côté, on trouve ceux qui, refusant le monde tel qu'il est, proclament à la suite de Tête d'Or :

> « Le monde, depuis sa création redoutable,
> N'est pas assez immense pour m'empêcher de dire *Non*, si je veux [41]... » ;

de l'autre, la foule, totalement inerte et soumise :

> « Et le vent et le soleil
> Y forment des dessins comme sur les parterres ou l'eau. »
> (*V. 1*, 140/30-31.)

Incapable d'imaginer un acte volontaire, l'homme de la Ville reste immobile ; s'il subsiste, c'est à la manière d'un bœuf dans la prairie [42] :

> « A même sa pâture la société des hommes vit par le ventre végétatif... » (*V. 2*, 293/21-22.)

Ce type d'homme, le négatif de Tête d'Or et d'Avare, n'agit pas, il est agi :

> « O la cité que les nuages dominent ! un spectacle seul l'occupe : le temps.
> Et ils ne bougent pas d'eux-mêmes ; mais ils ne rendent qu'un mouvement et un bruit,
> Que la nécessité les chasse ou l'habitude, ou le cauchemar de l'ambition, ou le rut austère. »
> (*V. 1*, 140/24-29 [43].)

On le voit, le sujet de ce vouloir négatif (/$\overline{\text{vouloir}}$/) est tout naturellement assimilé à un animal :

> « ... les hommes sont rassemblés ici par troupeaux comme des têtes de moutons
> Dans les bergeries de l'abattoir. »
> (*V. 2*, 291/21-22.)

On peut encore accuser davantage la passivité de la Ville ; il

41. *Th. I*, 98 (1890).
42. *Th. I*, 108 (1890).
43. Nous avons suivi la ponctuation de la Pléiade (*Th. I*, 313) ; l'édition critique du *Mercure* met un point après bruit.

suffit d'enlever aux habitants leur caractère discret et animé. Il n'y a plus alors de promeneurs, mais « Ça se promène » (*V. 2*, 290/20). Le neutre, *ça*[44], permet d'effacer les différences de genre et de nombre et de représenter l'humanité sous l'aspect d'une substance informe :

> « Ça bouge ! ça vit ! Ces longues lignes de lumière
> En long et en large indiquent les canaux où coule la matière humaine. Ça parle !
> Ils grouillent ensemble, âmes et membres, confondant leurs haleines et leurs excréments. » (*V. 2*, 294/16-20.)

Par opposition, la personne, celle qui dit /Je/, s'affirme par la verticale[45]. Donner la stature comme trait définitoire de l'homme est d'ailleurs de tradition : c'est ainsi que Paul Claudel met en épigraphe à la légende de Prâkriti douze vers des *Métamorphoses.* Retenons les trois derniers :

> « Pronaque cum spectent caetera animalia terram
> Os homini sublime dedit, caelumque tueri
> Iussit, et erectos ad sidera tollere vultus[46]. »

Lâla, exprimant sa joie dans un hymne de louange à la nuit, adopte pour ainsi dire naturellement cette attitude :

> « Bénédiction !
> Depuis ce sable où je me tiens debout, au ciel ! au monde des étoiles
> Qui se découvre à nous comme une ville dont on voit les feux de la mer !... » (*V. 2*, 314/1-5.)

Ce n'est évidemment pas par hasard si, dans une indication

44. H. Bonnard, La classe du « neutre » en français, *Le français dans le Monde*, n° 21, (1963).
45. *OC*, XVIII, 308 (1926) : idéogramme de *Je ;* voir aussi OC, XXI, 404 (1953).
46. *O. Prose*, 944 (1933). « Et tandis que, penchés en avant, les animaux ne font que regarder la terre, l'homme reçut de [Prométhée] un front tourné vers le haut, des yeux faits pour contempler le ciel, un visage dressé fièrement vers les astres. » (Trad. P. Schricke, Hachette.)

de scène, Lambert est présenté *assis* et Avare *debout* (*V. 2*, 289/3). Transposons dans le vocabulaire linguistique : une classe d'acteurs (Lambert, mais aussi, et d'une manière plus marquée [47], la foule désignée par le /ça/) joue le rôle syntaxique et sémantique de *patient* et Avare celui d'*agent*. Sans doute, et c'est la loi de Besme,

« Tous les hommes posent un désir devant eux »,
(*V. 1*, 137/5),

mais vient aussitôt ce retrait :

« A savoir, que sais-je ? » (*V. 1*, 137/6.)

Et si l'actant ne sait pas donner d'objet à son désir, autrement dit, si son désir est « intransitif », il affirme en même temps son impuissance (/$\overline{\text{pouvoir}}$/) et son ignorance (/$\overline{\text{savoir}}$/). Nous vérifierons cette proposition sur deux exemples. D'abord, le constat de Ly cité plus haut (p. 185) : les hommes de la ville ne bougent pas d'eux-mêmes ; ils sont soumis à la nécessité ou à l'habitude ; ils ne rendent qu'un mouvement et un bruit (*V. 1*, 140/24-29). C'est donc un /vouloir/ impersonnel qui les fait agir. Et qu'est-ce que ce « bruit », si ce n'est un /dire/ avorté ? Ly use de cette opposition *bruit* vs *parole* pour se situer face à Coeuvre ; nous l'avons vu, p. 173. Et qu'est-ce que ce « mouvement » sinon une activité que l'on n'a pas su orienter ? Là aussi, il y a une opposition virtuelle entre l'*acte* et le *mouvement*. A la question de Ly : « Que faire ? », il n'est d'autre réponse que : « Attendre, supporter » (*V. 1*, 156/21-22), ou encore, sur un autre mode, poursuivre une « vie de tailleur », selon l'expression de Tête d'Or [48]. Ainsi un /pouvoir/ et un /savoir/ qui ne seraient pas garantis par un /vouloir/ personnel sont aussitôt déniés et mis au compte d'un agent indéfini, que nous désignerons par /on/. Inversement, un /vouloir/ personnel accrédite le couple actantiel [/savoir-pouvoir/]. Nous proposons dès lors d'écrire les deux suites ordonnées de la façon suivante :

47. Il s'agit non de structures oppositionnelles mais de structures graduelles.
48. *Th. I,* 136 (1890).

	Modalités	*Substituts*
	[/savoir-pouvoir/] → /vouloir/	/Je/
	[/$\overline{\text{savoir-pouvoir}}$/] → /$\overline{\text{vouloir}}$/	/on, ça/

Que penser, dans ces conditions, d'un énoncé où est notée la relation /vouloir-pouvoir/ ?

« [Deux hommes] se séparent. L'un croise l'autre
Comme le fil la trame [...]
Cherchant à se rejoindre, ils n'y peuvent parvenir ;
Plus ils sont proches, plus le mouvement est précipité.
Tel est ce mouvement qu'il y a dans les villes. »

(*V. 2*, 289/7-8 et 290/4-6.)

Si un tel désir n'aboutit pas, c'est qu'il y a quelque part dans la suite logique une « faute » à redresser. Les rencontres heureuses (il en existe plusieurs dans la première version) impliquent en effet que les protagonistes aient su

« form[er] ensemble
Le nœud indémêlé de la Reconnaissance.
— ' O homme ! ' — ' O femme ! ' dirent-ils. »

(*V. 1*, 150/21-23.)

Ils ont cherché, désiré, mais surtout ils ont su trouver « à qui se livrer » (*V. 1*, 150/20). La suite positive est uniplanaire. Inversement, un /vouloir/ qui ne s'appuierait pas sur un /savoir/ véritable serait mal fondé. Car

« ... l'âge viril ose concevoir le
Désir qui est capable d'être satisfait. »

(*V. 1*, 154/26-27.)

Ainsi il apparaît clairement que dans la suite positive — [/savoir-pouvoir/] → /vouloir/ — la modalité du /savoir/ fonctionne comme le terme régulateur. Autrement dit le /vouloir/ est sous la dépendance du /savoir/; nous dirons que le *savoir règle le vouloir*. Par contre, une discordance dans la suite nous avertit que les modalités ne sont pas sur le même plan. Après avoir noté, par exemple, la proposition : « ils ne peuvent pas se rencontrer, malgré leur désir » par $\overline{\text{/pouvoir/}} \wedge \text{/vouloir/}$, nous figurerons cette relation modale sous la forme d'une suite biplanaire :

$$\frac{\overline{\text{/pouvoir/}}}{\text{/vouloir/}}$$

Or, ce /vouloir/ ne relève-t-il pas de la dimension du /paraître/ ? Nous l'avons dit, les hommes de la Ville sont agis ; ils sont condamnés au mouvement et au bruit. Le /vouloir/ personnel leur échappe. Il semble donc plus simple et plus exact, si nous adoptons le point de vue du sujet de la relation sémantique, c'est-à-dire du /Je/ qui pose l'affirmation, de changer le signe de ce /vouloir/ et de l'inclure dans la suite uniplanaire négative :

Modalités	*Substituts*
[$\overline{\text{/savoir-pouvoir/}}$] ⟶ $\overline{\text{/vouloir/}}$	/on, ça/

*

Contre la Ville et ses habitants, cet *objet* dénié, « ce lieu de mensonge », « cette habitation de corruption » (*V. 2*, 295/30, 296/21), Avare ne manque pas de paroles ni de gestes d'exécration (*V. 2*, 294/2) ou d'agression (*V. 1*, 133/24-26). C'est là un point commun à tous les hommes de désir (Avare ici, mais ailleurs Tête d'Or, Mesa et d'autres encore) : le refus de ce qui est. Il se double, bien entendu, de l'affirmation d'un /faire/. C'est pourquoi nous accorderons une part importante à la *transitivité* :

> « Celui qui regarde droit devant lui désire et conquiert, [... il] est comme tiré en avant[49]. »

Non que « le marcheur de routes[50] » se donne toujours dans son avidité un objet prochain ; il en est de lointains. L'important est de refuser la prostration et d'aller là « où il faut aller

49. *O. Prose*, 843 (1926).
50. Rodrigue se définit ainsi in *Th. II*, 857 (1930).

avec une dévotion de recors » (*V. 2*, 294/1-2). A Lambert qui lui propose la paix, Avare rétorque :

> « Ma paix n'est pas la vôtre,
> Je ne suis pas quelqu'un de fatigué comme vous, Lambert », (*V. 2*, 291/34-35)

ou bien encore, dans une variante :

> « Ce mot ne me plaît pas, Paix !
> Je ne suis pas un homme faible et lâche comme vous l'êtes, Ly. » (*Ap. II*, 401/14-16.)

Et de nouveau :

> « La paix n'est point dans le repos. Ce n'est point le repos que je désire. » (*V. 2*, 293/27-28.)

Nous ne sommes donc pas surpris de voir comment se qualifie le héros : « loup » (*V. 1*, 134/5), « bête fière » ou « féroce » (*V. 2*, 291/20, *C, 98*/20). Si l'objet est un être concret, disons une femme, alors l'action pourra être violente et rapide. Dans la première version, Avare surgit, poursuivant une femme échevelée qui traverse la scène en courant (*V. 1*, 133/15-17). On verra aussi un exemple de même type dans le jeu de scène où Thalie lutte avec un de ses prétendants, le terrasse, le traîne un moment sur le plateau, puis l'abandonne (*Ap. I*, 399/19-22). Ce sont autant de traductions, sur le plan de la gestualité, du désir « transitif ». Logiquement, nous décrirons la relation /sujet-objet/ sous la forme d'une suite ternaire à double implication :

Sujet (Je) | /vouloir/ ⟶ /pouvoir/ ⟶ /avoir/ | Objet (Tu)

Soit trois énoncés enchaînés : « Je veux. Je peux. J'ai. »

C'est le même rapport que présente la seconde version, mais sous une forme transposée. Il n'y est plus question d'une tentative de rapt, mais d'infractions commises par le père d'Avare : « un magistrat, un homme rouge avec une barbe noire, comme le Roi de pique » (*V. 2*, 293/29-30). Bien que sa fonction soit de faire respecter la loi, il se rend coupable d'une sorte de viol et, seconde transgression, il engendre un bâtard. C'est ainsi du moins que se présente une première mouture du texte :

« ... il prit ma mère de force, dans l'extrémité de son désir
Et moi je suis son bâtard. » (*Ap. II*, 402/19-20.)

La version définitive est moins abrupte :

« ... il prit ma mère de force et il la maintenait dans la règle et la terreur.
Et moi je suis son fils... »
(*V. 2*, 293/31-32, 294/1.)

Il n'y a trace d'aucun désaveu de la part d'Avare. Bien au contraire, le fils affirme sa filiation, mais son objet est autre, politique, si l'on veut, et philosophique. Dans les deux cas, nous dénommerons cet objet /liberté/. En effet, nous l'avons vu, « la société des hommes » reçoit une qualification entièrement négative : c'est une prison détestable :

« ... dans le soulèvement de la détestation je prêtais l'oreille, et je grinçais tout doucement des dents,
Songeant que j'étais emprisonné avec ces gens-là... »
(*V. 2*, 295/26-28.)

Et que sont ces gens, sinon, comme nous le savons, des moutons promis à l'abattoir (*V. 2*, 291/19-23) ? Ils exercent néanmoins un pouvoir collectif tyrannique. Nous retrouvons alors la relation de maître à esclave (*V. 1*, 134/26 ; *cf.* p. 175) : Avare refuse le statut qu'on lui octroie : être « la dent d'une roue » :

« Je ne suis pas fait
Pour être manié comme une pelle. » (*V. 1*, 135/2-3.)

Et pourtant c'est là le seul rôle que le « dieu » Besme soit disposé à lui reconnaître, puisqu'il n'est pas dans la ville « un ongle qui ne remue por lui » (*cf.* p. 172 et 178). On se rappelle, en effet, l'image dont se sert Besme pour se qualifier : « Je me tiens ici comme la roue motrice... » Remarquons d'ailleurs que, si le but d'Avare est analogue d'une version à l'autre, au moins sur un point essentiel, la destruction de la Ville, la position sociale et les motivations sont toutes différentes[51]. Le

51. Il n'est pas inutile de noter ici que la première version n'accorde qu'une place modeste à Avare dans ce premier acte (deux pages sur 47 contre sept pages sur 39 dans la seconde version).

premier Avare ne sait pas lire (*V. 1*, 135/7) ; le second est l'égal des puissants. Ce que récuse Avare dans la première version, c'est d'abord sa condition ouvrière :

> « Je me rendrai libre. J'ai juré [...]
> Je ne suis pas seul. Je me délivrerai de la tyrannie de mes semblables. » (*V. 1*, 135/4 et 16.)

C'est pourquoi il promet l'embrasement des villes (*V. 1*, 134/14). La visée du second Avare semble identique. C'est par haine de la cité et de ses habitants qu'il aspire à la solitude (*Ap. II*, 405/16-17 et *V. 2*, 293/31) ; il applaudit donc aux incendies qui ont déjà commencé ; de son côté, il poursuit avec passion sa « besogne de néant » (*V. 2*, 294/4-5). Il y a ainsi chez lui quelques traits de l'archange exterminateur :

> « [...] Je chasserai les multitudes devant moi,
> Les hommes, et les femmes, et les enfants, et les femmes qui sont dans les douleurs de l'enfantement.
> Le temps est venu ! » (*Ap. II*, 405/5-8.)

Mais son dessein a une autre face : non seulement la destruction, mais l'engendrement,

> « [...] car je porte une force en moi telle que la roideur de l'amour ! » (*V. 2*, 296/1.)

Quand Avare et Lambert se définissent l'un par rapport à l'autre, une saison, l'été, leur sert de référence. L'homme jeune, Avare, bouillonne alors d'une « humeur âcre et sauvage » (*V. 2*, 292, *C 98*, 26) ; quant à Lambert, il ne sent monter en lui qu'une « invincible douceur » (*V. 2*, 293/19), d'où cette manière d'apostrophe :

> « L'été n'est plus pour vous, quadragénaire »,
> (*V. 2*, 292, *C 98*, 9),

et cette revendication de la puissance créatrice :

> « Moi, je suis vert
> Comme le gland dur et rond qu'on a planté entre deux pierres.
> Et je les écarterai, et j'enfoncerai mon bras dans la terre profondément. » (*V. 2*, 292/1-5.)

Qu'est-ce qui résultera de cet engendrement ? Il nous paraît conforme à la logique d'Avare de répondre dès à présent : une autre ville, la cité nouvelle bâtie sur les ruines de l'ancienne. Ainsi le /pouvoir/ du « héros » s'interprète bien comme une consécution de deux fonctions, un /faire/ destructeur suivi d'un /faire/ générateur. Mais l'acte est toujours au *futur*. Dans la première version, Avare dit : « Je me vengerai, je me rendrai libre, je me délivrerai », et de même dans la seconde : « J'écarterai les pierres, j'enfoncerai mon bras », et « je mettrai le feu, je dévoilerai la mort, je frapperai cette habitation de corruption, je ferai reculer du lieu la race humaine... ». Sans doute, par le futur, il éloigne de lui son objet. Il remet à plus tard le moment de satisfaire son désir. Il court donc le risque de relâcher sa tension et de manquer, en fin de compte, son but. Mais la parole est un substitut métaphorique nécessaire : elle prépare l'acte et le mime en court, de son origine à la conclusion. Chez Tête d'Or aussi, le /dire/ préludait au /faire/ :

> « Je ne craindrai point ! Je me lèverai comme la famine et le cyclone ! [...]
> Je marcherai ! je combattrai ! j'écraserai l'obstacle sous mes pieds ! je briserai la résistance frivole comme un bois mort [52] ! »

Il faudra une nouvelle séquence (la troisième partie de *Tête d'Or*) pour dénouer notre attente. Le processus est le même ici. Puisque Avare ne nous est connu que par les premières répliques de l'acte, une question, évidemment, se pose : qu'adviendra-t-il de son /vouloir/ ? Nous le savons : le récit ne se clora pas avant d'avoir fourni la réponse. C'est là une nécessité interne au texte, s'il est vrai que le drame, — le drame « français », — est accompli lorsque « la querelle a été vidée, le débat a été vidé [53] ».

Soit, si nous distinguons les deux dimensions, logique et temporelle :

52. *Th. I,* 109 (1890) ; *ibid.,* 252 (1901).
53. *O. Prose*, 450 (1955) ; cf la note 6, p. 153 de notre étude. P. Claudel oppose au « drame » la suite d'événements combinés par Shakespeare. Dans ce théâtre, en effet, « le rideau tombe pour vous avertir que c'est fini ».

<table>
<tr><td>dimension logique

(a) → (b)

la séquence (a)
implique
la séquence (b)</td><td colspan="2">(a) séquence initiale ⟶ (b) séquence finale
modalité du /vouloir/ modalité du /faire/</td></tr>
<tr><td>dimension temporelle

(temps et lieu
de l'instance
de parole)</td><td>Acte I
V.1, 133-135
V.2, 289-296
Séquence (a)</td><td>Acte ?

séquence (b)</td></tr>
</table>

Cette ouverture sur l'avenir, nous pouvons aussi l'analyser en nous fondant sur la seule seconde version. L'opération de transformation devient alors centrale. Avare revendique, en effet, une double fonction, comme nous pensons l'avoir montré : détruire la ville ancienne, construire la cité nouvelle. Du même coup, il fera passer l'homme de l'état d'esclavage à celui de liberté, c'est-à-dire du /on/ au /Je/, d'un vouloir négatif à un vouloir positif.

Le tableau suivant récapitule nos observations :

	Avant	Tr.	Après
	/La Ville/ I	opérateur : le /*faire*/ {/détruire/ < /engendrer/}[54]	/La Ville/ II
Qualifications	/ancien/ /esclave/	actant : Avare	/nouveau/ /libre/
Modalités	/vouloir/	O : {/La Ville/ I < /La Ville/ II}	/vouloir/
Substituts	/on, ça/	temps : futur	/Je/

En insistant sur le vouloir-faire du héros, nous avons posé la suite /vouloir/ ⟶ /pouvoir/ ⟶ /avoir/, mais nous ne nous sommes pas prononcé sur le statut du /savoir/ chez un homme de désir. Est-ce que, pour un actant de ce type, l'affirmation d'un /vouloir/ personnel, d'un /Je/, ne l'emporte pas sur tout effort de définition de son projet ? La connaissance tue l'action, c'est un aphorisme connu. Avare ne cherche donc pas à se définir abstraitement comme le font Coeuvre ou Besme. Nous le voyons en fait accaparé par une poursuite qui doit le satisfaire sans retard ou bien engagé dans une action à plus long terme mais dont le succès nécessite une tension constante de la volonté. C'est ainsi que dans la première version il est traité d' « ignorant » (*V. 1*, 135/6). Et, en effet, il ne sait pas, il pressent :

« [...] je flaire, je flaire l'avenir ! » (*V. 1*, 135/8.)

C'est donc d'un savoir de visionnaire qu'il est question. Dans la seconde version, dialoguant avec Lambert, Avare est seul à entendre bêler « la voix de l'ouaille », à sentir « l'excré-

54. Le symbole < traduit l'antériorité dans une relation d'ordre.

ment et la tuerie » (*V. 2*, 291/19 et 28) ; il perçoit ainsi douloureusement par un contact quasi charnel avec le monde les secousses qui préparent un plus grand soulèvement :

> « Et le sang me tourmente aussi.
> Car, tout à coup, tandis que je suis occupé à ma besogne de néant,
> Je vois des pivoines dans une seille de cuivre, avec leur couleur dans l'eau ;
> Et j'entends un cri de femme, et mon cœur se serre violemment comme une roue qu'on cercle en l'arrosant ;
> Ou je sens une odeur de viande fumante ! »
> (*V. 2*, 294/3-10.)

On dirait que sa prescience a pour unique rôle de nourrir sa passion. A quoi lui servirait donc la science de Besme cherchant dans la disposition des parties les rapports de causalité ? Et même à quoi lui servirait la science de Coeuvre s'appliquant à « voir » dans le monde une structure munie de ses règles de composition (*cf.* p. 179-180) ? Aussi bien, comme le manifestent suffisamment les exemples cités, Avare subordonne le /savoir/ au /vouloir/, la pensée au désir ; Avare dit encore : au « cœur ».

> « Je ne *pense* pas comme vous pensez »,

proclamera-t-il devant Besme et Coeuvre à l'acte II ; j'écoute mon « cœur » qui est pour moi,

> « Comme un vieillard aveugle doué d'une sagesse inexplicable. » (*V. 2*, 351/1 et 7.)

Par cette image de l'aveuglement, Avare nous avertit assez qu'il dénie toute rationalité à sa connaissance ; ne pas voir, c'est au moins d'une certaine façon ne pas savoir à la manière de Besme ou même de Coeuvre.

Nous pouvons donc maintenant formuler une nouvelle suite modale positive où le /vouloir/ fonctionne cette fois comme terme régulateur. En inversant une formule utilisée plus haut (p. 189), nous dirons que *le vouloir y règle le savoir*. Soit la suite ordonnée :

/vouloir/ ⟶ [/pouvoir-savoir/]

Notons que le /Je/, qui s'affirme dans une suite réglée par le /vouloir/, ne peut être le même que dans la suite réglée par le /savoir/. Nous tiendrons compte de cette distinction en rappelant à ce point de l'analyse les trois suites déjà constituées :

Modalités [/$\overline{\text{savoir-pouvoir}}$/] → /$\overline{\text{vouloir}}$/	Substituts /on, ça/
[/savoir-pouvoir/] → /vouloir/ /vouloir/ → [/pouvoir-savoir/]	/Je I/ (le savoir règle le vouloir) /Je II/ (le vouloir règle le savoir)

II. LES MODALITÉS DE L'ÉNONCIATION ET L'ANALYSE DES TRANSFORMATIONS

La question du vrai et du faux. Dénégation et affirmation de la relation canonique.

Nous avons fait du *vouloir* la pièce maîtresse de notre système de modalités. En effet, une relation orientée comme [/savoir-pouvoir/] n'est achevée, c'est-à-dire ne peut être prise en compte par un /Je/, que si de binaire elle devient ternaire (par exemple : [/savoir-pouvoir/] ⟶ /vouloir/), seule, la mondalité du *vouloir* constituant l'actant en sujet personnel [1]. On peut donc poser qu'une identité n'est acquise que si la série est entière et invariante. L'exemple le plus clair nous paraît fourni par Avare. Nous l'avons défini par rapport à une suite où le *vouloir* est le terme premier : /vouloir/ ⟶ [/pouvoir-savoir/]. Si nous pouvons aisément imaginer des variations de l'identité lorsque c'est le *savoir* qui règle le *vouloir,* il en va tout autrement lorsque la suite est inversée. Pour que le statut d'Avare devienne ambigu, il faudrait mettre en question son *vouloir*, ce qui reviendrait, en fait, à ruiner sa personnalité. Avare ne connaît pas l'incertitude. Il a le cœur de Tête d'Or, « immuable

1. V. *supra*, p. 169, 184 et 187.

comme une meule[2] », et cette proclamation du roi, il pourrait en reprendre au moins l'esprit :

> « La volonté restait seule comme une vierge méprisée et sans dot. Moi, je l'ai fait lever et je la pris pour épouse, montrant un mariage déshérité[3] ! »

Mais Avare fait exception. Les autres actants (le groupe des [Jeunes Gens], le poète [Ly-Coeuvre], la femme [Thalie-Lâla], le politique ou le savant [Lambert-Besme]) sont à la recherche d'eux-mêmes. Pour préciser leur identité, ils évaluent chaque qualification, chaque fonction, chaque transformation. Les questions que l'acteur se pose ensuite ou qu'on lui pose sont dès lors toujours les mêmes : est-ce vrai ? est-ce faux ? « Posséder une assurance » (*V. 1*, 173/5), voilà une marque concrète de la réussite. C'est pourquoi le couple *avoir-être* et le verbe *jouir* sont des signaux linguistiques qui retiendront notre attention. La jouissance, en effet, est le gage du succès comme la souffrance, de l'échec.

Nous prendrons la mesure des problèmes rencontrés en décrivant d'abord, dans la première version, la quête des [Jeunes Gens]. Il s'agit pour eux de pouvoir enfin prononcer cette parole de reconnaissance (en ceci, ils préparent l'entrée de Coeuvre et de Thalie) :

> « — ' O homme ! ' — ' O femme ! ' »
>
> (*V. 1*, 150/23.)

Dans leur recherche de celui ou de celle « à qui se livrer » (*V. 1*, 150/19), ils subissent deux transformations d'identité. Ils sont onze, six garçons (Palesne, Léon, Céréal, Nicaise, Laurent, Rustique) et cinq filles (Rhéa, Angèle, Laure, Bayette, Audivine). On les voit former des couples, au gré des rencontres, jusqu'à ce que l'actant-deixis [Jardin-Nuit], jouant le rôle d'opérateur, renouvelle la nature de leurs alliances :

> « AUDIVINE. — Salut, ô Sein de la Nuit !
> Etant entrés ici, nous n'en serons pas sortis les mêmes !
> Pour moi, quelqu'un ne me fera pas ce reproche, disant :

2. *Th. I,* 151 (1890), 286 (1906).
3. *Th. I,* 148 (1890).

Pourquoi te soumets-tu ainsi à
Celui-là, et moi, ne m'écoutes-tu point ?
En ce jour nous avons connu ce qui est vrai. »
(*V. 1*, 148/27, 149/1.)

La seconde version évoque bien aussi le pouvoir de la Lune de former des couples :

« Et tu favorises de nouveaux amants qui, s'embrassant, ont perdu toute puissance de se séparer »,
(*V. 2*, 309/30-31),

mais elle ne dit plus rien de son pouvoir sur la vérité. La lune offre pourtant l'image parfaite du miroir. Recevant la lumière, elle la restitue « tout entière au-dehors » (*V. 1*, 146/12). C'est pourquoi elle est dite « très pure » (*V. 1*, 146/8) :

« Tu ne vois rien que tu n'avoues, rayonnante !
Il n'y a plus entre nous de mensonges ! »
(*V. 1*, 146/21-22.)

Ainsi, les êtres qui se placent sous son influence ont part à ses qualités. De plus, ils bénéficient de son enseignement ; grâce à elle qui sait « [manifester] sans le détruire, le mystère du ciel avec son étendue » (*V. 2*, 309/20), ils contemplent « le principe des choses » (*V. 1*, 149/30). Ils connaissent donc maintenant la vérité alors qu'ils étaient naguère dans l'erreur [4]. Désormais, les couples nouvellement formés peuvent espérer « [mûrir] ensemble, comme une grappe » (*V. 1*, 150/24-25). D'où cette exclamation de victoire :

« Il y a entre nous alliance !
Maintenant rien de ce qui est ancien ne nous plaît. »
(*V. 1*, 153/3-4.)

Soit une première transformation :

4. Bien entendu, la fonction d'un actant résulte d'un jeu syntaxique particulier. Nous ne serons donc pas surpris de voir que la lune, ici, instrument de vérité, est là, « élément d'erreur ». Une base, cependant, invariante : sa « capacité de transformation ». (*O. Prose,* 493, 1937).

Avant dimension du *paraître* /mensonge/	Tr.	*Après* dimension de *l'être* /vérité/
disjonction des personnes (couple déceptif)	opérateur : /*enseigner*/ actant : [Nuit-Jardin] O : [Jeunes Gens]	conjonction des personnes (couple véritable)
(a)		(b)

Un autre enseignement est cependant nécessaire pour assurer la vie du couple. En effet, la première transformation vise l'ensemble des jeunes gens ; elle n'implique nullement un engagement solennel et réciproque. Le poète, lui, transmet un *savoir* qui demande à être assumé par un *vouloir* personnel. Nous avons déjà présenté cette « parole » inouïe de Coeuvre : « tout, toujours ! » (*cf.* p. 182), mais nous insisterons ici sur sa nouveauté et sa mise en pratique :

> « Eh bien ! Si nul ne vous l'a dit, je vous donnerai ce précepte, sauvages ! » : l'exigence de l'amour, c'est « tout, toujours ! ». (*V. 1*, 153/5-6, 10.)

Forts de ce nouveau *savoir*, les couples sacralisent, en quelque sorte, leur union. Pourquoi nous faire honte ? dit Laure :

> « Hélas ! que nous a-t-on jamais appris ?
> [...] Et voici que, ce soir,
> Certes à nous, cœurs durs, une parole plus douce
> Nous a été apprise avec solennité. — Ecoute,
> Pour toi (Laurent) ; en tout
> Je te serai soumise. Et avant que nous ne soyons mariés,
> Ne veuille pas me toucher ; et voici que je te serai pour toujours fidèle. » (*V. 1*, 153/18-24.)

On le voit, l'actant-deixis n'a pas changé ; le système d'oppositions, non plus : ici vs là, hier vs maintenant, ancien vs nouveau, mensonge vs vérité, échec vs réussite. Mais l'enseignement du poète est intervenu pour parfaire celui de la Nature.

« Ici, ravis
Par la rencontre de la face humaine, nous avons
A la vie située derrière, juré
La puissance de l'adieu. O très récent hier ! »
(*V. 1*, 171/15-17, 172/1.)

Il ne restera plus d'autre rôle aux [Jeunes Gens] que de rehausser par « la double rangée de [leurs] âmes » (*V. 1*, 172/5) les noces de Coeuvre et de Thalie.

Mais « parfaire » est-il le mot juste ? Que vaudrait une réussite (celle due à la première transformation) qui ne comporterait pas une assurance d' « éternité » : être ensemble pour toujours ? Aussi bien nous comprenons la seconde transformation comme la condition nécessaire et suffisante du maintien du couple au-delà des limites étroites imposées par l'actant-deixis, à savoir : un temps, la nuit ; un lieu, le jardin de Besme. Nous sommes ainsi conduit à adopter le point de vue des actants, c'est-à-dire à *évaluer une transformation en fonction de son point d'arrêt*. On dira, par exemple, que dénier l'état antérieur à la première transformation, (a), c'est affirmer le résultat de la transformation, (b) ; mais que, dans un second temps, l'acte d'affirmer l'état (c) implique aussi une dénégation de (b). En progressant de cette façon, de dénégation en affirmation (il est possible d'imaginer une chaîne, en théorie, sans fin), l'état ultime d'une suite donnée aura donc valeur de *vérité* et le précédent, d'*erreur*.

D'où ce tableau de la seconde et dernière transformation concernant l'actant [Jeunes Gens]:

Avant réussite déceptive	Tr.	*Après* réussite véritable
(b)	opérateur : le */dire/* actant : Coeuvre O : [Jeunes Gens]	(c)

Concluons sur deux remarques : il a fallu le déroulement de tout l'Acte I et deux transformations pour fixer le statut de l'actant [Jeunes Gens] ; d'autre part, puisque le savoir règle chez eux le désir, c'est en fonction de la suite positive [/savoir-pouvoir/] ⟶ /vouloir/ que se définit leur identité.

*

Par comparaison, le cas de *Besme* est d'une grande simplicité. L'ensemble de ses qualifications nous est connu : il est en vérité le Père de la Ville et sa réussite est totale (voir p. 172, 175, 176) : « J'ai été fait un dieu », affirme-t-il (*V. 2*, 306/32). Le gage de cette condition que Besme est seul à connaître est une « jouissance universelle, pareille à une considération de l'esprit » (*V. 2*, 307/12). Et pourtant Besme affirme sans transition l'inanité de son *être* et l'échec de son entreprise, c'est-à-dire de son faire avec autant de force et de sincérité que tout à l'heure son *savoir* et son *pouvoir* :

« COEUVRE. — Tu es grand, Besme.
BESME, *violemment*. — Plût au ciel que je ne fusse pas né ! » (*V. 2*, 307/15-16.)

Comment rendre compte de cette transformation radicale ? A l'origine, nous trouvons une question sur la durée :

« [...] d'abord qu'est-ce que la durée de la vie ?
[...] Comme l'azur d'une prune, comme une haleine sur de l'or ! » (*V. 1*, 140/5-6.)

Nous le savons : pour conduire son enquête sur lui-même et sur le monde, l'actant se contente de poser deux questions : l'une sur la qualification (l'*être*), l'autre sur la fonction (le *faire*) :

« J'ai employé (dit Besme) ces deux questions :
Qu'est-ce ? pourquoi ? » (*V. 1*, 158/1.)

Sans réponse, c'est-à-dire sans identité, l'actant est condamné au non-être, ou encore, en transposant sur le plan métaphysique, au sentiment de déréliction. On peut aussi, comme le fait la seconde version, mais le résultat est identique, insister sur l'impossiblité de contrôler le *savoir*. Homme de science, Besme ne saurait faire sienne une connaissance qu'il n'a pas suscitée :

> « Ce fut durant que je travaillais, alignant en paix des chiffres sur le papier,
> Que cette pensée pour la première fois me remplit comme un sombre éclair :
> Maintenant je fais ceci, et tout à l'heure je ferai telle autre chose... » (*V. 2*, 307/32, 308/1-4.)

Par le biais de la pensée involontaire, la question du *temps* est de nouveau posée. S'il n'y a pas de domaine où la vérité puisse être saisie, autrement dit, s'il n'y a pas de substance immuable (*cf. V. 2*, 302/5-7), alors tout est soumis à fluctuance et tout savoir est caduc :

> « Tout à l'heure je *serai* gai, ou je *serai* triste ; bon, méchant, avare, prodigue, patient, irritable ;
> Et je *suis* vivant, jusqu'à ce que je ne *sois* plus. » (*V. 2*, 308/5-7.)

Sans doute on peut avancer que le verbe *être* fournit à chacun une base « permanente », mais les propriétés qu'il sert à introduire varient selon l'écoulement de la durée. De plus, comme il est aisé de le remarquer, elles sont en opposition logique ;

	gai	bon	avare	patient	vivant
être	*vs*	*vs*	*vs*	*vs*	*vs*
	triste	méchant	prodigue	irritable	mort

> « [...] comme chacun de ces adjectifs repose sur ce mot permanent (être), en quoi est-ce que je suis moi-même continuel ? » (*V. 2*, 308/8-9.)

Ainsi l'exigence de la *durée* semble fondamentale à qui veut se définir comme *sujet* du savoir et, partant, viser un *objet* de science. D'où, s'il est vrai que la réalité est insaisissable, cette manière de postulat :

> « Ce qui subsiste n'est pas. » (*V. 1*, 159/16.)

Ce vide appellerait à être comblé, c'est-à-dire à trouver son complémentaire [5], mais Besme ne va pas au-delà de l'affirmation d'un manque ([/savoir-pouvoir/]) :

> « J'ai vu et j'ai touché
> L'horreur de l'inutilité, à ce qui n'est pas, ajoutant la preuve de mes mains.
> Il ne manque pas au Néant de se proclamer par une bouche qui puisse dire : Je suis. »
> (*V. 1*, 157/30-34 et *V. 2*, 319/32-37.)

De cette « découverte » (*V. 2*, 308/15) procède tout naturellement un renversement complet des valeurs admises. A la jouissance universelle fait place l'angoisse de la « dissolution » (*V. 2*, 308/10) ; à « la furie de vivre » (*Ap. II*, 415/24), l'accablement et la résignation ; car est « totale » « la malédiction [...] de tout homme et de tout être qui est vivant » (*V. 2*, 308/19-20). La Ville elle-même n'échappe pas à cette mutation : elle formait un nœud d'activités et de lumière ; elle est devenue une « habitation funèbre et dérisoire », un « tombeau », un « sépulcre » (*V. 2*, 309/2, 3, 5).

Besme, le maître de la Ville, marquait son identité en affirmant son *savoir* et son *pouvoir* ; mais depuis que se sont imposés à lui « Le mal de la mort, la connaissance de la mort » (*V. 2*, 307/31), il n'affirme plus que son ignorance et son impuissance.

Soit cette unique transformation :

	Avant	Tr.	Après
Qualification *Modalités*	/*réussite*/ Affirmation de la suite positive [/savoir-pouvoir/ → /vouloir/	opérateur : le /*savoir*/ de la mort actant : Besme O : lui-même	/*échec*/ Affirmation de la suite négative [/$\overline{\text{savoir-pouvoir}}$/ → /$\overline{\text{vouloir}}$/

5. On sait bien comment : « Dieu seul est cela qui est » (*OP, AP*, 184, 1907).

On peut encore présenter cette dernière transformation en insistant sur la discordance entre les plans du *savoir* et du *vouloir*. En effet, Besme n'est plus engagé à titre personnel, en tant que *Je*, dès lors qu'il n'est plus à même de maîtriser son *savoir* et son *pouvoir*[6]. L'*identité* suppose un vouloir positif ; inversement, le vouloir négatif implique l'*altérité*. Si l'on adopte ce point de vue, la transformation de Besme sera notée différemment :

	Avant	Après
	/Besme I/	/Besme II/
Qualification *Modalité* *Substitut*	/Vie/ /vouloir/ /Je/	/Mort/ $\overline{\text{/vouloir/}}$ /on/

C'est précisément ce passage du *Je* au *on*, autrement dit, de l'affirmation de l'identité à sa dénégation, que subit à son tour le frère de Besme, *Lambert*. On remarquera que cet actant dont le *parcours de signification* est, en fin de compte, « négatif », ne figure pas dans la première version, alors que les [Jeunes Gens] qui suivent le mouvement inverse n'apparaissent pas dans la seconde version. Relever un fait de cet ordre, c'est donner à penser dès maintenant que les deux systèmes de modalités mis en place dans l'une et l'autre version prendront des valeurs différentes.

Lambert, en tant qu'homme politique, a établi avec la ville une relation déceptive (dimension du *paraître*). C'est, d'entrée de jeu, le rapport [/savoir-pouvoir/] qu'il condamne :

> « Une faculté vaine me fut donnée avec l'amour de l'ordre et de la loi :

6. Voir un autre exemple de discordance, p. 189.

> Le sens de l'homme et ce regard qui perce jusqu'au trognon et voit d'un coup
> Le dessin des esprits avec celui des oreilles. »
>
> (*V. 2*, 293/17-21.)

/Voir/, nous l'avons relevé précédemment (p. 181), est le trait différentiel de toute connaissance. Son frère Besme, en déniant sa condition de savant et de père de la Ville, procède de même :

> « Plût au ciel », déclare-t-il, « que [...] je n'eusse pas reçu ce don fatal de la vision ! »
>
> (*V. 2*, 307/16 et 18.)

Mais /voir/, c'est aussi /dominer/ [7]. L'action politique, Lambert la conçoit, lui, le « chef d'hommes », le « pasteur de cités » (*V. 2*, 293/5), à la manière d'un parlementaire. Avant de gouverner, de « conduire » (le /faire/), il s'agit de convaincre par la parole (le /dire/) :

> « Et pour ce que je fus, écoute.
> Il est plus laborieux de conduire les hommes par la persuasion que par le fer.
> Labourer la multitude et l'ensemencer de paroles
> Est une agriculture pleine de sueurs et de déceptions ; j'en suis las. »
>
> (*V. 2*, 293/10-16.)

On voit ainsi comment s'enchaînent par implication les différentes fonctions nécessaires à une activité sociale :

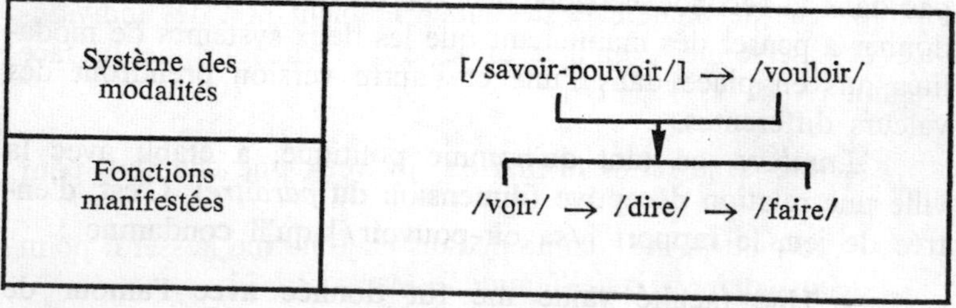

7. « Je regarde toutes choses, et voyez tous que je n'en suis pas l'esclave, mais le dominateur. » *OP*, 238 (1910).

L'échec passé (« ils m'ont chassé », *V. 2*, 318/4) ne doit pas être pris cependant comme un renoncement définitif aux affaires :

> « Il faudra bien qu'ils se décident à faire revenir
> *Silence*
> Lambert de Besme. Il n'y a plus que cela de possible. »
> (*V. 2*, 290/12-14.)

Mais d'autres bases sont nécessaires : la suite /voir/ ⟶ /dire/ ⟶ /faire/ ne comportera plus de fonction intermédiaire : Lambert renonce à l'ensemencement de paroles :

> « Pour moi, je sais ce qu'il faut faire et je n'accepterai point d'avis. » (*V. 2*, 318/7-8.)

Et encore :

> « Sachez cependant [...] ceci :
> Je n'admets point d'avis ni de remontrance, mais je ferai seul
> Ce qui me semblera opportun et bon. »
> (*V. 2*, 322/21-24.)

D'autre part, une relation non mensongère avec la Ville (« les autres ») présuppose la réussite de la relation avec la femme, Lâla (« autrui »). Ce n'est pas un point de vue très différent que soutient Coeuvre (p. 172) : l'échange véritable implique que destinateur et destinataire soient non des individus mais des personnes ; qu'il y ait donc « rencontre de la face humaine » (*V. 1*, 171/16).

> « Mais si je refais la maison, j'y veux une chambre pour moi.
> Et je mettrai ma femme dedans et je ne me laisserai point déposséder, et cette femme, Lâla,
> Sera vous, si vous dites oui,
> [...] Et autrement, je n'entrerai point dans cette maison qui tombe. [...] Qu'elle croule ! »
> (*V. 2*, 318/9-17.)

La relation avec autrui pour être réussie doit donc participer de la structure de l'échange. Il faut aussi que, — l' « objet » transmis restant invariant (ici, l'/amour/), — les actants permutent leurs fonctions. C'est cette égalité nécessaire qui demande à être confirmée par le *oui* de Lâla. Mieux, Lambert pose un rapport d'ordre entre les fonctions /aimer/ et /vivre/ : s'il y a *conjonction* des personnes, c'est-à-dire formation du couple, alors Lambert affirme son existence et la réussite de la relation avec la Ville ; inversement, une *disjonction* des personnes implique la mort de Lambert et, bien entendu, l'échec de la relation avec la Ville :

> « Réponds, jeune fille : veux-tu, ou non, être ma femme ?
> Car, si elle veut de moi, je vis, et je ferai mon œuvre et mon travail ; et si
> Elle me rejette, mon nom n'est plus entre les hommes. »
> (*V. 2*, 322/38-41.)

Revenons sur cette importante fonction de la *reconnaissance* dans la constitution du couple. Comme il s'agit, en somme, d'établir un contrat, les partenaires cherchent à préciser leur identité réciproque. Ils mènent donc par voie de questions et de réponses une sorte d'enquête minutieuse sur l'objet de leurs désirs et de leurs craintes. Aussi la démarche de l'actant claudélien n'est-elle pas sans nous rappeler, comme il arrive souvent, le comportement linguistique du sujet des analyses freudiennes. Sa parole, en effet, est à la fois

> « appel et recours, sollicitation parfois véhémente de l'autre à travers le discours où il se pose désespérément, recours souvent mensonger à l'autre pour s'individualiser à ses propres yeux [8] ».

Le « dialogue » risque fort dans ces conditions d'être le plus souvent un jeu pipé.

Dans sa recherche, Lambert compte sur Lâla pour lui donner un bonheur qu'il comprend, ou plutôt qu'il entend, sous la forme d'un accord musical :

8. E. BENVENISTE, *op. cit.*, p. 77.

> « Par un mariage mystérieux, tel que celui du violoncelle et de l'orgue, par un accord savamment développé,
> J'ai eu jadis cette pensée que le bonheur était possible entre un homme et une femme. » (*V. 2,* 299/1-3.)

Mais, au-delà, ce que Lambert attend de la femme n'est rien de moins que le renouvellement de l'être. C'est pourquoi il lui paraît aller de soi de récuser devant elle sa vie passée, « ces jours affreux jadis » (*V. 2,* 297/16) où il était chef de la cité :

> « Nous (les politiciens) sommes pleins de vide et pareils à des acteurs qui déclament.
> Mais vous, Lâla, il y a la vie en vous. »
> (*Ap. II,* 408/21-23.)

La jeune fille, d'ailleurs, est encore une enfant ; ses rêves, tels du moins que nous les ont conservés les manuscrits, vont à l'encontre de la « logique extérieure [9] » :

> « [...] Je voudrais vivre au soleil comme une salade.
> Il pleut dessus et elle est assise par terre comme une femme au marché. Je suis chou. »
> (*Ap. II,* 410/9-11.)

Et c'est bien sous l'aspect d'une enfant que Lambert la voit, et, plus précisément, comme sa fille :

> « Ainsi notre mariage auguste sera comme celui de Jupiter et de la Nymphe. » (*V. 2,* 299/31-32.)

Mais un succès véritable dans l'ordre personnel, comme sans doute en politique, doit pouvoir se mesurer concrètement en quelque sorte. En jouant leur rôle de témoins de la durée, les enfants dans le mariage sont le gage d'une éternité retrouvée. Pour l'instant, Lambert « demeure stérile ». Mais vient aussitôt cette imploration à l'adresse de Lâla : « ne me laisse point mourir » (*V. 2,* 300/25). Ou encore :

9. *O. Prose,* 517 (1912).

> « Soyez ma consolation.
> Je t'ai vue à cette dernière automne, enfant ! et il y avait de la terre à tes joues. J'ai vu ta face entre les pommes mûres, vertes et rouges.
> Viens, afin que je couche avec toi et que je te tienne pendant la longueur de la nuit. » (*V. 2,* 300/9-14.)

Le manuscrit complète :

> « Et déjà je suis vieux (il a 45 ans), mais nous aurons des enfants et ils me grandiront entre les jambes. »
> (*Ap. II,* 410/26-27.)

C'est donc par référence au couple /voir-avoir/ que l'homme éprouve charnellement le bonheur ; nous aimerions dire qu'il le quantifie. A la question si souvent rebattue :

> « Quel est l'avantage d'être marié [...] ? »

Lâla répond :

> « Tu verras et tu posséderas
> Ta femme dans le repli de ton bras, et dans l'extension de tes mains
> Tes enfants et les enfants de tes enfants, des filles et des garçons. » (*V. 2,* 315/21-26.)

Sans doute, Lâla n'a pas encore dit oui et il ne s'agit donc que d'un bonheur entrevu. Mais, de reste, est-ce bien de bonheur qu'il est question ? Il y a « promesse », dit Lambert, mais de quoi ? Il s'avoue incapable de la déterminer :

> « Je vois tournés vers moi deux yeux tendres et clairs. Deux yeux pleins de joie et d'amour m'attirent d'une promesse que je ne puis démêler. » (*V. 2,* 293/8-10.)

Et pourtant, Lambert ne peut se satisfaire d'un *contrat* établi dans l'ambiguïté. Il faudra que Lâla accepte de fixer son statut et, pour cela, de dire quelles sont, par rapport à lui, les qualifications et les fonctions qu'elle se reconnaît. On se rappelle la question angoissée de Coeuvre : « A quoi est-ce que je sers ? » (*cf.* p. 156) ; eh bien, c'est cette notion de *service* que Lâla reprend à son compte quand elle veut définir sa fonction. En se faisant aimer de Lambert, elle a su jouer son rôle : elle a permis l'échange. Elle n'est plus l'exclue, Lambert n'est plus seul (*V. 2,* 315/30, 316/8, 317/26) :

> « [...] étant femme
> Du fait de ma présence, où me portent mes pieds,
> Je porte la joie, j'apporte l'amour !
> Et voici que ma jeunesse ne demeure point vaine, et j'ai donné à quelqu'un qu'il me prenne par la main. »
> (*V. 2,* 313/16-20.)

Ce « don » est un signe. Pour sa part, Lâla doit à Lambert d'avoir été « située » dans le monde :

> « Car qui m'a recueillie ? [...]
> Qui m'a élevée et nourrie ? » (*V. 2,* 298/24 et 29.)

Maintenant, Lambert, le « pasteur de cités » (*V. 2,* 293/5), le chef de gouvernement « grand et célèbre » (*Ap. II,* 409/18-19), l'invite à devenir son épouse :

> « O Lâla, fixons ce point, s'il vous plaît ! assurons-nous que nous vivrons toujours ensemble dans notre maison,
> Et convenons que nous serons, suivant l'usage des autres, mari et femme. » (*V. 2,* 298/18-21.)

C'est poser la relation caractéristique de l'amour. Nous lui donnerons la forme d'une fonction : /être ensemble/, munie d'un aspect duratif : /pour toujours/. La reprise de ces termes par un sujet actantiel équivaut à un consentement et, par conséquent, à l'établissement du contrat. Tel est le sens de la réponse de Lâla à Lambert :

> « Epousez-moi et je serai votre femme, car je ne puis en aimer un autre que vous
> Et vous ne serez point triste, car je suis avec toi pour toujours. » (*V. 2,* 300/30-33.)

L'affirmation exclut le doute. Devant Besme et Coeuvre, Lâla proclame qu'elle va épouser Lambert, qu'ils sont « tombés d'accord » (*V. 2,* 312/35) et qu'elle est maintenant « joyeuse, puisqu'il est quelqu'un qui [l']aime » et qu'elle aime (*V. 2,* 313/15 et 32).

On peut donc noter ici une première transformation de

Lambert ; il a manqué sa relation avec *les autres*, mais l'établissement du contrat avec Lâla est la preuve de sa réussite avec *autrui*. Soulignons que dans la logique claudélienne une expérience réussie *présuppose*[10] le respect des règles de « cette grammaire de l'Etre qui nous permet de tout ramener à son mode, à son temps, à son nombre et à son genre[11] » ; inversement, une expérience manquée présuppose l'infraction. Nous dirons qu'une relation véritable participe de la dimension de l'*être* et qu'une relation déceptive participe de la dimension du *paraître*. La réussite, enfin, *implique* (si... alors) l'affirmation des modalités positives du *savoir*, du *pouvoir* et du *vouloir* et l'échec, la dénégation des mêmes modalités.

Soit :

Présupposé	*Avant* Dimension du *paraître*	*Après* Dimension de l'*être*
Posé	Relation déceptive avec les autres	Relation véritable avec autrui
Impliqué	Dénégation de la suite positive ; d'où : [/$\overline{\text{savoir-pouvoir}}$/] → /$\overline{\text{vouloir}}$/	Affirmation de la suite positive ; d'où [/savoir-pouvoir/] → /vouloir/

Nous avons vu que l'échange des consentements s'était fait dans la clarté. Et pourtant, la conduite de Lâla est bien étrange par endroits. Par exemple, après avoir déclaré à Lambert (en substituant, d'ailleurs, le « tu » au « vous ») : « Je suis

10. « Les présupposés d'un énoncé constituent un ensemble d'idées et de croyances que le locuteur tient, ou fait semblant de tenir, pour évidentes, et par rapport auxquelles il situe les informations directement posées par l'énoncé. » O. DUCROT, *Qu'est-ce que le structuralisme ?* Seuil, Paris, 1968, p. 86. Voir plus haut, p. 168, un exemple simple de l'emploi de la notion de présupposition.

11. *OC*, IV, 65 (1948).

avec toi pour toujours », elle évite de se prononcer sur la vérité de son affirmation :

« LAMBERT. — Est-il vrai, ô Lâla ?
LÂLA. — Cependant allons jeter des brioches aux carpes du bassin des Pléiades.
Ils sortent.
(*V. 2,* 301/1-4.)

Eluder la réponse, c'est, évidemment, masquer son identité et donc refuser de se déclarer comme *Je.* Lâla vient de vanter à Coeuvre les qualités de la fiancée « qui a donné sa foi et ne sait plus la reprendre » (*V. 2,* 315/18-19), mais lorsque Lambert lui repose la question :

« ... est-il vrai que vous m'épouseriez ? »

elle ne sait donner qu'une nouvelle réponse dilatoire :

« LÂLA. — Vous ai-je pas répondu ?
LAMBERT. — Répondez-moi seulement oui...
LÂLA. — Je vous répondrai, Lambert, tout à l'heure. »
(*V. 2,* 317/33-36.)

Cependant, l'arrivée des délégués de la bourgeoisie à la fin de l'acte permettra de lever l'ambiguïté de la proposition : « Je suis avec toi pour toujours », c'est-à-dire d'en évaluer la vérité ou la fausseté. A Coeuvre qui lui a rappelé sa promesse d'épouser Lambert, Lâla réplique :

« J'ai promis ? Je ne garderai pas ma promesse.
Je ne sais quel est cet homme ! » (*V. 2,* 323/16-17.)

Ainsi, le contrat à peine conclu est-il renié. Et s'il est vrai qu'il y a, aux yeux de Lambert, une hiérarchie des relations, non seulement l'échec avec autrui condamne toute entente avec la Ville, mais il provoque un basculement des valeurs irréversible : ce qui était appelé *vérité* est présenté maintenant comme *mensonge* ; l'affirmation de la /Joie/ fait place à sa dénégation et l'affirmation de la /Mort/ se substitue à celle de la /Vie/. A l'issue de cette seconde et dernière transformation, Lambert ne se reconnaît plus comme sujet d'un *vouloir* personnel (voir le passage du *Je* au *on* chez Besme, p. 205) :

« C'en est fait !
Le mensonge dans lequel j'ai tâché de vivre

Est déchiré [...]
Reçois-moi, ô terre, et que je n'aie plus de nom devant eux !
[...]
Je l'ai dit ! La parole que je portais en moi est enfin proférée ! Je te renie, ô Joie ! »

(*V. 2,* 327/18-20, 22, 26-27.)

Sans doute, les deux transformations sont dues au même opérateur, la femme, mais elles ne se trouvent pas au même niveau. Nous l'avons déjà dit : une transformation s'évalue en fonction de son point d'arrêt. La réussite affirmée par la première transformation sera donc considérée comme mensongère au regard de la seconde.

Dans ce parcours d'identités successives, Lambert aura connu trois états (a), (b), (c), que nous noterons symboliquement par *Je* ou par *on,* selon que son *vouloir* est positif ou négatif ; positif, lorsqu'il donne son aval à la transformation dont il est l'objet (c'est le moment de l'établissement du contrat) ; négatif, dans le cas contraire (c'est la rupture du contrat).

Soit :

	Transformation initiale		
	Dénégation (a) Contrat avec la Ville	Tr.	Affirmation (b) Contrat avec Lâla → contrat avec la Ville
Modalité *Substitut*	/$\overline{\text{vouloir}}$/ /on/	opérateur : /*affirmer*/ actant : Lâla O : Lambert	/vouloir/ /Je/
	Transformation finale		
	Affirmation (b) Contrat avec Lâla → contrat avec la Ville	Tr.	Dénégation (c) Contrat avec Lâla → contrat avec la Ville
Modalité *Substitut*	/vouloir/ /Je/	opérateur : /*dénier*/ actant : Lâla O : Lambert	/$\overline{\text{vouloir}}$/ /on/

L'analyse des exemples précédents nous a permis de mettre l'accent sur le rôle du /vouloir/ dans l'évaluation d'une transformation. Le processus, nous semble-t-il, est le suivant. Il y a toujours dans le texte un sujet syntaxique : c'est le *Je* de l'énoncé. Ainsi l'actant [Jeunes Gens], avant d'être transformé par la parole de Coeuvre, n'exerce pas de /vouloir/ reconnu comme tel, c'est-à-dire, autonome ; et pourtant, il se désigne par *Je*. Nous dirons que la *distance* qui sépare alors le sujet de l'énoncé, le *Je* grammatical, du sujet de l'énonciation, le /Je/ sémantique, le seul susceptible de parfaire l'acte par la modalité du /vouloir/, est maximale. Le cas inverse est fourni par Avare. C'est en posant le /vouloir/ comme pièce maîtresse du système des modalités qu'il identifie le sujet de l'énonciation avec celui de l'énoncé ; autrement dit, en annulant toute possibilité de discordance entre les plans du discours, Avare se donne comme l'auteur unique de sa parole.

A l'ensemble complémentaire appartiennent, nous l'avons vu, Besme et Lambert. L'un et l'autre, dépossédés de leur /vouloir/, ne se reconnaissent plus dans l'image que la société leur renvoie : Besme n'est plus le père de la Ville ni Lambert le chef politique. C'est précisément sur ce processus de *dépossession,* de « soutirage », dirait aussi P. Claudel, que nous voudrions maintenant nous interroger. L'examen du statut poétique est, de ce point de vue, particulièrement révélateur.

Le phénomène de la « parole » présuppose, en effet, une discordance des modalités, puisque le /vouloir/ et le /pouvoir/ (le /dire/) ne sont pas sur le même plan :

« Je ne parle pas selon ce que je veux », affirme le poète. (*V. 1*, 137/37 et *V. 2*, 303/29.)

Soit la suite biplanaire (cf. p. 189) :

$$\frac{\text{/pouvoir/}}{\text{/vouloir/}}$$

Sans doute, l'opération a l'air naturelle :

« [...] d'abord le souffle m'est enlevé !
Et de nouveau de l'existence de la vie, se soulève le désir de respirer ! » (*V. 1*, 137/37-38 et 138/1-2)

mais le résultat n'en demeure pas moins troublant puisque le procès « linguistique » comporte deux sujets :

> « [...] j'absorbe l'air, et le cœur profond, baigné,
> Il dit et je restitue une parole :
> Et alors je sais ce que j'ai dit. » (*V. 1*, 138/3-5.)

Deux actants sont désignés ici : /Il/ et /Je/. C'est à /Il/ (le « cœur») qu'appartient apparemment la décision. Apparemment, parce que, en vérité, sous couvert d'une métonymie, le poète vise une autre instance, la « vie » elle-même. L'analyse d'une fonction primordiale, la *respiration,* lui a fourni les éléments d'une définition complexe : la première phase, l'*aspiration,* recevra la qualification de « vitale » ; la seconde phase, l'*expiration*, la qualification de « mortelle ». Ainsi le /savoir/ et le /pouvoir/ à l'œuvre en lui participent d'une fonction ambiguë. L'acteur du temps vital est le « cœur », ou /Il/ ; l'acteur du temps mortel, de la restitution, est /Je/. Tel est le statut du poète : il ne sait rien sur l'origine de ce souffle dont il dépend ; rien sur « cela » qui lui permet de vivre, donc de /dire/, puis de /savoir/ :

> « [...] je ne saurais expliquer d'où je retire ce souffle, c'est le souffle qui m'est retiré.
> Dilatant ce vide que j'ai en moi, j'ouvre la bouche,
> Et, ayant aspiré l'air, dans ce legs de lui-même par lequel l'homme à chaque seconde *expire* l'image de sa mort,
> Je restitue une parole intelligible.
> Et, l'ayant dite, je sais ce que j'ai dit. »
> (*V. 2,* 304/1-7.)

Dans cet état de subordination, le poète ne fait que rendre ce qu'il a reçu. « Ça » parle ou « on » parle en lui : il est dépositaire d'un /savoir/ et d'un /pouvoir/ qui ne lui appartiennent pas.

Nous donnons ici la version commune aux deux textes publiés. Mais on trouve dans les brouillons une forme encore plus explicite de la dépossession :

> « [...] cela, qui par là même qu'il est, ne peut être dit, m'emplit,
> Plein de formes, plein de cris !

> C'est lui qui parle, non moi, qui veut souverainement, non moi, il parle, il fait ! » (*Ap. I,* 392/22-26.)

Ainsi l'*être* est soustrait au /dire/ ; mais s'il ne peut être dit, il veut, il fait, il parle. L'assomption de parole qui constitue le héros claudélien en actant personnel est donc prise en compte par un /cela/ ou un /il/, si intimement lié au /Je/ qu'il est lui-même et pourtant autre. Sans doute le poète peut se satisfaire d'un tel statut. C'est la leçon de la première mouture de la Ville :

> « Et telle est ma joie. » (*V. 1,* 138/5.)

Ly témoigne alors d'une expérience heureuse de la parole involontaire. Mais la conclusion peut être tout autre ; pour le Coeuvre des fragments qui se dit « morne » et « stupide », la dépossession est en soi une chose honteuse (*Ap. I,* 392/21-22). Les brouillons préparatoires à la seconde version présentent la même analyse :

> « [...] je suis dans le monde comme un idiot et un banqueroutier. » (*Ap. II,* 413/15.)

C'est aussi ce constat d'échec qui est repris dans la seconde version. Non seulement Coeuvre ne peut découvrir d'*où* procède la parole, mais *où* elle va. Comment, dans cette ignorance, établir avec autrui une relation d'échange ? On se rappelle pourtant que chacun s'était plu à vanter le « pouvoir de changement » attaché à la fonction poétique. Ainsi, Besme : c'est grâce à ta parole, Coeuvre, que « la paix en nous peu à peu succède à la pensée » (*V. 2,* 303/23). Mais ce même Besme se transforme ensuite en critique aigre, désireux de « rendre [...] manifeste » le « mal » du poète (*V. 2,* 304/8), son inutilité pour les autres et pour lui-même :

> « Tout à l'heure vous m'avez accusé, Besme, et vous m'avez convaincu.
> BESME. — Est-il vrai, ô Coeuvre ?
> COEUVRE. — Ce n'est point jadis ce que je pensais. » (*V. 2,* 311/1-4.)

Ly avoue de même :

> « [...] Tout à l'heure, tu m'as percé ! » (*V. 1,* 138/6.)

Notons que « jadis » couvre un passé mal déterminé qui peut aller de l'adolescence jusqu'à un temps encore proche, celui, par exemple, qui précède le « tout à l'heure » évoqué par le poète. Besme n'utilisait pas autrement cet adverbe quand il déclarait :

« Jadis, j'étais plein de science et d'inventions [...]. »
(*Ap. II,* 415/25.)

Tout se passe comme s'il était de moindre portée pour un actant de préciser la date d'une transformation que de marquer avec force l'*opposition logique* entre deux époques :

« [...] Jadis, faisant sortir une vision de mon cœur...,
je me la racontais à moi-même,
[...]

Mais à présent [...] » (*V. 1,* 155/22-25 et 156/4.)

Ou bien, dans la seconde version :

« Tout jeune [...] je pensais [...]
Car alors, je jugeais [...], je voulais [...]
Or maintenant [...]. »
(*V. 2,* 311/5,7,17,30 et 312/10.)

On peut se demander par quels gestes et quelles paroles le poète dépossédé de sa fonction témoigne de son ignorance et de son impuissance. Il se présente lui-même, ou un protagoniste le présente, comme l'exclu, condamné au silence ou au monologue, quelquefois au mensonge. Il doit donc abandonner tout espoir d'une relation heureuse avec autrui. Coeuvre l'affirme : ses concitoyens le considèrent comme « un objet d'étonnement et de dérision » (*cf.* p. 157). Ly, dans le jardin, cherche l'isolement des hautes herbes ou se tient à l'écart, se refusant à admirer la nuit « à la manière des [jeunes gens] » (*V. 1,* 137/7 et 154/6). Seul, le silence lui convient : « Il aime à ne point parler » (*V. 1,* 154/4). Quelle parole, en effet, pourrait amoindrir la misère de l'homme à défaut de la « transformer » (*V. 1,* 138/9) ? En fait, Coeuvre s'est avéré un « menteur », un « flatteur », un « suborneur » ; d'où cet avertissement lancé à la cantonade :

« Que les gens ne t'écoutent pas trop, de crainte qu'ils ne s'attardent dans la stupeur [...]. »
(*Ap. I,* 394/15, 21-22, 30.)

La seconde version ne retient pas ce mode d'expression direct. Les protagonistes reconnaissent simplement qu'une relation d'exclusion définit au plus juste le statut de Coeuvre ; d'où ce reproche et cette prière de Besme :

« [...] tu te tiens isolé entre tous les hommes, n'étant point rattaché à eux
Par le lien de la parole. O Coeuvre, plante-nous plutôt sur la table ce vin ; apporte au festin commun ta part. »
(*V. 2,* 305, 1-4.)

C'est en effet la question. Coeuvre est contraint au monologue. Nous l'avons dit : le poète n'est pas le maître de sa parole ; il n'en connaît ni l'origine ni le destinataire. Elle revient donc sur lui. Son /dire/ est « intransitif ».

« Il est vrai, ô Besme, et tu as proprement découvert mon mal. Je suis environné par le doute et j'éprouve avec terreur l'écho. » (*V. 2,* 304/20-24.)

La forme qu'il donne à ses vers en est le témoignage sensible. Chaque ensemble, en effet, fermé sur lui-même, est à prendre comme une unité de respiration et de signification. Mais, ce faisant, le poète a-t-il « restitué » plus qu'une sorte d'image sonore de son être ? Comment ce jeu égocentrique serait-il pris par autrui comme un appel et une requête ?

« [...] tout vers autre que le tien
Rhythme ou rime, comporte ou comprend
Un élément extérieur à lui-même.
COEUVRE. — C'est vrai.
BESME. — Mais toi,
Qui t'interroge ou à qui est-ce que tu réponds ? »
(*V. 2,* 304/12-17.)

Ce que Besme dénonce ici, c'est l'impossibilité d'établir un lien, une syntaxe, entre des ensembles prosodiquement disjoints. Rien dans le vers de Coeuvre, dit-il, qui mime le fonctionnement du *dialogue*. Pour que l'échange avec autrui soit possible, il conviendrait d'abord que l'identité de celui qui dit *Je* soit nettement définie ; c'est une première difficulté que le poète n'a pas résolue. Il faudrait aussi probablement que le *Tu* satisfasse aux mêmes critères de définition ; que lui soient attribuables, par conséquent, au moins une qualification et une fonction. Or le poète est sans interlocuteur :

> « N'est-il pas vrai, ô Coeuvre, que toute parole est une réponse ou l'appelle ? [...]
> Où est cet échange, cette mystérieuse respiration dont tu parles ? » (*V. 2,* 304/10-11, 18-19.)

A cette définition, sans doute encore trop abstraite, Coeuvre en substitue une seconde :

> « Toute parole est une explication de l'amour. »
> (*V. 2,* 304/24.)

Le mot « explication » mérite qu'on s'y arrête. Pour le poète, en effet, la parole n'est pas seulement la clef de voûte du dialogue et de l'échange ; elle est surtout l'instrument d'un déploiement de l'être, d'un déliement de soi que seul l'autre peut mener à bien [12]. L'accès au /savoir/ véritable passe donc par la réussite de la relation intersubjective. Si j'éprouve un sentiment de « joie », dit l'actant claudélien, alors je suis de plain-pied avec la « vérité » et ma parole sera exempte de toute tromperie :

> « [...] la gravité conjugale me presse
> Que j'en conjoigne le principe. Que je possède la joie et qu'elle soit placée devant ma face !
> Car ma crainte est de mentir. Oui ! que je sois de niveau avec le front de la vérité ! C'est alors que je pourrai dire : O hommes ! » (*V. 1,* 156/10-16.)

Cependant, Cœuvre n'a pas trouvé le protagoniste qui le révélerait à lui-même ; jusqu'à cette nuit dit-il,

> « Qui m'aime, ou qui peut dire que je l'aime ? »
> (*V. 2,* 304/26.)

Faisons une halte à ce point de l'analyse. Nous avons relevé les *marques* de l'*échec* du poète : l'exclusion d'abord, puis

12. Et, singulièrement, l'Autre dont P. Claudel parle in *OC*, XXI, 61 (1938) : « L'exploit divin était de faire préférer à l'homme *l'Autre.* »

le silence ou l'écho. Pour reprendre les termes suggestifs de Pāṇini, le /dire/ poétique est « pour soi », jamais « pour autrui [13] ». Il nous a semblé que cet échec était lié à la dépossession du /vouloir/. En effet, poser un /vouloir/ négatif revient à considérer la relation canonique [/savoir-pouvoir/] comme appartenant à la dimension du *paraître* (le mensonge) :

$$\frac{[/\text{savoir-pouvoir}/]}{\overline{/\text{vouloir}/}}$$

De la réduction de cette discordance découle une suite négative uniplanaire : $\overline{/\text{savoir-pouvoir}/} \longrightarrow \overline{/\text{vouloir}/}$. Elle traduit correctement, pensons-nous, le fait que le poète rejette le /savoir/ et le /pouvoir/ qui lui étaient jusqu'alors reconnus.

Il reste cependant un problème à résoudre. Par quel actant le poète a-t-il été dépossédé de son /vouloir/ ? On aura sans doute remarqué que l'agent de la transformation n'était jamais nommé. Autrement dit, les phrases passives qui décrivent le processus demeurent inachevées [14]. Nous avons donc affaire à des énoncés du type : « d'abord le souffle m'est enlevé » ou bien : « c'est le souffle qui m'est retiré ». Par qui ou par quoi ? Pour répondre, nous avons le choix entre « on » et « ça » ; les deux substituts appartiennent à la même classe (*cf.* p. 186-188). En fait, il s'agit toujours d'une structure d'échange : l'un donne, l'autre reçoit. Ainsi les verbes symétriques *donner* et *recevoir* ou *donner* et *retirer, enlever* sont le plus fréquents. C'est Lambert qui constate : « Une faculté vaine me fut donnée » ; à quoi Besme fait écho en disant : « Plût au ciel que je n'eusse pas reçu ce don fatal de la vision ! » Dans ces exemples aussi le *destinateur* manque. Ce n'est pas une règle sans exception ; il peut être évoqué, sinon nommé, par le biais d'une entité abstraite : la nature, par exemple : « Ce n'est pas le conseil qui m'a été donné (par la nature) ! » dit Coeuvre (*V. 2,* 316/10 et 20). Ce destinateur animé et mal défini, nous le désignerons par « on ». C'est lui qui, en imposant sa volonté au poète, lui dénie le /savoir/ et le /pouvoir/.

13. Le grammairien indien utilise cette opposition pour rendre compte de la distinction entre voix moyenne et voix active.
14. J. DUBOIS, *Grammaire structurale du français : le verbe,* Larousse, Paris, 1967, pp. 87-89.

Soit, en résumé :

	Avant (Jadis)	Tr.	*Après* (Maintenant)
Qualification	*/réussite/* « il n'est rien de nous-même, qui ne soit susceptible de communication » (*V.* 2, 311/18-19)	opérateur : */dénier/* actant : « on » O : le poète [Ly-Cœuvre]	*/échec/* l'exclusion → {le silence/l'écho}
Modalités	Affirmation de la suite positive /savoir-pouvoir/ → /vouloir/		Affirmation de la suite négative $\overline{\text{/savoir-pouvoir/}}$ → /vouloir/

Ce tableau est très voisin de celui que nous avons établi pour Besme, p. 205. Il n'est pas sans intérêt de les comparer et de relever les équivalences. Si l'on veut décrire la relation syntaxique *sujet/objet*, il suffira de montrer que Besme récuse son savoir (savoir *métonymique*) comme Coeuvre ou Ly récusent le leur (savoir *métaphorique*). Si l'on veut par contre décrire la relation *agent/patient*, on remarquera que Besme et le poète jouent le rôle du patient. L'un et l'autre, en effet, ont été dépossédés de leur /savoir/ sans que Besme connaisse mieux que Coeuvre l'agent de la transformation. Rappelons-nous : il travaillait en paix lorsque, tout à coup, « la pensée » de la mort s'imposa à lui « comme un sombre éclair ». Cette équivalence de situations, nous la traduirons sous la forme qui nous paraît le plus simple : la structure de la communication (relation *destinateur/destinataire*). Quel que soit le destinataire, nous sommes confronté à un même *procès de négation* dont l'agent est animé et mal défini, autrement dit : « on » :

D_1	⟶	O	⟶	D_2
« on »		procès de négation		classe d'actants [Besme, Ly-Cœuvre]

Il reste une dernière opération à examiner. C'est aussi la plus importante. Elle concerne la relation unissant la femme,

Thalie ou Lâla, au poète, Coeuvre. Nous verrons présentées ici d'une manière exemplaire et en quelque sorte résumées, les conditions formelles que doivent remplir les actants pour constituer un couple heureux. Faisons tout de suite deux remarques qui aideront à lire les lignes qui suivent : 1) les deux versions articulent très différemment leurs unités de contenu ; 2) autant l'agencement des séquences de la seconde version est complexe et ambigu, autant celui de la première est clair et simple.

Il serait sans doute tentant de dire que toutes les opérations se réduisent à une seule, la *reconnaissance*. Cependant, le chemin à parcourir importe davantage que l'interpellation elle-même. Se dire mutuellement : « c'est moi », comme a coutume de le faire l'actant claudélien est un acte de parole dont la valeur dépend de l'exécution d'un ensemble déterminé de rites. Ainsi on ne saurait confondre le « c'est moi » dit par Lâla « apparaissant devant Lambert » (*V. 2,* 296/30)[15] et le « c'est moi » dit à Coeuvre lorsqu'elle s'offre à lui (*V. 2,* 323/31). Il a fallu pour passer du premier au second tout un cheminement qu'illustre fort bien à nos yeux cette fable persane aimée de Paul Claudel[16] :

> « Après avoir jeûné sept ans dans la solitude, l'Ami s'en alla frapper à la porte de son Ami.
> Une voix de l'intérieur demanda :
> — Qui est là ?
> — C'est moi, répondit l'Ami.
> Et la porte resta fermée.
> Après sept autres années passées au désert, l'Ami revient frapper à la porte.
> Et la voix de l'intérieur demanda :
> — Qui est là ?
> L'Ami répondit :

15. Toute apparition soudaine a le mérite de rompre la suite logique des événements : « J'ai paru, dit Tête d'Or, au milieu de votre ennuyeuse semaine... » (*Th. I,* 151 et 286, 1890-1901.) De même, Ulysse se dresse tout à coup devant les convives : « ah ! il n'y a plus moyen d'échapper ' C'est moi ! Je suis Ulysse ! ' » (*O. Prose*, 409, 1947). Voir plus haut p. 177.
16. Princesse BIBESCO, « Deux vrais amis : Claudel et Berthelot », *La Revue de Paris,* 11 (1965), p. 13.

— C'est toi !
Et la porte s'ouvrit. »

L'intervention de *Thalie* dans « cette nuit triomphale » (*Ap. I*, 398/28) est préparée exactement comme l'avait été celle de Coeuvre. Les protagonistes ont donc à s'interroger sur l'identité de celle qui va venir : qui est-elle ? que fait-elle (*V. 1*, 159/34 et 160/4) ? Voilà reconnues les deux questions fondamentales. S'il s'agit de cet ensemble de qualifications et de fonctions par quoi elle s'est définie jusqu'à maintenant, on répondra sans peine : elle est la dominatrice, la nouvelle reine de Saba,

> « Une fille de la race primitive, c'est la légitime lignée gardée à travers siècles et voyages. »
> (*V. 1*, 160/30-31.)

De son origine lointaine, elle garde quelque chose de mythique, si du moins on retient la leçon des manuscrits :

> « [...] elle dit qu'elle vient de cette rive africaine
> Qui, la dernière, voit le soleil finir hors de la terre [...]
> C'est de là qu'elle est descendue, parfumée comme l'encens ou la plus exquise fleur d'oranger. »
> (*Ap. I*, 396/25-26 et 397/1-2.)

Elle ne se déplace pas sans l'équipage convenable à son état « royal » : deux nègres la précèdent, « l'un frappant sur un tambour, l'autre jouant de la flûte. Une négresse porte une torche. » (*V. 1*, 162/13-15.)

Mais qu'est-elle venue faire en ce jardin, cette nuit ? Thalie « répond mal » (*V. 1*, 161/5) à ce genre de question. Elle prétend ne pas savoir, mais on peut répondre pour elle :

> « Etrangement je pense qu'elle est venue se chercher son époux. » (*V. 1*, 161/6.)

Il est difficile, toutefois, d'établir une relation de couple où la femme serait la dominatrice. Sa force épouvanterait plutôt ; chacun sait que pour la prendre il faudra l'avoir vaincue. La lutte est figurée in *V. 1*, 162/16-25, mais « réelle » dans les brouillons :

> « Allons », dit Thalie, « qui veut lutter pour la génisse non domptée afin...
> *Un de ceux qui la suivent se jette sur elle et essaie de la renverser. Ils luttent ensemble, elle le terrasse et le traîne un moment par terre, puis elle le laisse.* »
> (*Ap. I*, 399/17-22.)

On la désigne aussi par antonomase : « la Violente » (*V. 1*, 160/9). Remplie parfois du souffle furieux de la Pythie ou de la Ménade, elle « pousse des cris aigus » (*V. 1*, 161/23), puis se met à danser[17]. Là est son /savoir/ :

> « Je sais chanter et danser. » (*V. 1*, 163/28.)

Revenons un instant sur la distance parcourue par Thalie pour arriver jusqu'au jardin de Besme. Le déplacement a son importance dans la détermination d'une identité. Nous l'avons déjà vu pour plusieurs actants. L'immobilité prend une valeur négative chaque fois qu'elle traduit la perte du /vouloir/ personnel. C'est le cas de Ly, de Besme, de Coeuvre avant la rencontre de Thalie. Le mouvement, par contre, est motivé par la quête de l'identité. Ainsi fait Avare : « Je marche où il faut aller » (*cf.* p. 189). C'est en exécutant son projet qu'il s'affirme comme sujet. Le voyage de Thalie au-delà des mers a le même support sémantique. Il lui a fallu parcourir « un long chemin » à la recherche d'un homme digne d'elle :

> « Là-bas ! C'est là que j'ai été élevée dans une maison près de l'eau !
> Et l'homme qui m'avait ramenée
> De la mer est mort.
> [...]
> Et je m'en allais toute seule vers la mer et je disais : ' Je vais mettre mon tablier sur l'eau et je m'en irai d'où je suis venue. '

17. « Voici celle qui n'est point ivre d'eau pure et d'air subtil ! [...]
La Ménade affolée par le tambour ! au cri perçant du fifre,
la Bacchante roidie dans le dieu tonnant ! » (*OP*, 231, 1905). In *Ap. I*, 398/29-30, le tambour est dit « arabe » et la flûte « aiguë ».

> Et dès que j'ai été libre, emportant mes choses précieuses,
> je suis venue ici avec ma servante par un long chemin. »
> (*V. 1*, 163/15-25.)

L'unité de l'être, pour Thalie comme pour les [Jeunes Gens], présuppose donc la formation du couple. La quête achevée, l'immobilité est de nouveau requise, mais elle a, cette fois, changé de signe. Tout à l'heure, elle figurait l'échec et la souffrance, maintenant, la réussite et la joie. On dirait même qu'il suffit de réaliser cette condition : /être ensemble/, pour que subsiste l'espérance du bonheur. C'est le sens de la prière que Ly adresse à sa femme :

> LY. — Garde-moi ! [...]
> MADAME LY. — Tu restes avec moi.
> LY. — Ce n'est que pour cela que tu m'as épousé ?
> MADAME LY. — Pour cela, c'est pour cela même !
> (*V. 1*, 132/18 et 23-25.)

Il y a, bien entendu, des saisies temporaires, donc illusoires. Tel ce jeune homme qui tient les mains de Thalie « par-derrière » (*V. 1*, 162/16) et dont elle se défait sans mot dire[18]. Tel aussi Bavon de Besme qui, pour échapper à « cette main par laquelle elle (Thalie) s'empare » (*V. 1* , 166/15), se lie un instant à Audivine :

> « [...] donne-moi, Audivine, cette liberté
> Que je prenne tes mains, et toi, saisis les miennes fortement et ne me laisse pas aller. » (*V. 1*, 166/4-6.)

C'est que Bavon, comme Ly, attend protection de la femme. Or, ce n'est pas à elle de faire connaître la force de ses liens (*V. 1*, 167/19), mais à l'homme de marquer sa domination. Pour poser convenablement le rapport instituant le couple, il faut que l'homme exerce librement son /pouvoir/ et que la femme accepte de le subir. C'est pourquoi Thalie formule correctement le problème de l'amour quand elle interroge :

18. Marthe comptait sur la solidité de ce genre de lien pour retenir Louis Laine : « Je t'ai pris et j'ai attaché mes mains derrière ton dos. » (*Th. I*, 695, 1900). Ysé fait de même avec Mésa : « [...] et toi ne pense pas que je te laisse aller, et que je te lâche de ces deux belles mains ! » (*Th. I*, 1031 ; 1906).

« Qui veut
Me prendre afin que j'habite avec lui tous les jours ? »
(*V. 1*, 164/19-20.)

A cette invite on peut, assurément, ne pas répondre si l'on a peur d'être trompé. D'où la mise en garde de Ligier (reprise à peu près dans les mêmes termes par son frère Besme, *V. 2*, 313/37) :

« Que ceci ne m'arrive pas, que je sois dominé ainsi ! par quelqu'un
Qui varie comme le mouvement des yeux. »
(*V. 1*, 160/16-18.)

On peut encore user de quelques manœuvres dilatoires, s'efforcer à distinguer entre une Thalie véridique et une autre, menteuse (*V. 1*, 165/7), vouloir s'adresser à la première et récuser la seconde. Bavon offre ainsi l'exemple d'un curieux discours à deux entrées :

BAVON. — Que je sois privé de toi !
« Oublie tout et viens ! »
THALIE. — Dis-tu...
BAVON. — Tais-toi ! O Audivine qui me donnes les mains, ne la crois pas en ce qu'elle va dire !
— Mais je parle à cette autre Thalie. »
(*V. 1*, 167/5-10.)

La relation unissant Bavon à cette autre Thalie qui dit : « Oublie tout et viens ! » appartient au mensonge (dimension du *paraître*) ; elle est donc mal fondée ; par contre, l'exclusion (« Que je sois privé de toi ! ») ressortit à la vérité (dimension de l'*être*) :

/Thalie I /	/ Thalie II /
Relation /être privé de/	Relation /être avec/
dimension de l'*être* /vérité/	dimension du *paraître* /mensonge/

Bavon pourrait affirmer la coexistence de propositions contradictoires et accepter, en définitive, l'ambiguïté du personnage.

Mais à vouloir dissocier l'une de l'autre les deux Thalie, il était condamné à manquer son objet (*V. 1*, 168/4-15). Or Thalie est à prendre comme elle est, « lourde et pesante », dit Coeuvre (*V. 2*, 325/5)[19], mais une. Seul le poète ose courir le risque de se charger de ce « corps accablant » (*V. 1*, 169/24). Mais il aura fallu, pour mener à bien cette entreprise, exécuter avec scrupule un *rituel* du *geste* et de la *parole* que nous voudrions maintenant décrire.

Marquons d'abord les différences entre les versions. La première, comme nous l'avons déjà signalé, nous paraît le plus clairement construite. Après une présentation de « la femme illustre » par excellence (*V. 1*, 172/7), Thalie, se succèdent deux séquences narratives logiquement opposées. L'une renvoie à l'échec du couple Bavon/Thalie (séquence *déceptive*) ; la seconde conclut l'acte et en détermine l'orientation sémantique : elle est consacrée à la réussite du couple Coeuvre/Thalie (séquence *véritable*). Pour donner encore plus d'éclat et de portée à cette union « royale », un chœur les entoure :

« Accorde, Coeuvre, une faveur.
[...]
Accorde
Que de vous, rois, nous rehaussions
La réunion de la double rangée de nos âmes. »
(*V. 1*, 171/15 et 172/3-5.)

On notera que ce chœur est formé de l'ensemble des [Jeunes Gens]. C'est parce qu'ils ont reçu tout à l'heure la parole de Coeuvre qu'ils peuvent participer maintenant aux rites publics de l'union de l'homme et de la femme exemplaires, comme le feraient des acolytes et des témoins. L'économie de la seconde version est tout autre. Loin d'être une sorte de personnage mythique, Lâla est encore une toute jeune fille ; Lambert, qui l'a recueillie, n'est pas la doublure de Bavon et les [Jeunes Gens] ont disparu ; nous ne retrouvons pas davantage la déclaration d'immortalité qui parachevait la cérémonie des épousailles de Coeuvre et de Thalie ; bref, le discours n'est plus

19. De même Ysé pour Mesa : « [...] j'emporte donc avec moi ce corps lourd, Qui est ma mère et ma sœur et ma femme et mon origine ! » (*Th. I*, 1056, 1906).

ordonné en fonction d'un seul objet : la célébration du couple.

Et cependant, apparemment, le rituel ne varie guère d'une version à l'autre. A l'interpellation de la femme, qu'il s'agisse de Thalie ou de Lâla, le poète ne répond pas tout de suite.

V. 1, 169/2-5 et 9-11

THALIE, *s'approchant de Coeuvre.* — Et toi, le souffriras-tu (que j'aille avec Bavon) ?
COEUVRE. — Thalie !
THALIE. — C'est mon nom !
[...] Ne le souffre pas, Coeuvre !
COEUVRE. — Femme, que me voulez-vous ?

V. 2, 323/2-7

LÂLA. — Coeuvre !
Silence.
Coeuvre, m'entendez-vous ?
COEUVRE. — Que me veux-tu, jeune fille ?
LÂLA. — Est-ce que tu m'abandonnes ainsi ?

Il lui faut un témoignage d'humilité ; ce peut être une *attitude corporelle* : ainsi, Thalie « s'étend par terre » :

> COEUVRE. — La voilà donc. Certes, je te regarde sans joie, chose étendue par terre !
>
> (*V. 1*, 169/17-19.)

De même, dans la seconde version, « elle se met aux pieds de Coeuvre » ; puis le poète lui « pose le pied sur [le] dos » (*V. 2*, 323/20 et 324/5). Il marque par ce geste le renversement de la proportion déceptive :

$$\frac{\text{dominant}}{\text{dominé}} \simeq \frac{\text{Thalie}}{\text{Bavon}} \longrightarrow \frac{\text{Coeuvre}}{\text{Thalie}}$$

Ce peut être aussi une *parole* : Thalie, en affirmant son ignorance et son impuissance, reconnaît du même coup la supériorité de Coeuvre :

> « Je ne sais pas, Coeuvre ! Je ne puis pas !
> [...]
> Pour toi, prends-moi si tu le veux. »
>
> (*V. 1*, 169/9 et 15.)

Il en va de même quand il s'agit de manifester l'accord des volontés ; les deux pratiques, gestuelle et verbale, se conjuguent.

Coeuvre dit son accord et invite Thalie ou Lâla à se relever, c'est-à-dire à se dresser, ce qui, nous le savons, est la seule attitude corporelle compatible avec l'affirmation du /Je/ :

V. 1, 170/10-15

COEUVRE. — [...]
Tu seras mon honneur et mon âme sera ton partage !
Afin que nous célébrions
Une union d'or, un mariage d'huile !
THALIE. — Oui, je le veux.
COEUVRE. — Relève-toi.

Elle se relève.

V. 2, 324/25-26 et 37

COEUVRE. — [...]
Réjouis-toi, mon âme ! réjouis-toi, Coeuvre, car voici ta joie et tu as posé dessus ton pied.
[...]
Relève-toi donc, ma joie. Sois ma femme.

[...] *Elle se relève.*

La cérémonie pourtant ne s'achève pas sur un échange des consentements. S'il en était ainsi, il ne s'agirait, somme toute, que d'une rencontre personnelle (structure actantielle binaire). Or, tout se passe comme s'il fallait satisfaire à un *rite de la dédicace* pour assurer la réussite de l'aventure humaine (structure actantielle ternaire). C'est ainsi qu'on voit Coeuvre prendre à témoin de son union avec Lâla l'assistance d'abord la plus proche, puis, par cercles concentriques, la plus lointaine ; l'entourage immédiat, puis les arbres, le ciel, les étoiles et, enfin, la lune :

« Voyez, ô vous tous qui m'entourez, hommes et femmes,
Et vous, assistance plus antique, arbre, toit des branches, voyez !
Et vous, ô cercle plus large,
Cieux ! étoiles
Qui tout à l'heure vous êtes allumées dans l'air blanc là-haut,
[...]
Et toi, hiérophante (la Lune),
[...]
J'ai pris cette femme, [...]. »

(*V. 2*, 325/9-15, 19, 22.)

Tout cérémonial de consécration comporte, bien entendu, sa pratique gestuelle ; ici deux actes sont liés : l'*élévation* et l'*imposition d'un voile*. Dans cette mise en scène, la femme joue chaque fois le rôle de patient. Cela va de soi lorsqu'elle est soulevée de terre et présentée au monde comme une offrande. C'est non moins évident lorsque la femme prend le voile : en effet, par ce geste dont la symbolique est ancienne, on le sait, la femme avoue sa dépendance à l'égard de l'homme. On ne doit pas négliger non plus deux autres fonctions qui nous paraissent complémentaires : 1) le voile protège contre un désir profane ; 2) il efface, pour ainsi dire, l'identité. Ce dont témoigne la première version :

> « LAURENT, *à Laure*. — Laure, qui amènes-tu ?
> RHEA. — Des liens ! la puissance de la jalousie.
> [...] le voile qui l'enferme défend
> Que tu meurtrisses ton épouse avec un regard curieux. »
> (*V. 1*, 172/10-11 et 13-14.)

La seconde est pauvre en ce domaine. Elle ne retient que le fait brut de l'imposition du voile. De plus, elle rend concomitant ce que la première avait ordonné d'une manière significative : d'abord l'élévation, puis le voile. On distingue, en effet, deux temps dans la première version : le poète présente Thalie à l'univers ; puis, le chœur des jeunes filles la lui enlève, la couvre d'un voile et, finalement, la lui rend tel un don :

> « Nous t'amenons,
> Coeuvre, notre don ! » (*V. 1*, 172/12-13.)

C'est ainsi que la /société/ [20] accepte et légitime l'union de Coeuvre et de Thalie :
soit :

	D_1	$\longrightarrow$ O	$\longrightarrow$ D_2
1 —	/l'homme/	/la femme/	/la société/
2 —	/la société/	/la femme/	/l'homme/

Seule la première version, on le voit, met en pratique toutes les phases de cette structure d'échange.

Le cérémonial s'achève naturellement par le dévoilement.

20. Terme général recouvrant à la fois l' « assistance » immédiate et lointaine.

L'acte implique que la femme est devenue l'égale de l'homme [21]. Thalie ou Lâla n'est plus la même. Coeuvre ne la reconnaît plus. Il faudra donc lui accorder un nouveau statut :

« *Elle relève son voile.*

COEUVRE. — O Etoile du soir, est-ce vous ? êtes-vous donc si belle ?

THALIE, *à voix basse.* — O Coeuvre, salut ! »

(*V. 1*, 173/1-3.)

Nous voyons ainsi en exercice, une nouvelle fois, la *fonction de reconnaissance.* Jusqu'à cette rencontre avec le poète, la femme n'avait pas acquis son identité. C'est pourquoi Lâla, sans « frères ni parents » (*V. 2*, 323/37), était en relation d'exclusion avec le monde ; c'est pourquoi Thalie, ne venant de nulle part et n'allant nulle part, se disait « vagabonde » et « sans nom » (*V. 1*, 173/15). Coeuvre, en la situant et en la nommant, lui a rendu « son droit » (*ibid.*) ; il l'a choisie « entre toutes les femmes » (*V. 1*, 173/14). A ces mots bien connus de la Salutation évangélique, Coeuvre fait écho dans la seconde version lorsqu'il reconnaît solennellement son épouse :

« Je vous salue, ma femme. » (*V. 2*, 325/34.)

Mais, inversement, la femme a été l'occasion et l'outil d'une transformation. En ce sens, elle peut dire qu' « elle n'est pas demeurée vaine ! » (*V. 2*, 326/12). Grâce à elle, en effet, le poète expérimente pour la première fois un *pouvoir* sensible. Déjà, par un geste symbolique, il avait pris possession de son épouse, de celle qui est « [sa] mesure et [sa] portion de la terre » (*V. 2*, 325/22). Après s'être approché d'elle, il avait posé les mains sur ses épaules et « [touché] de la joue sa joue voilée » (*V. 1*, 172/19-20 et V. 2, 325/31-33) [22]. Or, maintenant, le dévoilement est chose faite et le couple est formé. Pour peu qu'on y

21. C'est peut-être le moment de rappeler que dans la tradition orientale (hébraïque et chrétienne), l'homme n'a pas l'obligation de se couvrir la tête, car il est directement l'image de Dieu. La femme, elle, dépend de l'homme ; elle est sa gloire : « Tu seras comme mon honneur », dit Coeuvre à Thalie (*V.* 1, 170/10).

22. « Il ne s'agit plus de regarder mais de posséder [...]. Ainsi l'époux qui prend possession de l'épouse dans la nuit. Ses mains ont reconnu son corps. Sa bouche a appris sa bouche » *OC, XX,* 164 et 165 (1939).

songe, la situation est singulière. Chaque actant, s'il veut se définir comme /Je/, a besoin de ce /Tu/ qui œuvre en lui et qu'il ne peut exclure sans se nier.

Dans la première version, on est en droit de parler d'égalité. Tout rapport de domination est, en fin de compte, effacé et la réussite, commune aux deux partenaires ; Thalie l'affirme[23] :

> « [...] Coeuvre est un couple, l'un mon époux, l'autre une femme. » (*V. 1*, 173/17.)

Mieux, rien ne saurait menacer cet équilibre, puisque l'homme en devenant « couple » s'est soustrait au changement :

> « Qui raconte que l'homme meurt ? Ce n'est pas vrai ! »
> (*V. 1*, 174/1-2.)

Il reste à se demander comment un actant qui combine un /Je/ et un /Tu/ conserve son identité. Ce n'est pas par inertie en tout cas. Le soutenir serait ne rien comprendre à la nature de la femme qu' « un esprit de feu et de danse [...] emporte » ! (*V. 1*, 161/10). Thalie impose le mouvement, bien au contraire. Elle n'est pas un objet que l'on consomme et dont on jouit mais un principe de lutte, de victoire et un facteur de vérité. Mû par cette force vivifiante perpétuellement au travail, l'homme est alors capable de produire un /dire/ et un /faire/ neufs[24] :

> « Je te tiendrai dans mes bras comme un cheval, comme la véhémence du feu, comme la force du fer !
> Qui raconte que l'homme meurt ? Mais il — Thalie !
> Etre, danseuse ! — persévère
> Dans la vive jeunesse, nouveau
> Par le cri, nouveau par l'œuvre ! » (*V. 1*, 174/3-8.)

Il semble que nous ayons maintenant rassemblé suffisamment d'éléments pour interpréter la transformation accomplie. En s'affirmant comme couple, Coeuvre et Thalie ont fait l'expérience heureuse d'un /savoir/ et d'un /pouvoir/ dont les effets disent assez l'importance. Rappelons simplement le

23. Comme le fera Ysé, à peu près dans les mêmes termes : « Et je suis un homme en toi, et tu es une femme avec moi [...] » *Th. I,* 1027 (1906).

24. La muse de la *Quatrième Ode* élabore sur un autre ton un contenu similaire ; cf. en particulier l'antistrophe I, *OP,* 268 (1910).

principal d'entre eux : l'/immortalité/. Le gain est immense, d'autant que, placé sur le mode de l'*être*, il ne donne lieu à aucune contestation.

Soit, en résumé :

	Avant (l'/ancien/)	Tr.	*Après* (le /nouveau/)
Présupposé :	Disjonction des personnes : Je $\vee$ Tu	opérateur : la /reconnaissance réciproque/ actants : Cœuvre et Thalie O : eux-mêmes [25]	Conjonction des personnes Je $\wedge$ Tu
Posé :	Qualification négative de l'être /mortel/		Qualification positive de l'être : /immortel/
Modalités :	Affirmation de la suite négative : /$\overline{\text{savoir-pouvoir}}$/ $\rightarrow$ /$\overline{\text{vouloir}}$/		Affirmation de la suite positive : /savoir-pouvoir/ $\rightarrow$ /vouloir/

Les conclusions de la seconde version sont loin d'être aussi nettes. La raison en est que, par une sorte de retour au sens commun, Coeuvre ne prétend plus à l'immortalité du couple :

> « Nous mourrons et il ne sera plus fait de nous mémoire. » (*V. 2*, 324/36.)

Assurément, la proposition est en contradiction avec celle qu'il soutient dans la première version. Et aussi avec l'interrogation de Lâla soucieuse d'exprimer fortement la joie d'un amour partagé :

> « O sot homme, pourquoi parler de mort quand tu vis ? et que sais-tu, dis, si tu mourras ? »
> (*V. 2*, 312/19-20.)

C'est que la recherche de Coeuvre n'a plus la remarquable simplicité que nous lui connaissions et que nous pouvons résumer

25. Paraphrase : « En instituant le couple (fonction de reconnaissance), Coeuvre et Thalie transforment la nature même de leur identité » (cf. pp. 172 et 198).

ainsi : la « divine conversation » avec les hommes, premier et principal objet de la quête poétique, présuppose la réussite du couple. Dans la seconde version, les deux objets que le poète se donne n'ont entre eux d'autre rapport logique que l'exclusion : il n'y a plus passage obligé de l'un à l'autre, mais affirmation de l'un et dénégation de l'autre. On pouvait tout à l'heure lier par implication les deux propositions et dire : s'il y a formation du couple, alors le poète adressera aux hommes une parole vraie. Il n'est question ici que de hiérarchie. Sans doute, réussir à s'approprier l'objet désiré, /immatériel/, à savoir la connaissance du principe des choses (*cf*. p. 180) :

> « [...] tirant vers le principe et la cause, je voulus voir et avoir ! », (*V. 2,* 316/32-33),

rendrait vaines toutes les autres quêtes. Mais, à défaut, accepter de former un couple, ce sera pour Coeuvre reconnaître un certain échec et donc admettre qu'il rêvait d'un bien « excédant la proportion de la nature humaine [26] ». Si Coeuvre a d'abord rejeté la quête d'un bien /matériel/, c'est qu'il en voyait trop facilement la fin et que le bénéfice lui paraissait maigre :

> « [...] l'homme marié, il ne lit pas, et s'il a du temps, il parlera de ses voisins : et, partageant le pain aux siens, il mange sa part et la mâche avec satisfaction. »
> (*V. 2*, 317/7-9.)

Telle est la paix promise à l'homme. Ce qui le sollicite tout au contraire, c'est un amour qui

> « Ne se repose point dans le repos et [qui] n'en connaît aucun. » (*V. 2*, 316/19.)

Sans doute, Coeuvre ne saurait définir clairement son but ni même donner un contenu un peu précis à son « entreprise ». On dirait plutôt qu'il est soumis aveuglément à une force d'attraction ; sa position rappellerait alors celle du

26. L'expression est de l'Angélique et désigne « la vie éternelle », *OC,* XXI, 51 (1938). Il y a, bien entendu, une transition possible entre l'immortalité du couple telle qu'elle est présentée dans la première version et l'éternité de l'homme en Dieu. De ce point de vue, la seconde version marque un recul sur la première.

« [...] palmier femelle qui pousse seul au milieu d'une vaste plaine
Et il reçoit de l'arbre qu'il ne voit point l'amour et le souffle fécondant qui lui vient de l'espace incirconscrit. »
(*Ap. II*, 424, note.)

Retenons au moins de cette image la tension créée par la mise en rapport de pôles contraires. Quelle que soit la distance qui sépare Coeuvre de son objet, le bien /immatériel/, son désir est d'aller de « l'autre côté » du fleuve, de retourner dans cette contrée « vide », sans hommes, ni bêtes, ni bruit (*V. 2*, 317/16) où il a déjà posé le pied une fois. Ce n'est pas la volonté d'appropriation d'un objet proche qui le détermine, mais « une certaine inchoation de la fin[27] ». Coeuvre n'éprouve donc aucune hésitation : la fonction transitive /aller vers/ l'emporte sur la fonction intransitive /être avec/, l'aspect dynamique sur l'aspect statique :

« [...] moi, je ferai mon entreprise tout seul.
Je m'ébranlerai comme un éléphant qui, le matin, se met en marche à la recherche d'un gué.
C'est ainsi que je m'avancerai, et où je mourrai on ne retrouvera plus mon corps. » (*V. 2*, 317/21-25.)

Il revenait à la femme, à Lâla, en se proposant à lui comme un bonheur sensible, immédiatement saisissable, de l'arrêter dans sa quête. Du coup, le poète récuse son identité et dénie ce qu'il affirmait :

« Qui es-tu pour convoiter un autre bonheur ? quand tout le compte de tes années ne va peut-être plus jusqu'à trente ? » (*V. 2*, 324, 34/35.)

Ainsi l'assurance du moment présent prévaut sur l'espérance d'un bien, en quelque sorte, abstrait. Coeuvre ne cherche plus à trouver l'accès d'un autre monde mais à se saisir d'une « portion de la terre » :

« Car toute la joie de l'homme n'est-elle pas bien, comme on dit,

27. *OC*, XXI, 52 (1938).

La femme, afin qu'il en ait satisfaction et que le mâle rencontre la femelle ?
[...]
Cette femme n'est-elle pas belle et ne dit-elle pas qu'elle t'aime ? Saisis et prends.
N'a-t-elle pas deux yeux et une bouche, et des mains,
Et des cheveux pour que tu les lui dénoues, et ne tient-elle pas tout entière entre tes bras ?
Il fait nuit, et si mes yeux ne vont pas plus loin que la longueur de mes bras, j'en croirai mes mains. »
(*V. 2*, 324/21-24 et 27-33.)

Lâla ne reprendra pas les paroles de Thalie sur l'unité d'un couple composé de deux termes complémentaires et égaux. Elle proclame au contraire la domination de Coeuvre : je tiens dans sa main et il me porte à sa bouche comme il ferait d'un fruit :

« [...] comme un fruit suspendu entre les feuilles, tu me saisis et tires de la main.
Et je suis dans ta main
A ta bouche [...]. » (*V. 2*, 326/13-16.)

En fait, l'homme, dans la seconde version, a l'initiative du /dire/ et du /faire/. Il lui revient donc de régler le cérémonial de la possession et de fixer le rôle de Lâla :

« [...] il faut que je dorme », dit Coeuvre, « afin que tu attouches mon âme et que tu reçoives
Mon souffle et que j'aie avec toi communication. »
(*V. 2*, 325/28-30.)

Voilà un exemple de l'échange subtil, de la « mystérieuse respiration » sur laquelle Besme s'interrogeait (*V. 2*, 304/18). Lâla, en vérité, c'est une saveur et une odeur, « l'odeur de la terre », « l'odeur de l'été », « l'odeur de l'automne » :

« Et voici que je te possède et t'ai dans le souffle qui entre par mes narines. » (*V. 2*, 326/8-9.)

Pourtant, une telle prise en charge, ou, plus précisément, une telle incorporation d'autrui, ne laisse pas d'inquiéter Coeuvre. Comme lui-même d'ailleurs, Lâla est un personnage ambigu :

suave à l'odeur sans doute, mais amère à la bouche. Aussi bien le poète attribue-t-il à la nature de la femme l'ambivalence qui lui paraît celle de son propre destin : bonheur et malheur mêlés, douceur et amertume ; « Douce-Amère », tel est le surnom donné à Marthe par Louis Laine[28]. Ainsi commence le jeu plaintif des paronomases et des assonances : amère amie, amer amour[29], amère vie :

> « O femme ! ô compagnon féminin ! amère amie !
> O notre amère vie ! ô amour comme l'orange amère,
> Aussi suave à l'odeur, aussi étrange et amère au cœur et à la bouche ! » (*V. 2*, 326/21-24.)

Nous sommes donc loin de l'affirmation d'une réussite sans partage. Sans doute le couple a été institué puisqu'il suffisait pour établir le contrat de procéder au dévoilement et à l'accord des volontés. L'objet de la quête est donc atteint. C'est la fin d'une exclusion et la possibilité d'une jouissance. Les deux partenaires, en faisant l'expérience heureuse de leur /savoir/ et de leur /pouvoir/, se sont affirmés comme actants-sujets. Mais le gain est bien moindre que dans la première version. C'est peut-être, en effet, par un raisonnement en termes de profit que l'on évaluera le mieux le bénéfice résultant d'une transformation. Si l'on fait ainsi une table des profits et des pertes, il faudra noter qu'on ne retrouve plus dans la seconde version la proclamation par le couple de son immortalité. On n'entend plus une voix « *duelle* » mais une voix *singulière* et dominatrice qui affirme la puissance de la mort. La fonction et la qualification des actants ont aussi perdu de leur belle simplicité. Dans la première version, les deux objets, /sensible/ (rencontre de la « face humaine ») et /spirituel/ (dire la vérité), étaient liés par implication. Dans la seconde, ils s'excluent réciproquement. Avant d'acquiescer au projet de Lâla, Coeuvre a dû rejeter « le conseil que la nature [lui avait] donné », la quête de l'immatériel, et Lâla peut craindre qu'il ne soit de nouveau happé comme Simon-Tête d'Or par « le désir de finir la route[30] ». Comment ne se rappellerait-elle pas cet avertissement du poète :

28. *Th. I,* 669 (1900).
29. *O. Prose,* 377 (1952).
30. *Th. I,* 173 (1901).

« Et si quelqu'un est mon ami, je ne suis qu'un ami ambigu » ? (*V. 2*, 317/6.)

Elle-même, on le sait, échappe à toute définition univoque. Pour rendre compte de son statut complexe, de son être disjoint, on dira que Lâla combine en elle les traits contraires de l'/euphorie/ et de la /dysphorie/, alors que toutes les qualifications reconnues à Thalie par Coeuvre, dans la première version, étaient positives, le couple à peine formé, c'est-à-dire comportaient le trait /euphorique/.

Si, poursuivant encore quelque peu notre effort d'analyse, nous essayons de dessiner le domaine d'intersection des deux ensembles, nous voyons qu'il se réduit à une *fonction*, à vrai dire, essentielle. Il s'agit de la quête de la femme et de l'affirmation du couple. Nous noterons par O_1 l'objet de cette fonction :

$$f \text{ /quêter/ } [\text{Coeuvre} ; O_1]$$

Nous avons trouvé un premier exemple d'opposition dans le rapport logique unissant cette quête à celle de l'objet /spirituel/, noté O^2 : dans la première version, rapport d'implication; dans la seconde, rapport d'exclusion. Sur le plan des *qualifications*, le trait /euphorique/ caractérise les actants de la première version et la conjonction des traits opposés /euphorique $\wedge$ dysphorique/, ceux de la seconde. Cela dit, un problème reste posé. Nous ne croyons pas en effet qu'il soit possible de maintenir sans plus d'examen l'affirmation des modalités pour l'une et l'autre version. Il faudra, d'une manière ou d'une autre, rendre compte de l'importance et du nombre des traits oppositionnels. Nous pensons tenir une ébauche de solution si, à la manière de certains logiciens imaginant une structure linéaire à deux bornes marquant *le plus* et *le moins*, nous situons l'affirmation sur cette échelle. Dans cette perspective, nous affecterons le /Je/ du signe (+), lorsque l'affirmation est jugée proche de la borne maximale positive et du signe (—) dans le cas contraire. Nous opposerons de cette façon une affirmation *forte* à une affirmation *atténuée*[31].

31. Cf. en logique épistémique le rapport entre le subalternant (adhésion) et le subalterné (ne pas dire non).

Un tableau résumera les points principaux de notre démarche :

La Ville 1 & 2 / Actants	Traits communs V. 1 ≃ V. 2	Traits oppositionnels V. 1	*vs* V 2
fonctions	f/quêter/[Cœuvre ; O_1] La quête est réussie ; le couple est formé.	Rapport *d'implication* $O_1 \rightarrow O_2$	Rapport *d'exclusion* $O_1 \vee O_2$
qualifications	Ø	Catégorie /euphorie/	Catégorie /euphorie $\wedge$ dysphorie/
modalités	Ø	Affirmation /Je/$^{(+)}$	Affirmation /Je/$^{(-)}$

III. LE SYSTÈME DES MODALITÉS ET L'AGENCEMENT DES SÉQUENCES

Texte clos et texte ouvert.

La fonction du récit, avons-nous dit, est de fournir des réponses aux questions posées par les actants. Pour mieux cerner son identité, chacun s'est interrogé sur son /savoir/, son /pouvoir/ et son /vouloir/. Nous avons souligné le rôle déterminant de cette dernière modalité. C'est en effet à partir d'elle que prend forme le double statut, personnel et social, de l'actant. Peu importe d'ailleurs que le /vouloir/ soit affirmé par Avare ou dénié par Besme, Lambert, Ly et Coeuvre ; dans les deux cas, les relations des hommes avec la société sont contestées. Nous vivons dans une cité injuste, dit Avare : il faut la détruire ; il n'y a pas de savoir de la science, affirme Besme de son côté. Toutefois, une autre classe d'actants s'efforce d'expérimenter, dans ce jardin et pendant cette nuit, un type de relation intersubjective dont l'établissement, préalable à toute autre relation, serait comme la garantie d'un succès général. Lambert veut-il exercer son /savoir/ et son /pouvoir/ politiques ? Il devra d'abord s'être marié avec Lâla. Si je m'unis avec une femme, dit Coeuvre, le poète, alors ma parole, cette parole bénéfique que les hommes attendent de moi, sera porteuse de vérité. Aussi bien les deux versions témoignent à leur manière d'une expérience heureuse : l'une, la première, grâce aux couples formés par les [Jeunes Gens], Coeuvre et Thalie ; la seconde, bien que sur un mode plus incertain, grâce à l'union de Coeuvre et de Lâla.

En adoptant le système des modalités comme principe de pertinence, nous disposions d'un instrument de description qui nous permettait de rendre compte, au-delà de l'extrême diversité des fonctions et des qualifications, de trois classes de discours. Nous construisions, de plus, un objet *homogène*, relativement *simple* et suffisamment *explicite*.

Si nous interprétons maintenant l'articulation des suites modales en termes de séquences narratives, nous reconnaîtrons dans le premier acte de la première version de *La Ville* la combinaison suivante :

V_1 — Modalités	Séquence 1	Séquence 2	Séquence 3
Affirmation de la suite positive [/vouloir/ → /pouvoir-savoir/]	fonction : /détruire/ actant : Avare O : La Ville Temps : futur		
Affirmation de la suite négative [/savoir-pouvoir/ → /vouloir/]		fonction : /récuser/ actant 1 : Besme actant 2 : [Ly-Cœuvre] O_1 : le savoir métonymique O_2 : le savoir métaphorique Temps : présent	
Affirmation de la suite positive [/savoir-pouvoir/ → /vouloir/]			fonction : /instituer/ actant : [Coeuvre-Thalie-Jeunes Gens] O : le couple (/matériel/ et /immatériel/) Temps : présent

Chaque suite modale est traduite par une fonction caractéristique, d'où les paraphrases suivantes :

Première modalité : « L'actant, en se promettant de détruire la Ville, affirme ici et maintenant son vouloir, son pouvoir et son savoir. »

Deuxième modalité : « Les deux actants, en récusant leurs sciences respectives, affirment ici et maintenant leur non-savoir, leur non-pouvoir et leur non-vouloir. »

Troisième modalité : « L'actant, en instituant un couple (/matériel/ et /immatériel/), affirme ici et maintenant son savoir, son pouvoir et son vouloir. »

Nous avons substitué aux sept scènes principales [1] et aux dix-neuf personnages (les onze Jeunes Gens, Ly, Aude, Besme, Avare, Coeuvre, Ligier, Bavon, Thalie) trois séquences et trois classes d'actants, chacune d'elles occupant une place définie logiquement et chronologiquement dans le déroulement de la narration. Par conséquent, nous gagnons en économie, mais nous gagnons aussi en clarté. Si nous laissons de côté la séquence 1 (en effet, Avare ne peut être tenu dans les limites de cet acte ; voir plus loin, p. 250), nous noterons la remarquable symétrie qui unit la séquence finale à la pénultième : elles sont isomorphes [2] mais de contenu opposé. On peut ajouter que les personnages de Ly (scène 2) et des Jeunes Gens (scène 1, puis scène 5) n'ont d'autre fonction que d'introduire Coeuvre et Thalie (scènes 6 et 7). Seuls ces derniers bénéficient d'un prologue de présentation (*V. 1,* 150/31-151/23 et 159/23-161/33) et c'est à eux qu'il revient de donner en conclusion de ce parcours de signification le modèle théorique et pratique du /bonheur/.

La recherche thématique menée par J. Petit conduit à d'autres résultats : « Au premier acte, Ly, Coeuvre et Besme disent l'ennui, tandis que le groupe des jeunes gens annoncent la paix et que le bref passage d'Avare prédit la violence [3]. » Nous distinguons quant à nous deux actants dénommés Coeuvre. En effet, rappelons ici quelques points de notre analyse : le poète subit une transformation en passant de la séquence 2 à la séquence 3. De l'une à l'autre, il a changé d'identité ; il se reconnaît maintenant comme « Je », après s'être défini tout

1. *Scène 1 :* Les Jeunes Gens, 129-131 ; *scène 2 :* Ly-Aude, 131-133 ; *scène 3 :* Ly, Aude, Besme et Avare, 133-135 ; *scène 4 :* les mêmes, moins Avare, 135-144 ; *scène 5 :* les mêmes, plus les Jeunes Gens, 144-150 ; *scène 6 :* les mêmes, plus Cœuvre, 150-159 ; *scène 7 :* les mêmes, plus Ligier, Bavon et Thalie, 159-176.
2. De syntaxe identique.
3. Edition critique, Genèse et thèmes de « La Ville », *op. cit.,* p. 39.

à l'heure sous le mode du « on ». Les [Jeunes Gens] n'annoncent rien par eux-mêmes si l'on admet avec nous qu'ils sont entièment subordonnés à l'enseignement oral et gestuel de Coeuvre ; ils forment le Chœur et sont la bouche des Rois.

La recherche biographique fournit l'occasion d'accentuer encore la divergence des points de vue. Là où nous reconnaissons l'exaltation du /bonheur/ et la célébration du couple immortel, J. Petit voit, si nous comprenons bien, une conversion religieuse malaisément acceptée : « Le premier acte traduit l'état d'esprit de Claudel avant sa conversion ; ennui et désespoir devant le monde ; à la fin arrive Thalie, malaisément acceptée ; c'est la conversion [4]. » Le rapport nous paraît trop lointain pour pouvoir faire l'objet d'une démonstration.

Nous ne retrouvons pas le même parcours de signification dans la seconde version. L'absence des [Jeunes Gens] et de Ly ou l'entrée en scène de Lambert sont de ce point de vue tout aussi significatives que la substitution de Lâla, une toute jeune fille élevée par Lambert, à Thalie, présentée comme une nouvelle Reine de Saba [5]. On dit communément que la seconde version est une simplification de la première. Ce n'est pas exact si, en restant dans les limites du premier acte, nous examinons : 1) l'articulation des contenus, très nette dans la première version, beaucoup plus floue dans la seconde [6] ; 2) les contenus eux-mêmes dont la texture est beaucoup plus complexe dans la deuxième que dans la première, quand bien même, sur le plan quantitatif, la première version l'emporte en nombre de pages sur la seconde.

Comme tout ce qu'on a pu lire dans les pages précédentes concourait à illustrer cette observation, nous ne ferons valoir ici que deux nouveaux exemples.

Dans la scène 7 de la première version, scène finale et de loin la plus longue de toutes, l'opposition entre Thalie et Bavon était brièvement mais nettement indiquée (séquence déceptive); la conjonction Thalie $\wedge$ Cœuvre pouvait dès lors s'éployer largement (séquence véritable) jusqu'à la conclusion de l'acte. Au contraire,

4. *Ibid.*, p. 40.
5. Cf. plus haut pp. 205-206, 209 et 224.
6. Cf. p. 223.

dans la seconde version, l'opposition entre Lâla et Lambert s'étend sur l'ensemble de l'acte (scènes 1, 2, 4, 5, 6); elle n'est donc absente que d'une seule scène, la scène 3 [7]. C'est sans doute pourquoi J. Petit reconnaissait à Lâla le pouvoir de « [donner] au drame son unité. Un mouvement dramatique, totalement absent de la première version s'ébauchait [8] ». De plus, cette relation ne se laisse pas analyser en terme d'opposition clairement marquée; on dira plutôt qu'il s'agit dans un premier temps (jusqu'à la scène 5) d'une disjonction inclusive (ne pas dire non), puis, dans la scène 6, d'une disjonction exclusive, c'est-à-dire de l'opposition proprement dite (dire non).

Le second exemple a trait aux contenus eux-mêmes. A cet égard, les deux versions obéissent, dirait-on, à un mouvement inverse : l'une dédouble ses personnages, l'autre les unifie.

V. 1	⟶	V. 2
[Ly-Coeuvre]		Coeuvre
Besme		[Lambert-Besme]

C'est ainsi que la disparition de Ly transforme profondément le statut de Coeuvre ; elle l'appauvrit dans un sens (Coeuvre n'a plus de rôle épiphanique), elle l'enrichit dans un autre (Coeuvre reprend à son compte une partie des paroles du précurseur). Inversement, Besme est doté dans la seconde version d'une sorte de reflet, son frère Lambert, et comme tous les deux, sur un plan différent, figurent la Cité, il faut bien que Besme partage ses attributs de puissance. Il est dieu, dit-il ; sans doute, mais il n'est plus le seul dieu. Cependant, tout comme Ly était subordonné à Coeuvre, Lambert est subordonné à Besme, l'aîné de la famille, « le plus sage et le plus fort » (*V. 2*, 318/29-30). Malgré les déplacements d'antagonismes, il paraît donc légitime de voir en Besme et Coeuvre les termes forts de la relation opposant les représentants d'un savoir et d'un pouvoir antithé-

7. *Scène 1 :* Avare, Lambert, 290-296 ; *scène 2 :* Lâla, Lambert, 296-301 ; *scène 3 :* Besme, Cœuvre, 301-310 ; *scène 4 :* les mêmes, plus Lâla, 310-317 ; *scène 5 :* les mêmes, plus Lambert, 317-320 ; *scène 6 :* les mêmes, plus les délégués de la bourgeoisie, 320-328.

8. *Op. cit.*, p. 78. Il est vrai que, p. 91, J. Petit ne semble plus soutenir ce point de vue : « Que Lâla abandonne Lambert [...] n'a pas de valeur dramatique propre. »

tiques. Leur expérience est analogue. Au cours de la seconde séquence, tous deux passent de l'affirmation de la personne (/Je/) à sa dénégation (/on/), c'est-à-dire, si nous transposons sur le plan axiologique, de la /jouissance/ à la /souffrance/. Ils ont d'abord pensé, l'un et l'autre, qu'il était possible d'établir une structure de communication avec les hommes. Besme donnait à la Ville les biens spirituels et matériels dont elle avait besoin ; Coeuvre offrait à autrui sa parole, telle une nourriture :

(a)	D_1	$\longrightarrow$	O	$\longrightarrow$	D_2
	Besme		les biens		la Ville
(b)	D_1	$\longrightarrow$	O	$\longrightarrow$	D_2
	Coeuvre		sa parole		autrui

Mais ce parallélisme ne doit pas nous leurrer. Remarquons déjà que le destinataire diffère singulièrement d'une structure à l'autre : collectif pour Besme ; personnel pour Coeuvre. De plus, si Besme a bien effectué cette transmission du /savoir/ et du /pouvoir/ (dimension de l'être), Coeuvre l'a présentée surtout comme une tentative et comme un projet (dimension du paraître).

Quelles que soient les différences, l'échec est partagé. « Tu parles du mal caché. A quoi bon vivre ? » dit Coeuvre à Besme (*V. 2*, 308/21). Incapables en effet d'atteindre les hommes et donc de réussir l'échange, l'un et l'autre ne retrouvent en fin de compte qu'eux-mêmes. Tout se passe comme si Besme était voué à la solitude du dieu, et comme si le poète, dépouillé de tout /savoir/ et de tout /pouvoir/, restait prisonnier d'une parole circulaire, sans que rien ni personne intervienne jamais pour « faire sommation à l'écho [9] ».

(a)	D_1	$\longrightarrow$	O	$\longrightarrow$	D_2
	Besme		la Ville		lui-même
(b)	D_1	$\longrightarrow$	O	$\longrightarrow$	D_2
	Coeuvre		sa parole		lui-même

En produisant ce dernier exemple, nous voulions montrer que l'identification du statut de certains actants impliquait,

9. *OC*, XXIII, 339 (1949).

dans la seconde version, que soit achevée une suite d'opérations analytiques très complexes et non réductibles. En effet, si l'on peut établir l'analogie des parcours sémantiques, il faut ajouter qu'ils ne sauraient être superposables, c'est-à-dire identiques. Coeuvre et Besme restent de bout en bout des actants distincts.

Une analyse des autres séquences témoignerait aussi bien de la richesse et de la complexité des *relations intrinsèques*. Si maintenant nous confrontons les deux versions et que nous observions le rapport des séquences entre elles à l'intérieur d'un système donné, le système des modalités (*relations extrinsèques*), c'est l'identité des schémas structurels qui retiendra notre attention :

V_2 Modalités	Séquence 1	Séquence 2	Séquence 3
Affirmation de la suite positive /vouloir/ → [/pouvoir-savoir/]	fonction : {/détruire/ $<$ /engendrer/} actant : Avare O : {/La Ville/ I $<$ /La Ville/II} Temps : futur		
Affirmation de la suite négative [$\overline{\text{/savoir-pouvoir/}}$] → $\overline{\text{/vouloir/}}$		fonction : /récuser/ actant 1 : [Besme-Lambert] actant 2 : Coeuvre O_1 : le savoir métonymique O_2 : le savoir métaphorique Temps : présent	
Affirmation de la suite positive [/savoir-pouvoir/] → /vouloir/			fonction : /instituer/ actant : [Coeuvre-Lâla] O : le couple (/matériel/) Temps : présent

Il en est ici comme de *La Ville*, première version ; chaque suite admet une paraphrase :

Première modalité : « L'actant, en se promettant de détruire la Ville /ancienne/, puis d'engendrer la Ville /nouvelle/, affirme ici et maintenant son vouloir, son pouvoir et son savoir. »

Deuxième modalité : « Les deux actants, en récusant leurs sciences respectives, affirment ici et maintenant leur non-savoir, leur non-pouvoir et leur non-vouloir. »

Troisième modalité : « L'actant, en instituant un couple /matériel/, affirme ici et maintenant son savoir, son pouvoir et son vouloir. »

Si nous revenons un instant au jeu des modalités, nous noterons que, les séquences 2 et 3 s'opposant comme le signe négatif au signe positif, la séquence 1 semble isolée. Il suffira cependant de s'inspirer du fonctionnement de groupes logiques très connus, comme ceux de Klein ou de Piaget, pour constituer à l'aide des triplets dont nous disposons le quaterne suivant [10] :

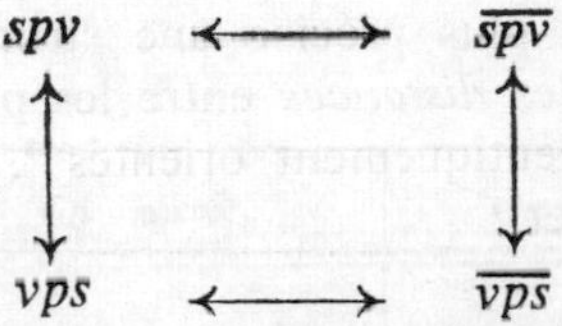

Trois postes sont occupés : le positif (*spv*), le négatif ($\overline{spv}$) et l'inverse du positif (*vps*). Les flèches représentent le sens des opérations de transformation. Nous avons mis entre parenthèses le quatrième poste inoccupé : l'inverse négatif ($\overline{vps}$). Et pourtant, s'il manque en effet à *La Ville* un actant qui se définisse en disant : « Je ne veux pas, je ne peux pas, je ne sais pas », il existe une classe de référence susceptible de remplir cette fonction. Sans doute, elle ne s'énonce pas elle-même, mais elle est dépeinte clairement par Besme et Ly dans la première version et par Avare et Lambert dans la seconde version comme une masse informe dont le substitut est le neutre : /ça/ (voir p. 186 à 190). Il est possible d'ailleurs de commuter les modalités avec les pronoms correspondants et de présenter le groupe isomorphe suivant [11] :

10. Nous utiliserons les symboles *spv* pour noter les modalités positives du /savoir/, du /pouvoir/ et du /vouloir/.
11. Deux groupes sont isomorphes s'ils ont la même structure.

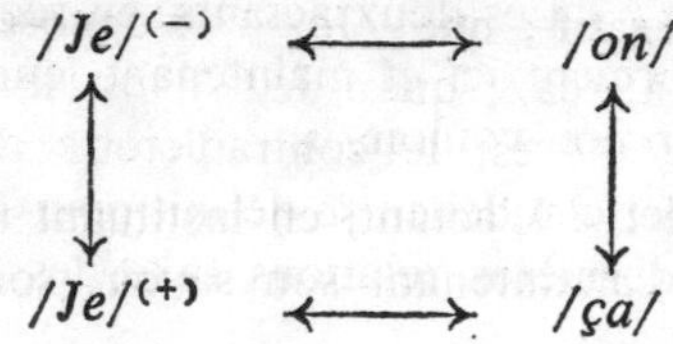

Toutefois, ce diagramme pourrait être récrit avec avantage. C'est ainsi que la transformation de /on/ en /ça/ est interprétable sémantiquement comme le passage du terme fort (marqué) au terme faible (non marqué) ; or, c'est l'inverse que traduit la conversion parallèle de /Je/$^{(-)}$ en /Je/$^{(+)}$. Cette dissymétrie est en soi peu satisfaisante. Nous estimerons par conséquent plus claire et plus précise une structure préservant non seulement l'égalité des *distances* entre les postes mais la hiérarchie des rapports identiquement orientés [12]. Soit cette « topologie » de l'actant-sujet :

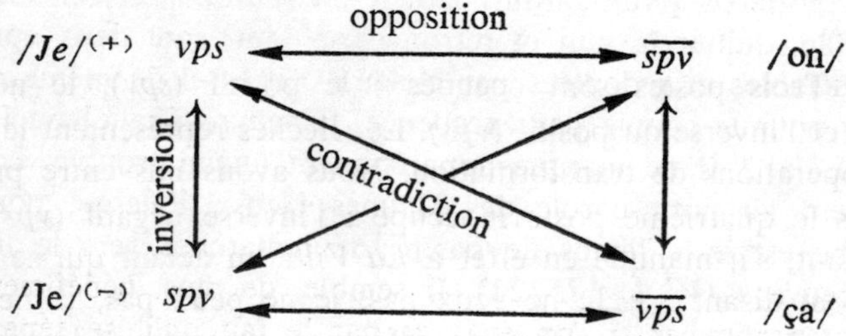

Il est facile de reconnaître dans ce groupe fini les deux relations déjà utilisées : l'*inversion* et l'*opposition* (disjonction faible), plus une troisième : la *contradiction* (disjonction forte). On dira alors que /Je/$^{(-)}$ est l'inverse du positif, comme /ça/

12. C'est en se fondant sur la notion de *distance* que Saussure proposait une « trigonométrie rigoureuse pour déterminer les différences de sens » (R. GODEL, *Les Sources manuscrites du Cours de linguistique générale de Saussure,* Droz-Minard, Genève-Paris, 1957, p. 141). Sur un autre plan, cette même notion nous a servi à évaluer la relation entre l'énoncé et l'énonciation (voir pp. 152 et 215).

est l'inverse du négatif ; que /Je/$^{(+)}$ s'oppose à /on/, comme /Je/$^{(-)}$ s'oppose à /ça/; que /Je/$^{(+)}$ est le contradictoire de /ça/, comme /Je/$^{(-)}$ est le contradictoire de /on/. Nous le savons, l'actant-sujet claudélien se définit pour l'essentiel en fonction de ces deux dernières relations (axe des contradictions).

*

L'utilité de ce dernier modèle, comme de toute construction logique similaire, est d'aider à la réflexion. Par son intermédiaire, nous prenons en effet une mesure plus exacte du *statut de la /personne/* et, corrélativement, nous voyons se préciser le rôle dévolu aux modalités dans l'organisation même du discours. Il faut cependant se garder de croire que le texte est clos parce que nous l'avons envisagé sous la forme d'un groupe fini. Il n'est pas impossible de le considérer au contraire comme un texte ouvert. C'est ainsi que l'affirmation du /Je/ est liée à la réussite du couple. Or, nous le savons, les deux versions de *La Ville* accordent la même *fonction euphorique* à l'actant-deixis [Nuit-Jardin]. Sortir du jardin pour rentrer dans la ville, quitter la nuit et retrouver le jour, sont deux épreuves inéluctables et redoutées par chacun. En est-il de même cependant pour le couple par excellence, [Coeuvre-Thalie] ou [Coeuvre-Lâla] ? Il ne marque apparemment aucun trouble, contrairement au porte-parole des [Jeunes Gens], Palesne, pour qui l'aube est le « temps de partir, de remarcher vers le lieu de l'épreuve » (*V. 1,* 175/21). Il semble, de plus, bénéficier d'un statut particulier si l'on en juge par le fait qu'il se sépare des autres avant de sortir le dernier (« par le côté opposé », précise la première version). Pourtant, on ne voit pas bien comment le couple ainsi formé pourrait ne pas subir la *fonction dysphorique* du /Jour/ et de la /Ville/. Autrement dit, l'analyste doit se demander si le changement du critère référentiel n'implique pas la dénégation de la séquence conclusive (la réussite du couple). La suite du texte lui permettra de vérifier la validité d'une hypothèse fondée sur la notion de hiérarchie, à savoir : le modèle combinant les substituts avec les modalités est un élément d'un système plus vaste dont le fonctionnement est réglé par le jeu des actants-deixis. C'est la démarche hypothético-déductive : elle permet de prévoir à partir d'un point donné, ici, le changement de la deixis, le développement nécessaire du discours.

D'autres exemples s'offrent à notre examen. Ainsi, le /faire/ d'Avare est reporté au futur. Toutefois l'acte I ne nous permet pas de préciser le moment où il mettra son projet à exécution. Nous connaissons son programme : il détruira la Ville et il renversera les tyrans (première version) ; il détruira la Ville /ancienne/ (mais elle commence à brûler quand il fait part à Lambert de son dessein) ; puis il rebâtira la Ville /nouvelle/ (deuxième version). Pour qu'il soit reconnu comme un « héros », pour que, du même coup, son /dire/ soit authentifié, Avare doit avoir réussi son entreprise. Nous sommes donc projetés hors des limites de ce premier acte (*cf.* p. 193).

Le chercheur peut encore adopter un autre point de vue. Au lieu de viser l'ensemble du système dans son expansion logique, il retiendra, à l'intérieur d'une séquence donnée, les articulations qui lui paraissent les plus sujettes à transformation. Nous avons noté, par exemple, que la jouissance est le gage du succès comme la souffrance la marque de l'échec. Cet acte de foi en la jouissance est général. Lambert jouit, au cœur de l'été, d' « un soir si beau », prémisses d'un bonheur futur, alors qu'au même instant Avare jouit de voir au loin les incendies de la ville ; Besme accorde à « l'or splendide et subtil » le pouvoir d'insinuer en lui la « jouissance universelle » (*V. 2*, 292/8, 295/17, 307/12). Rien de plus naturel apparemment que de lier l'affirmation de la personnalité, du /Je/, à celle de la joie et de la jouissance (*cf.* p. 198) :

> « Moi, Coeuvre, moi Coeuvre !
> J'aime, j'adore la plante, la bête et principalement ce qui peut me répondre avec une bouche, l'humain, je veux jouir ! » (*Ap. I*, 392/27-30.)

Inversement, ne plus voir autour de soi qu'un espace entièrement dysphorique conduit à la déréliction : telle est l'expérience de Besme, le désespéré :

> « Les mâchoires écartées comme avec un éclat de bois [...] j'erre en ricanant, tâtant les murs avec les mains. » (*V. 1*, 141/33-34.)

Ainsi le monde, en passant d'un espace à l'autre, change de signe :

> « La pêche n'est rien de plus sous la dent qu'un navet ; les cheveux de la femme [...] paraissent comme les poils d'un âne. » (*V. 2,* 308/23-25.)

Il existe un moyen terme, représenté par une classe d'hommes privés de la capacité de souffrir et de jouir. C'est d'eux qu'il est dit :

> « Ça bouge ! ça vit ! Ces longues lignes de lumière
> En long et en large indiquent les canaux où coule la matière humaine. Ça parle !
> Ils grouillent ensemble, âmes et membres, confondant leurs haleines et leurs excréments. » (*V. 2,* 294/16-20.)

Soit, pour résumer, ce triangle logique des contraires :

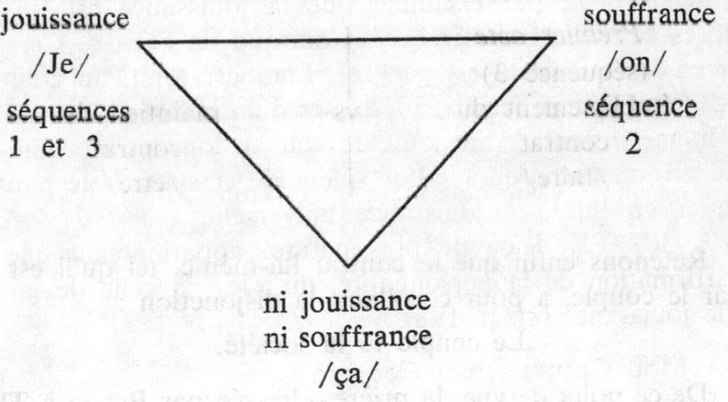

Mais que savons-nous précisément du statut de la jouissance ? L'analyse de la séquence 3 nous donne quelques éléments de réponse. On dira d'abord qu'elle présuppose la possession, une possession immédiate, d'ailleurs, le plus souvent. Coeuvre saisit Thalie en instituant le couple et affirme sa réussite en proclamant :

> « Maintenant, je possède une assurance. »
> (*V. 1,* 173/4-5.)

La souffrance, inversement, naît de l'impuissance :

« Je mettrai une enseigne à ma maison », déclare Besme.
« Et fondant ma fortune, je dédierai
' A l'accomplissement ' l'emblème, un poisson ailé.
' Je le tiens ! ' » (*V. 1,* 140/20-23.)

Mais /posséder/ ou /ne pas posséder/ ne sont pas des conditions suffisantes de la réussite ou de l'échec, s'il est vrai que l'identité de l'actant résulte non seulement d'un /faire/ mais d'un /être/. Nous pouvons le constater : au moment où s'achève le premier acte, nous n'avons été les témoins que de l'*établissement* du contrat par le couple. Assurément, entre le /faire/ et l'être/, entre l'établissement et le maintien du contrat, la *tension* n'a pas été résolue [13].

Le contrat
(Conjonction Je ∧ Tu)

Premier acte (séquence 3) établissement du contrat /faire/	vs	maintien du contrat /être/

Retenons enfin que le contrat lui-même, tel qu'il est établi par le couple, a pour corollaire la disjonction :

Le couple *vs* la société.

De ce point de vue, la prière adressée par Bavon à Thalie est exemplaire :

« Oublie tout et viens avec moi, et que le monde meure ! » (*V. 1,* 167, *S,* 6.)

Le couple connaîtra donc la joie mais l'homme évincé, qu'il s'agisse de Bavon ou de Lambert, clame sa malédiction :

13. Cf. p. 153, note 6 et p. 193, note 53. Sur l'utilisation de ce « concept de tension », voir J. Dubois, « Enoncé et énonciation », *Langages,* 13 (1969), pp. 106-109.

« Que toute joie soit quatre fois maudite et tout homme qui crie sur elle ' Je triomphe ', qu'il soit haï ! »
(*V. 1,* 175/11-12.)

Le triomphe du couple est fondé, en effet, sur l'exclusion : les heureux d'un côté, les malheureux de l'autre :

« Je me sépare de vous, heureux »,

disent Bavon et Lambert (*V. 1,* 175/10 et *V. 2,* 327/30). Chassé en quelque sorte du Paradis, l'homme est relégué dans « la demeure la plus basse », là où les vivants sont assis entre les morts (*V. 1,* 175/16 et *V. 2,* 327/35-36). Dans l'aventure, il perdra jusqu'à son nom (*V. 2,* 327/22). Aussi bien, le bonheur ne se partage pas ; « le monde est répudié » et la société forclose : l'amour ne sert de rien pour les autres [14].

Il convient de s'interroger sur les chances de durée d'un pareil contrat. Nous connaissons de reste la réponse de Coeuvre dans la première version. Loin de vouloir se séparer des hommes, il cherche à les mieux servir en « [étant] de niveau avec le front de la vérité ». Et précisément, la parole véridique dépend de l'institution du couple (*V. 1,* 156/14-16). La réussite de la première partie de son projet est d'ailleurs largement partagée ; le bénéfice, pour tous, en est énorme puisqu'il s'est agi de rien moins que de gagner l'/immortalité/.

La seconde version n'a pas la même assurance. Coeuvre a d'abord affirmé la primauté de l'objet /spirituel/ et dénié l'objet /sensible/ (*V. 2,* 316-317) ; en acceptant de se charger de Lâla, il inverse les termes de la proportion (*V. 2,* 324). Pourtant, les réticences qu'il exprime ne permettent pas de conclure clairement en faveur de la stabilité du contrat. Comment justifie-t-il son choix, en effet ? Coeuvre nous le dit : il a dû prendre en considération non seulement la faiblesse de sa propre nature :

« Qui es-tu pour convoiter un autre bonheur ? »,
(*V. 2,* 324/34),

mais encore les leçons de la « sagesse » universelle, celle-là même, sans doute, que les délégués de la bourgeoisie ont déifiée sous le nom de : « La logique-des-choses » (*V. 2,* 321/10) :

14. « Le monde est répudié », l'expression est d'Ysé ; voir *Th. I,* 1029 (1906).

« [...] toute la joie de l'homme n'est-elle pas bien, comme on dit,
La femme [...] ? » (*V. 2,* 324/21-23.)

Voilà vérifiée une nouvelle fois cette remarque que la seconde version gagne en ambiguïté sur la première. Mis à part le critère du *changement de deixis*, au regard duquel les deux versions sont apparues identiques, l'analyse du *projet d'Avare* comme celle du *rapport faire/être* (second et troisième critères) concordent sur ce point. De par sa structure même, son degré d'inachèvement, la deuxième version appelle de nouveaux développements. Nous dirons que, par opposition à la première dont la structure tend à l'équilibre (texte « clos »), la seconde propose un discours arrêté à un moment de son élaboration, par conséquent, non explicite (texte « ouvert »), telle une histoire qui n'a pas encore trouvé son ordre et sa composition [15].

RÉSUMÉ

Le propos de cette étude est, généralement, de construire un *objet de connaissance* (le lecteur dira s'il lui paraît adéquat au texte étudié) et, plus particulièrement, d'apporter une contribution à *l'analyse transformationnelle du discours.*

Nous nous sommes surtout attaché à décrire le *procès de communication et d'échange* (un destinateur, un objet transmis, un destinataire) et le *procès de transformation*, finie ou non finie, (un actant *x* opère une transformation, au moyen d'un faire quelconque, sur un actant *y*).

A l'aide d'un principe de pertinence — le *système des modalités* (les verbes savoir, pouvoir et vouloir) et, corrélativement, le *système des substituts* (les pronoms Je, on et ça) — nous cherchons à reconnaître l'*identité* des actants et, pour ce faire, à cerner le mieux possible les *transformations* de qualification et de fonction auxquelles ils sont soumis ; enfin, à mesurer la *tension* entre une structure fermée (première version) et une structure ouverte (seconde version).

15. Cf. p. 153.

INDEX

INDEX DES SYMBOLES ET NOTATIONS

$\bar{x}$	non x
$\frac{x}{y}$	relation métonymique ou corrélation (p. 34, 76)
$\frac{I}{x}$	inverse de x
$x^{(-1)}$	*ibid.* (p. 41)
x^{-1}	converse de x (p. 55)
$\simeq$	équivalence
a : b :: c : d	*a* est à *b* comme *c* est à *d*
$\varnothing$	ensemble vide
(	concaténation associative (p. 28)
$\cup$	union (p. 58, 64)
$\wedge$	conjonction
$\cdot$	*ibid.*
$\vee$	disjonction
vs	opposition (*versus*)
$\leftrightarrow$	réciprocité
$\longrightarrow$	implication ou sens d'une opération de transformation
$>$	implication (p. 46)
$<$	avant (relation d'ordre) (p. 195)
$\leqslant$	inférieur à (p. 28)
$<x>$	espace vide
$<1,2>$	suite ordonnée
Tr	transformation
AT	algorithme de transformation (p. 46, 48, 58)

*

/a/	phonème
[a]	son
[á:]	allongement sous l'accent
quêter	lexème
/quêter/	sémème
A_1	actant sujet
A_2	actant objet
A_3 ou D_1	actant destinateur
A_4 ou D_2	actant destinataire
A_5	actant adjuvant
A_6	actant opposant
f ou F	fonction
F^o	absence de fonction
Q	qualification
Q^o	absence de qualification
(m)	modalité caractérisante
(a)	aspect accompli
(na)	aspect non accompli
s	sème ou catégorie sémique
O	objet
Am, An...	actant secondaire (modal)
[x-y]	couple actantiel
[/x-y/]	couple de modalités solidaires (relation canonique)

INDEX DES AUTEURS *

* Nous n'avons repris ici que les noms d'auteurs cités pour un livre ou un article suivis de leurs références.

INDEX DES TERMES

A

C

D

E

F

L

M

O

TABLE

Dépôt légal 2e trimestre 1975 — Imprimeur, 7054.
Imprimé en France

ACHEVÉ D'IMPRIMER SUR LES PRESSES DE
L'IMPRIMERIE AUBIN 86 LIGUGÉ / VIENNE
LE 5 MAI 1973

Dépôt Légal, 2e trimestre 1973. — Imprimeur, 7054.
Imprimé en France